法学講義

〔第2版〕

新里光代 編

新里光代　　篠田　優　　浅利祐一
寺島壽一　　土井勝久　　永盛恒男

不磨書房

第2版 はしがき

　第2版では，商法の改正に伴って，主として第4章商法の部分の改訂を行った。他の部分については，成年後見制度など法律の改正に伴って，第1版第2刷でも必要な改訂を行ってきたが，法律の改正のあった部分や文章表現などを見直した。

　2003年4月

新　里　光　代

はしがき

　われわれの社会生活関係は，法なしには成り立たない。高校を卒業して大学ばかりでなく専門学校に入学しても，一般教養科目の一つとして法学がある。社会人として活動するとき，すべての領域で法と関わりがあるから，最小限の法についての理解をもち，また必要な教養として身につけるために，法を学ぶことになっているのである。

　法律を専攻しない学生にも理解できる一般教養としての法学では，どのような内容にするかが大きな課題となる。法学の多くのテキストは，法学全般について解説しているものが多い。しかし，限られた1年なり半期なりの時間で，法学全般を講義しても，学生は総て消化不良で終わってしまうのではないかということも考えて，本書では，最小限これだけは理解してほしいと思われる分野についてだけ，取り上げることにした。

　そこで，国の基本法である憲法と市民生活をしていく上で基本になる民法とを中心に，法についての基本的なこと，および民法と関係の深い商法を取り上げている。

　第1章は，社会生活をしていく上で，なぜ法が必要なのかということを理解するために，法の基本的なことについて，第2章は，日本国民であれば誰でも理解しておく必要のある日本国憲法について，第3章は，市民生活をしていく上で，人の財産や家族に関する事項を理解するために民法について，第4章は，民法と関係の深い取引会社の商事に関する事項を理解するために商法について述べている。それぞれ専門領域に従って担当し，内容・形式等は共通の理解のもとに，それぞれの責任において自由に執筆した。表現の仕方に多少の違いがあるが，それが担当者の特色とみていただければ幸いである。

　本書が企画されてから1年半になるが，予定どおりに進捗せず，不磨書房の稲葉文彦氏・編集工房 INABA の稲葉文子氏には，大変御迷惑をかけてしまった。何とか出版にまで運んでくださったこと，最後まで大変お世話いただいたことにたいして，衷心より感謝の意を表す次第である。

　　平成11年2月

　　　　　　　　　　　　　　　　　　　　　　　　　　　新　里　光　代

目　次

第2版 はしがき
はしがき

第1章　社会生活と法 ……………………………………………………… *1*
第1節　法とは何か ……………………………………………………… *1*
1　社会生活と規範 …………………………………………………… *1*
(1) 規範の性質 ……………………………………………………… *2*
(2) 社会規範の諸形態 ……………………………………………… *2*
2　法と道徳 …………………………………………………………… *3*
(1) 法と道徳の関係 ………………………………………………… *3*
(2) 法と道徳の区別 ………………………………………………… *4*
3　法と強制 …………………………………………………………… *5*
(1) 公権力による強制 ……………………………………………… *5*
(2) 強制の方法 ……………………………………………………… *5*
4　法の目的 …………………………………………………………… *6*
(1) 正　義 …………………………………………………………… *6*
(2) 法的安定性 ……………………………………………………… *8*
第2節　紛争解決と法 …………………………………………………… *9*
1　具体的事件への法の適用 ………………………………………… *10*
(1) 民事上の問題 …………………………………………………… *10*
(2) 刑事上の問題 …………………………………………………… *10*
(3) 行政上の問題 …………………………………………………… *10*
2　裁判制度 …………………………………………………………… *10*
(1) 裁判所の組織 …………………………………………………… *11*
(2) 民事事件 ………………………………………………………… *11*
(3) 刑事事件 ………………………………………………………… *12*
(4) その他の事件 …………………………………………………… *12*
3　法の解釈 …………………………………………………………… *13*

|　⑴　法解釈の性質 …………………………………………………………… *13*
|　⑵　法解釈の方法 …………………………………………………………… *14*
　4　法　源 ……………………………………………………………………… *16*
|　⑴　成文法 …………………………………………………………………… *16*
|　⑵　不文法 …………………………………………………………………… *17*

第2章　憲　　法 …………………………………………………………… *19*
第1節　近代国家と憲法 ……………………………………………………… *19*
　1　近代国家と憲法の源流をたずねて …………………………………… *19*
|　⑴　憲法は近代国家の不可欠の構成要素 ……………………………… *19*
|　⑵　近代憲法の生成の前提 ………………………………………………… *20*
　2　市民革命と近代憲法 ……………………………………………………… *28*
|　⑴　市民革命 ………………………………………………………………… *28*
|　⑵　近代憲法の特徴 ………………………………………………………… *34*
　3　現代国家と憲法 …………………………………………………………… *38*
|　⑴　社会矛盾の増大 ………………………………………………………… *38*
|　⑵　社会権の生成 …………………………………………………………… *41*
|　⑶　参政権の拡大と大衆民主主義 ………………………………………… *48*
|　⑷　社会主義の試みとその挫折，そしてそこからの教訓 …………… *51*
第2節　基本的人権 …………………………………………………………… *56*
　1　基本的人権とは何か ……………………………………………………… *56*
|　⑴　人権の歴史と日本国憲法 ……………………………………………… *56*
|　⑵　憲法が人権を保障するということ ………………………………… *57*
|　⑶　だれの人権が保障されるか …………………………………………… *60*
|　⑷　人権保障の及ぶ範囲 …………………………………………………… *62*
　2　法の下の平等 ……………………………………………………………… *64*
|　⑴　概　説 …………………………………………………………………… *64*
|　⑵　具体的事例の検討――尊属殺重罰規定と法の下の平等 ………… *65*
　3　精神的自由⑴――内心の自由 ………………………………………… *67*
|　⑴　概　説 …………………………………………………………………… *67*
|　⑵　具体的事例の検討――政教分離原則 ……………………………… *69*

　　4　精神的自由(2)——表現の自由 …………………………………… *71*
　　　(1)　概　説 ………………………………………………………………… *71*
　　　(2)　具体的事例の検討——性表現 …………………………………… *72*
　　5　社会権 ………………………………………………………………… *76*
　　　(1)　総　説 ………………………………………………………………… *76*
　　　(2)　生存権 ………………………………………………………………… *77*
　　　(3)　教育を受ける権利 …………………………………………………… *79*
　　　(4)　労働者の権利 ………………………………………………………… *80*
第3節　統治機構と違憲立法審査制 …………………………………… *82*
　1　はじめに——この節で学ぶこと ……………………………………… *82*
　2　選挙と代表 …………………………………………………………… *84*
　　　(1)　選挙に関する憲法上の原則 ………………………………………… *84*
　　　(2)　選挙権の平等と議員定数配分 ……………………………………… *87*
　　　(3)　参議院とその選挙制度をめぐる問題 …………………………… *101*
　3　違憲立法審査制 ……………………………………………………… *109*
　　　(1)　歴史的展開 …………………………………………………………… *109*
　　　(2)　基本類型とその比較 ………………………………………………… *110*
　　　(3)　わが国の違憲立法審査権の性格 …………………………………… *112*
　　　(4)　違憲審査の対象と統治行為 ………………………………………… *114*
　　　(5)　憲法判断回避の準則 ………………………………………………… *119*

第3章　民　　法 ………………………………………………………… *123*
第1節　市民法の原理 …………………………………………………… *123*
　　はじめに ……………………………………………………………………… *123*
　1　民法の指導原理 ……………………………………………………… *123*
　　　(1)　民法の指導原理 ……………………………………………………… *123*
　　　(2)　民法指導原理の具体的な原則（市民法の原理） ………………… *124*
　　　(3)　民法指導原理の具体的な原則（市民法の原理）の修正 ………… *126*
　2　信義誠実の原則と権利の濫用禁止の原則 ………………………… *126*
　　　(1)　信義誠実の原則——公共の福祉の実現理念 …………………… *126*
　　　(2)　権利の濫用禁止の原則 ……………………………………………… *128*

viii 目　次

 3　権利の主体 …………………………………………………… *129*
  (1)　私　権 ………………………………………………………… *129*
  (2)　自然人 ………………………………………………………… *130*
  (3)　法　人 ………………………………………………………… *132*
 4　法律行為 …………………………………………………… *134*
  (1)　総　論 ………………………………………………………… *134*
  (2)　法律行為の分類 ……………………………………………… *135*
  (3)　意思と表示の不一致 ………………………………………… *135*
  (4)　瑕疵ある意思表示 …………………………………………… *137*
 5　代　理 …………………………………………………………… *138*
  (1)　序　論 ………………………………………………………… *138*
  (2)　代理権 ………………………………………………………… *141*
  (3)　無権代理 ……………………………………………………… *142*
  (4)　表見代理 ……………………………………………………… *143*
  (5)　復代理 ………………………………………………………… *145*
 6　時　効 …………………………………………………………… *146*
  (1)　意　義 ………………………………………………………… *146*
  (2)　取得時効 ……………………………………………………… *146*
  (3)　消滅時効 ……………………………………………………… *148*
  (4)　時効の通則 …………………………………………………… *149*
  (5)　除斥期間 ……………………………………………………… *152*
 7　条件または期限，期間 ………………………………… *152*
  (1)　条　件 ………………………………………………………… *152*
  (2)　期　限 ………………………………………………………… *154*
  (3)　期　間 ………………………………………………………… *154*

第2節　財産関係と法 ……………………………………………… *156*
 はじめに ……………………………………………………………… *156*
 1　財　産 …………………………………………………………… *156*
  (1)　物権とは ……………………………………………………… *157*
  (2)　債権とは ……………………………………………………… *157*
 2　契約の履行 ……………………………………………………… *158*

(1) 契約と法 …………………………………………… *158*
　(2) 契約の成立 ………………………………………… *159*
　(3) 履行期 ……………………………………………… *160*
　(4) 履行地 ……………………………………………… *161*
　(5) 履行する場合のルール …………………………… *161*
　(6) 契約が履行されない場合 ………………………… *162*
 3　債務不履行責任・危険負担・瑕疵担保責任 …… *163*
　(1) 債務不履行責任 …………………………………… *164*
　(2) 危険負担 …………………………………………… *168*
　(3) 瑕疵担保責任 ……………………………………… *170*
 4　各種の典型契約 ……………………………………… *172*
　(1) 典型契約・非典型契約 …………………………… *172*
　(2) 所有権移転（ないし交換）型 …………………… *173*
　(3) 貸借型 ……………………………………………… *175*
　(4) 労務提供型 ………………………………………… *178*
　(5) その他 ……………………………………………… *181*
 5　不法行為責任 ………………………………………… *181*
　(1) 一般的不法行為 …………………………………… *182*
　(2) 特殊不法行為 ……………………………………… *186*
　(3) 現代における不法行為法 ………………………… *187*
第3節　家族関係と法 …………………………………… *189*
 1　夫　婦 ………………………………………………… *189*
　(1) 婚姻の成立 ………………………………………… *189*
　(2) 夫婦間の権利義務 ………………………………… *190*
 2　離　婚 ………………………………………………… *191*
　(1) 離　婚 ……………………………………………… *191*
　(2) 離婚の効果 ………………………………………… *193*
 3　親　子 ………………………………………………… *193*
　(1) 実子関係 …………………………………………… *193*
　(2) 養親子関係 ………………………………………… *194*
 4　扶　養 ………………………………………………… *195*

(1) 私的扶養 ………………………………………………………… *195*
　　　(2) 公的扶助 ………………………………………………………… *196*
　　5　親権と後見 ………………………………………………………… *197*
　　　(1) 親　権 …………………………………………………………… *197*
　　　(2) 後　見 …………………………………………………………… *197*
　　6　相　続 ……………………………………………………………… *198*
　　　(1) 相続人 …………………………………………………………… *198*
　　　(2) 相続分 …………………………………………………………… *199*
　　　(3) 相続財産 ………………………………………………………… *200*
　　　(4) 遺産分割 ………………………………………………………… *201*
　　　(5) 相続の承認・放棄 ……………………………………………… *202*
　　　(6) 相続人の不存在 ………………………………………………… *203*
　　7　遺　言 ……………………………………………………………… *203*
　　　(1) 遺言事項 ………………………………………………………… *203*
　　　(2) 遺言の方式 ……………………………………………………… *203*
　　8　遺留分 ……………………………………………………………… *205*

第4章　商　　法 …………………………………………………………… *207*
　第1節　概　説 …………………………………………………………… *207*
　　1　商法の概念 ………………………………………………………… *207*
　　　(1) 序　説 …………………………………………………………… *207*
　　　(2) 形式的意義の商法と実質的意義の商法 ……………………… *207*
　　　(3) 商法の対象 ……………………………………………………… *208*
　　2　商法の特色 ………………………………………………………… *210*
　　　(1) 序　説 …………………………………………………………… *210*
　　　(2) 形式上の特色 …………………………………………………… *210*
　　　(3) 内容上の特色 …………………………………………………… *211*
　　　(4) その他の（動的な）特色 ……………………………………… *211*
　第2節　総　則 …………………………………………………………… *212*
　　1　商　人 ……………………………………………………………… *212*
　　　(1) 商人の種類 ……………………………………………………… *212*

(2)　商人資格の得喪 ……………………………………………… *213*
　2　商　　号 ………………………………………………………… *214*
　　(1)　選定と選定上の制限 …………………………………………… *214*
　　(2)　登記商号・未登記商号・類似商号 …………………………… *214*
　　(3)　商号の仮登記 …………………………………………………… *215*
　　(4)　名板貸し（名義貸し・看板貸し） …………………………… *215*
　　(5)　商号の譲渡 ……………………………………………………… *215*
　3　商業帳簿 ………………………………………………………… *215*
　　(1)　意義・会計帳簿等 ……………………………………………… *215*
　　(2)　資産の評価 ……………………………………………………… *216*
　　(3)　通　　則 ………………………………………………………… *217*
　4　商業使用人 ……………………………………………………… *217*
　　(1)　意　　義 ………………………………………………………… *217*
　　(2)　支配人 …………………………………………………………… *217*
　　(3)　その他の商業使用人 …………………………………………… *218*
　5　営業と営業譲渡 ………………………………………………… *218*
　　(1)　営　　業 ………………………………………………………… *218*
　　(2)　営業譲渡 ………………………………………………………… *219*
　6　商業登記 ………………………………………………………… *219*
　　(1)　概　　説 ………………………………………………………… *219*
　　(2)　登記手続と公示方法 …………………………………………… *219*
　　(3)　登記の効力 ……………………………………………………… *220*
　7　代理商 …………………………………………………………… *220*
　　(1)　序説と意義 ……………………………………………………… *220*
　　(2)　代理商の義務と権利 …………………………………………… *221*
第3節　企業（会社） ……………………………………………………… *221*
　1　概　　説 ………………………………………………………… *221*
　　(1)　企業制度 ………………………………………………………… *221*
　　(2)　会　　社 ………………………………………………………… *221*
　2　各種の会社 ……………………………………………………… *222*
　　(1)　合名会社 ………………………………………………………… *222*

(2)　合資会社 ……………………………………………………………… *223*
　　　(3)　株式会社 ……………………………………………………………… *223*
　　　(4)　有限会社 ……………………………………………………………… *231*
第4節　商行為 …………………………………………………………………… *232*
　1　総　則 ………………………………………………………………………… *232*
　　　(1)　商行為の意義・分類 ………………………………………………… *232*
　　　(2)　商行為の特則 ………………………………………………………… *233*
　2　各種の取引形態 ……………………………………………………………… *233*
第5節　有価証券と手形・小切手 ……………………………………………… *234*
　1　有価証券制度 ………………………………………………………………… *234*
　　　(1)　序　説 ………………………………………………………………… *234*
　　　(2)　有価証券の分類 ……………………………………………………… *234*
　　　(3)　有価証券に類似した証券 …………………………………………… *235*
　　　(4)　有価証券の善意取得 ………………………………………………… *235*
　2　手形・小切手 ………………………………………………………………… *236*
　　　(1)　序　説 ………………………………………………………………… *236*
　　　(2)　手形行為等 …………………………………………………………… *236*
　　　(3)　利得償還請求権 ……………………………………………………… *240*

事項索引 ……………………………………………………………………………… *243*

第1章　社会生活と法

第1節　法とは何か

　平穏な社会生活を営んでいるとき，われわれの生活は法律と関係ないようにみえる。ところがいったん問題が起こると，どのように解決したらよいかとか，法律に適っているかとか，法律の存在を強く意識するようになる。家庭の中でも，地域の中でも，あるいは学校や職場でも，いろいろな規則や法律があって「法の網」の中で生活しているのである。

1　社会生活と規範

　人間は何らかの形で社会を形成し，その中で生きる社会的な存在である。何らかの社会的交渉をもって生きていかなければならないから，個人の気まま勝手な行動は許されない。平穏な社会生活を送るためには，その共同社会の中で生活する人々が，一定のルールや法律を守らなければならない。共同の社会生活が営まれるところでは，その社会の成立条件としての行為の準則がある。人々が社会生活を営む上で必要な行為の準則を「**社会規範**」という。「社会あるところに法あり」という言葉は，このことを言い表わしている。ここでいう「法」は，近代国家の法のように体系づけられ，明確な強制力によって裏付けられたものではなく，広い意味で社会生活を営む上で必要な行為の準則を意味している。友達とゲームをする時のルールも，一方がルールを無視すれば，この小さな社会は崩壊する。これがもっと永続性をもった人間関係になると，規則の必要度はさらに高まり，さらに多数からなる共同社会にあっては，内部の秩序を保つための行為の規準は，いっそう強く要求される。近代国家という社会になると，権力的支配関係をふくみ，さらにその目的も複合的なものであるだけに，規則とくに権力による強制を予定された規則の重要性は大きなものとなる。

(1) 規範の性質

　人々が社会規範を守るといっても，すべての人々が必ずこれを遵守して，絶対に違反がありえないというわけではない。「人を殺してはいけない」「人の物を盗んではいけない」という社会規範は，現実にはそれを破る人もでてくる。

　規範は，「**ある**（sein）」という存在の法則に対して「**あるべき**（sollen）」という当為の法則である。**当為の法則**は，人々によって尊重され認められている価値を予想して成り立つものであるが，人々の選択の自由や背反の可能性によって，現実と一致しない場合がある。これに対して「生命有るものは死ぬ」という生命有限の法則や「あらゆる物は落ちる」という万有引力の法則などの存在の法則は，存在の世界や因果の世界の現実を描くものであるから現実と一致する。このように法とか法則といわれるとき，その性質は一様ではない。法は，人間の行為に関する当為の法則に属する。当為の法則は一定の価値と関係をもつ規範であるから，直接人の行為に関係のない審美法則や論理法則も当為の法則に属する。

(2) 社会規範の諸形態

　社会の中で人々が生活しているとき，守らなければならない行為の準則は，法だけではない。法以外にも，道徳・習俗・礼儀・宗教などがある。人々は社会生活において，多くの社会規範の規律をうけており，法はその中の一つなのである。

　習俗（あるいは風俗・風習）は，生活形式上のしきたりである。真夜中に人を訪問すると迷惑になるというような，社会生活を快適に送るために，人々が自然に定めた規範である。これに違反するような行為は，世間の非難を受けることがあるが，法のような制裁を受けることはない。礼儀は，知人に出会ったとき挨拶をするように，相手に対する尊敬・感謝・喜び・哀悼の気持ちを伝えるものであるが，礼儀に反する行為があっても，礼儀を守らない人に制裁を加えるということはない。礼儀は，社会生活を円滑にするための規範といえる。

　社会生活を営む上で，人々が「やってはいけないこと」「やらなければならないこと」についての準則を自然に身につけ，多くの人々はそれを守って行動する。しかし，世の中にはさまざまな考えの人が生活しており，他人の迷惑を考えないで，自分の利益だけを考えて行動する人もいる。そのような人々によって社会の秩序が崩壊することのないよう，国家は強制力をもった法規範を制定

しているのである。法も社会規範の一つであるが、他の社会規範と特徴的な違いは、法は、権力によって強制されるということである。

2 法と道徳

われわれの社会生活は、各種の社会規範によって規律されている。社会の共同生活を維持するためには、その歴史的発展段階に見合った社会規範をもっていた。原始社会においては、法は道徳や習俗や宗教等の規範と渾然一体となって、明瞭に区分されてはいなかった。今日、法と呼ばれる実定法が、道徳その他の社会規範と明らかに区分されるようになったのは、一部を除いて近代法の確立とともに始まる。

(1) 法と道徳の関係

法も道徳も社会規範であり、互いに密接な関係がある。「**法は道徳の最小限**」（イェリネック、G. Jellinek, 1851-1911）といわれる。法と道徳の領域に関してこのように認識することは適切ではないが、法の領域に採用されている道徳的価値が、社会の秩序に不可欠の最小限の価値であると解するならば、この言葉は意味をもっている。

法と道徳とは、それぞれの領域をもちながらも、その実現を要求する価値が一致している場合もある。たとえば「盗むなかれ」「殺すなかれ」という道徳的義務の要求は、刑法の殺人の罪（199条・200条）、窃盗の罪（235条）の保護法益に対する法的義務の要求と一致している。

法の中には技術的な法規もあり、それらはその内容において、道徳とは無関係である。たとえば、歩行者は右側通行（道交10条）という法的義務は、道徳的内容をもつものではない。しかし、右側通行という法的義務が生じると、それを遵守することは道徳的要求となる。手続的な規則や組織についての規則なども、道徳的内容を含むものではない。法規範は一般的概括的に規律しているために、道徳的に義務のないような場合にも法的義務が生じたり、道徳的責任がある場合でも法的責任を問わないこともある。

道徳と無縁な法でも、法を遵守することは道徳の要求である。法的義務は、法的命令が個人の良心によって、道徳的義務づけの力が与えられたとき、はじめて生じるのである。「すべき」という法的当為は、個人の良心と無関係になされるのではなく、個人の道徳的義務に支えられている。その意味で、道徳は法

の義務付ける力の基礎であり，道徳心なくして法は守られない。

このように法と道徳の関係は深いが，時には矛盾や対立が生じることがある。道徳が禁じていることを法が命じるような場合である。たとえば，消滅時効（民166条以下）の規定では，一定の期間が経過すれば債務は消滅する。「債務は履行すべし」という道徳の要求に反することになるが履行しなくてもよい。これは法的安定性を確保するために設けられている規定であるが道徳と矛盾する。「悪法は法にあらず」とする自然法論に対して，「悪法も法なり」とする法実証主義とは対立する。法は正義を実現することを目的としているが，歴史の現実は，不正な法でも法としての効力があると認めてきた。

(2) 法と道徳の区別

政治権力機構が成立した社会においても，法と道徳の区分は，ローマ法や中世都市法，また判例法として発達した英米法等を除いては，中世末まで明確ではなかった。法と道徳の区別は，17世紀末頃，近代自然法論の中から生まれてきた。トマジウス（C. Thomasius, 1655-1728）は，道徳は良心にかかるものであり，専ら内面の平和をめざすのに反して，法は他者との関係を規律するものであり，外面的平和を追求するものであると述べ，当時の教会の権力に対して批判を加えた。彼の指摘した「**法の外面性**」「**道徳の内面性**」の区別は，その後，カント（I. Kant, 1724-1804）による「合法性」「道徳性」の区別によって明確に規定される。合法性は，行為が専ら法則と合致することを要求するのに対して，道徳性は，内面の義務の理念が同時に行為の動機と合致することを要求する。その後も法の外面性・道徳の内面性という区別に関連して種々の学説があるが，この法の外面性・道徳の内面性の区別は，法と道徳の区別の主要形態といってよい。しかし，この区別は絶対的なものでなく，対象に対する両規範の関心方向の差異を示している。

善意・悪意・故意・過失・錯誤・違法性の意識など人の内部的行態が，法的には重大な問題になることがある。たとえば刑法では，法律に特別の規定がある場合を除いて，罪を犯す意思がないときは処罰されない（刑38条1項）。このように責任が問題になるときには，人の内部的行態が外部に現れた法的事件の処理に決定的なものとなることがある。また民法では，平穏かつ公然と動産の占有を始めた者が，善意で過失がなかったときは，動産の権利を取得する（民192条）。民法上しばしば使われる善意とは，関連する事項を知らなかったとい

うことであるが，内心の知・不知が法的事件の処理に重要な問題となる。「法の外面性」「道徳の内面性」という区別は，対象に対する両規範の関心方向の差異を中心として，その原理的志向や性質の差異として捉えることができるが，本質的なものとすることは妥当ではない。

法と道徳の区別について，強制の契機を問題にする見解がある。法は効力の保障を外面の強制に求め，道徳は効力の保障を強制に求めないで良心や義務意識の中に見出すとする法の強制性と道徳の非強制性の区別である。道徳の非強制ということについても，強制という言葉を広く解すれば，道徳も強力に人を拘束する心理的強制力はもっている。

3 法と強制

(1) 公権力による強制

法は，社会の共同生活の秩序を維持するために，公権力により強制される規範である。道徳や習俗にも，良心の呵責，仲間外れ，名誉喪失などさまざまな強制や制裁を伴うが，権力による物理的強制はない。法的強制は，法の実効を確保し秩序を維持するために行使される強制作用である。法は，法に反する行為をする者を裁き，利害の対立を調整し，紛争を解決して，その規範のもつ意味を実現していく実効的な規範であり，裁判所による強制が前提されている。法的問題を調整し解決し裁くことのできない無力な法は，法としての機能をもたない空文にすぎない。法は規範の意味を実現していくという実効性をもたなければ，法としての機能を果すことはできない。「強制を伴わない法は，燃えていない火，輝かない光」（イェーリング，R. Jhering, 1818-1892）といわれるのは，強制が法の本質的要素であり，法が政治権力によって裏付けられた実効的な規範であることを表わしている。

(2) 強制の方法

法的強制は時代と場所によってさまざまであるが，現行法のもとでは，つぎのような強制の仕方がある。①すでになされた違法行為に対する制裁の場合である。この場合は法的強制力が明瞭に現われる。犯罪に対する刑罰，民事上の不法行為に対する損害賠償などである。②義務を履行しなかったとき，権限ある機関の決定により，実力を行使して義務の履行があったと同様な状態を実現する場合である。たとえば借金債務の不履行により，裁判所の決定で，執行吏

が財産を差し押える強制執行（直接強制）や義務の履行を第三者に実施させ所要経費を義務者から徴収する代替執行などである。③義務履行を確保するために加えられる強制の場合である。義務を履行しないときには，一定の不利益があることを予告して義務履行へと促す。たとえば債務者が一定期間内に履行しないときは損害賠償を命ずる。これも強制執行の一形式（間接強制）である。

　以上の外にも，名誉毀損に対して謝罪広告を公表させるとか，法の与える利益を与えなかったり，特権を奪ったり，許可を取り消したり，種々の制裁がある。法規範は，このように強制によって実効が確保されている。

4　法の目的

　個々の法律は，それぞれの目的をもって制定される。民法や刑法や商法などそれぞれの目的のもとに制定されるが，さらにこれらの法律は，法秩序全体の目的原理を実現することを目的としている。その究極の目的は，法の形成や実現に当って，あるべき方向を示す法の理念あるいは法価値と呼ばれるものである。法の実現すべき理念は，正義であるとされてきた。正義を実現するという目的をもたない法は，実力の支配だけが残り，法としての妥当性が主張できなくなる。

　(1)　正　　義

　法という言葉は正義と同じ意味で，あるいはそれに近い概念で使われてきた。英語やフランス語の justice は，正義を意味するだけでなく司法・裁判官・裁判所などの意味もある。古代ギリシャ・ローマ以来，正義は法と不可分の関係にあるものとして種々論じられてきた。正義は「徳」と関係して論じられる場合も多かったが，現代において正義を論じる場合は，徳としての正義ではなく，社会秩序の倫理として正義を考えることが一般的である。正義を実現するためには，個人の倫理におうところが大きいが，法的正義は，個人の倫理であるよりも，共同社会の秩序の倫理である。共同社会が実現すべき究極の目的である。共同社会の秩序は，法によって維持されており，法の究極の目的が何であるかによって，社会のあり方も異なってくる。正義とは何かは，永遠の課題であるが，正義を追求し理解を深めることによって，また法は何を目的とすべきかを常に考えることによって，正義実現の可能性の幅は広がる。

　(a)　「各人に彼のものを」という定義で示される正義　　正義は，しばしば平

等であるといわれるが，すべてを等しく扱うとかえって不平等が生じることがある。「等しいものは等しく，等しくないものは等しくないように取り扱う」ことが，正義にかなうこともある。同じ条件の下におかれた人々は，全く同様に取り扱わなければならないが，人々はそれぞれ人格・能力・経験等において違いがあるから，それを無視して同様に取扱うことはかえって不平等になる。

　アリストテレス（Aristoteles, B. C. 384-322）が，正義論の中で，平均的正義と配分的正義について論じて以来，この正義は，正義についての有力な考え方としてその後の正義論の中に受け継がれてきている。正義は，違法性を旨とする一般的正義と平等を旨とする特殊的正義に分けられる。平等を中核として考えられた特殊的正義は，さらに平均的正義と配分的正義に分けられる。配分的正義は，名誉や財産その他国家の国民に分けられるものの配分がそれぞれの価値にふさわしいように，比例的に配分を等しくすることである。個人の能力や功績の差異に応じて異なる取り扱いをするものであるから，収入の違いによって，収入の多い者には多くの税金を，少ない者には少ない税金を課するものである。平均的正義は並列的な個人間の相互交渉の中で，当事者の価値・人格・能力などの人的違いにかかわらず等しく取り扱うことである。平等な権利・平等な身分を認める人々の間の正義である。すべての法主体を平等と認め，経済的程度の違いに関係なく，すべての成年者に投票権を与え，売買契約において目的物に見合う対価を支払う。

　アリストテレスの正義論は，その後のさまざまな正義論に決定的に影響を与えている。ウルピアヌス（Ulpianus, 170 ごろ − 228）が，「正義とは，各人に彼の権利を配分する恒常不断の意思である」という定義を与えて以来，「各人にかれのものを」は，正義の定式のようにいわれるようになった。この正義は，社会関係の中で利益・不利益の帰属や配分が公正に行われ，価値・反価値が公正に判断されて配分されることであるが，社会関係の中でどういう具体的配分秩序が公正であるかは明らかではない。そのために内容空虚な形式にすぎないという批判もあるが，普遍的な原理として認められてきている。

　(b)　実質的な規準となる正義　　「各人に彼のものを」配分することが正義に適しているとしても，何を規準にして配分すればよいのか，この判断の規準となる正義について，異なる考え方の立場がある。一つは価値相対主義の立場であり，もう一つは価値絶対主義の立場である。

価値相対主義の立場に立つラートブルフ（G. Radbruch, 1878-1949）は，形式的には正義の内容を決めるものは絶対的価値であるが，それは確認することはできないから，目的に合わせて確定するほかないと考えた。国家はそのおかれた状況の中で，一応何が絶対的価値であるかを決定していかなければならない。絶対的価値を担いうる対象は，人間的個人人格・人間的全体人格・人間的作品である。それぞれの基礎に応じて，個人価値・団体価値・作品価値を絶対的価値として選択することになる。個人価値を選択する立場は，個人の権利や利益を重視し，団体価値を選択する立場は，団体の維持発展ということを重視し，作品価値を選択する立場は，個人も団体も文化の発展に貢献することを重視する。それぞれ対立する価値の中で，そのいずれを目指すか，国家は選択決定していくことになる。ラートブルフは，晩年，全体主義の立場に立って，600万人ともいわれるユダヤ人を殺害したヒットラーの政治を目のあたりにして，どんな立場にあっても，侵すことのできない絶対的価値があることを示唆している。

価値絶対主義の立場も種々の議論があるが，その一つは伝統的自然法論である。普遍妥当な一定の価値規準があり，理性によって認知することができるから，それを規準にして判断する。その二は，時・ところを超越した普遍妥当な価値は認めないが，歴史の発展段階で内容の異なる価値を見出すことができると考える相対的自然法論である。

正・不正の価値判断の実質的規準となる正義は，科学的明証性をもって確認することはできない。すべての人々が人間らしく生きるに値する生存が保障されなければならないということは，どんな社会にあっても要請されることである。人々が人間らしく生存し生活していくために，欠くことのできない究極の目的，共同の福祉を実現する価値は，理性と良心ある人々の努力によって，客観的な価値として確認できるのではないだろうか。法は常に正義を実現する使命を課せられている。

(2) 法的安定性

法の究極の目的は，正義の要求をみたすこと，**法的安定性**を実現することである。この二つの目的は，対立や矛盾におちいることがある。正義は法の内容に関する法理念であるが，法的安定性は，主として法の機能に関する法の理念である。法的安定性とは，法による社会秩序の安定ではなく，法自体の安定を意味する。法の安定のためには，つぎのようなことが要請される。①法は制定

法であることを要求する。制定法は法を制定する実力を前提し，力によって実際に行われることを要求する。②制定された法が安定していることを要求する。法が規定している事実に則して裁判が行われなければならない。③法が基礎づける事実は，誤りなく確認されなければならない。たとえば行為能力について，内的成熟度によって決定する方がある意味では合理的であるが，何を規準にして内的成熟度を判定するかは非常に困難な問題であるから，外的兆候で画一的規準で決める方が誤りなく確認できる。④制定法はたやすく変更されてはならず，立法者の思いつきや専断によって改廃してはならない。この点では，近代国家が権力を分立させて，相互に権力を抑制する議会制度の機構を慎重にしていることは，法的安定性の一つを保障しているといえる。

　法的安定性は実定的であることを要請することから，いろいろな矛盾が生じる。法的安定性が必要であるということから，事実状態が法状態となったり，逆説的な仕方で不法が法となったりする。たとえば民法上の占有のような状態が，それが法的根拠に基づいているかどうかに関わりなく法的保護を受ける。取得時効や消滅時効は一定の時の経過によって，法の認めていない状態が，法の認める状態となる。「20年間所有ノ意思ヲ以テ平穏且公然ニ他人ノ物ヲ占有シタル者ハ其所有権ヲ取得ス」（民162条1項）などの時効制度の規定に見られる。また争訟に一応の終止符を打つために，誤った判決であっても既判力を与えられて拘束力をもつ。革命も勝利を得ない限り犯罪であるが，勝利を得れば，つぎの時代の新しい基礎となり，不法であったものが新たな法になってしまう。

　法的安定性は実定性を要求し，その要求に基づいて制定された法は，内容が正義に適うかどうかを顧みないで効力をもとうとする。実定法がはなはだしく不正な場合には，法的安定性と正義との相克は深刻になる。

第2節　紛争解決と法

　法律とは関係のない生活を送っていると思っていても，われわれの周囲には多くの紛争や事件が起っている。それらの紛争や事件の大部分は，法的に解決しなければならない問題である。身近な問題として，交通事故を起してしまったとき，加害者は，民事上の責任・刑事上の責任・行政上の責任が問題になり，法律によって解決をはからなければならない。

1 具体的事件への法の適用

法の適用とは，抽象的な法規範を具体的事実にあてはめて，法規範の内容を実現させることである。裁判における法の適用は三段論法の形式をとっている。適用されるべき法を大前提とし，具体的事実を小前提として，この大前提と小前提とから判決という結論を導き出す。たとえば，交通事故を起し，加害者Aが被害者Bの権利を侵害した場合，どのように処理されるだろうか。

(1) 民事上の問題

加害者Aは，被害者Bに対して損害賠償の責任があるかという問題がある。「故意又ハ過失ニ因リテ他人ノ権利ヲ侵害シタル者ハ之ニ因リテ生シタル損害ヲ賠償スル責ニ任ス」(民709条)という規定があるから，被害者Bの権利をどの程度侵害しているか，確定しなければならない。事実の確定は証拠に基づいて行なわれるのが原則である（民訴179条以下）。また加害者の過失はどの程度か，被害者にも過失があったかなど，具体的な事実が確定すると，結論として損害賠償責任があると認定された場合は，損害賠償責任を負わなければならない。

(2) 刑事上の問題

交通事故事件で，運転という業務によって人を死傷させた場合には，「業務上必要な注意を怠り，よって人を死傷させた者は，5年以下の懲役若しくは禁錮又は50万円以下の罰金に処する。重大な過失により人を死傷させた者も，同様とする」(刑211条)の規定があるから，刑事責任を負わなければならないこともある。加害者が処罰されるためには，警察の捜査によって犯人として特定され，検察官が裁判所に起訴して，裁判によって有罪と認められることが必要である。

スピード違反は，道路交通法上6カ月以下の懲役または10万円以下の罰金に処せられる犯罪である（道交118条1項2号）。制限速度の違反が時速30kmを超えないスピード違反は，交通反則通告制度によって，反則金を納付することになっている。

(3) 行政上の問題

死亡事故の原因が加害者の義務違反による場合は，免許の停止・取消の制裁がある。

2 裁判制度

社会にはさまざまな紛争が生起する。たとえば，交通事故で損害賠償を請求

したが，相手が応じない。あるいは借金を期日までに返してもらえない。また妻が夫に離婚を申し入れたが夫が応じない。このような紛争を解決する手段としては，まず当事者同士の話合い，調停・和解・仲裁などがあるが，これらによる解決は，当事者の合意を基礎としているので，当時者間に合意が成立しなければ，訴訟によって解決をはかるほかない。

(1) 裁判所の組織

裁判所は，最高裁判所と下級裁判所に分かれ，下級裁判所は，高等裁判所・地方裁判所・家庭裁判所・簡易裁判所である。家庭裁判所は，家事審判法で定める家庭に関する事件の審判と調停，少年法で定める少年の保護事件の審判を行う（裁31条の3）。他の裁判所は，一般の訴訟事件を扱う普通裁判所である。

簡易裁判所は，訴訟の目的の価額が90万円を超えない請求と罰金以下の刑に当る罪の第一審の裁判権を有する（裁33条）。通常の手続とは別に，訴訟の目的の価額が30万円以下の金銭の支払の請求を目的とする訴えについて，少額訴訟による裁判を求めることができる（民訴368条）。地方裁判所は，訴訟の目的の価額が90万円を超える請求と不動産に関する訴訟および罰金以下の刑に当る罪以外の罪に係る訴訟の第一審の裁判権を有する（裁24条）。わが国では，原則として三審制度がとられ，上訴によって3回まで裁判を受けることができる。第一審の判決に不服な者は，控訴により第二審の裁判を受けることができ，さらに上告により第三審の裁判を受けることができる。事実の確定に関する事実問題は，民事事件では第二審まで，刑事事件では原則として第一審だけで審理する。上告は，判決に憲法の解釈の誤りがあること，その他，憲法の違反があることを理由とするとき(刑訴405条，民訴312条1項)，また最高裁判所の判例と相反する判断がある事件と法令の解釈に関する重要な事項を含む事件（刑訴403条，民訴318条1項）などの場合にすることができる。

(2) 民事事件

争いのある当時者間で解決できないとき，当事者の一方が裁判所に訴を提起する。訴訟を提起した者が原告となって権利を主張し，訴えを提起された相手方が被告となって，審理が始まる。民事訴訟法では，審理の資料の収集を当事者の責任に委ねているから，主張の根拠となる証拠資料は当事者が提供する。事実の認定は，証拠に基づいて行われるのが原則（民訴179条以下）であるから，証拠を挙げて反論できない側が，不利益を負担することになる。不法行為責任

については，被害者が挙証責任を負い，加害者の過失について立証できないときは，被害者が敗訴する。しかし自動車事故の場合など法律に規定のある場合には，加害者に立証責任がある（自動車損害賠償法3条）。これを**挙証責任**の転換という。

民事事件の場合，訴訟の目的の価額が90万円を超えない請求は，一審は簡易裁判所，控訴審は地方裁判所，上告審は高等裁判所である。90万円を超える請求は，一審は地方裁判所，控訴審は高等裁判所，上告審は最高裁判所である。

(3) 刑 事 事 件

事件を提起するか否かは，原則として検察官に委ねられている（刑訴248条）。検察官が原告になって，被疑者である被告人の処罰を求め，公訴は検察官が行う（刑訴247条）。裁判所の土地管轄は，犯罪地または被告人の住所，居所もしくは現在地である（刑訴2条1項）。事実の認定は，証拠による（刑訴317条）。多くの証拠の中からどの証拠を採用するかは，裁判官の自由な判断に委ねられている（刑訴318条）。証明されるべき範囲や証拠価値の法的規制については，刑事裁判と民事裁判とではかなりの相違がある。刑事裁判では人権の尊重という要請から，「**疑わしきは罰せず**」という原則があり，事実を証明する確信ある証拠を得ることができないときは，無罪にしなければならない。また任意性のない自白は，証拠とすることができず，自白を唯一の証拠として有罪にすることもできない（憲38条2項・3項，刑訴319条）。反対尋問を経ない供述である伝聞証拠は制限を受ける（刑訴320条～328条）。審理は，検察官と弁護人（被疑者の）との間で行われる交互尋問にもとづく証拠調，検察官の求刑，弁護人の最終陳述が行われ，裁判官の判決の言渡しで終る。

刑事事件の場合，罰金以下の刑に当る罪は，一審は簡易裁判所，控訴審は高等裁判所，上告審は最高裁判所である。罰金以外の罪は，一審は地方裁判所，控訴審は高等裁判所，上告審は最高裁判所である。

(4) その他の事件

行政事件に関する訴訟は，一般の民事事件と同様に一般の司法裁判所の管轄に属しているが，行政事件訴訟法の適用を受ける。行政事件には，抗告訴訟・当事者訴訟・民衆訴訟・機関訴訟がある。

① 抗告訴訟とは，行政庁の公権力の行使に関する不服の訴訟である（行政事件訴訟法3条）。

② 当事者訴訟とは，当時者間の法律関係を確認しまたは形成する処分または裁決に関する訴訟である（行政事件訴訟法4条）
③ 民衆訴訟とは，国または公共団体の機関の法規に適合しない行為の是正を求める訴訟である（行政事件訴訟法5条）
④ 機関訴訟とは，国または公共団体の機関相互における権限の存否またはその行使に関する紛争についての訴訟である。

家族についての紛争は，**調停前置主義**の原則に従って，まず家庭裁判所に事件の解決を求め，調停を申し立てる。調停が不成立になったときは，地方裁判所に訴えを提起することができる。少年事件についても，家庭裁判所が審判または裁判を行う（裁31条の3）。

3 法の解釈

紛争を解決するためには，法規範のもつ意味内容を理解して確定しなければならない。法の解釈は，何が妥当であるか，何が正当であるかを決断しなければならないから，実践的な価値判断を伴う解釈である。

(1) 法解釈の性質

(a) 複数の解釈可能性　法の解釈は，自然科学における理論的な認識活動と同じではなく，実践的価値判断を伴うから，必ずしも一つの結論に達するわけではない。たとえば憲法14条では法の下の平等を規定し，合理的差別は禁じていないと考えられているが，何が合理的差別か，何が妥当な差別かは，必ずしも一つの結論には達しない。解釈者は，何が妥当であるか，何が正当であるかを決断しなければならない。その意味では解釈者の価値判断によって左右されることは避けられないが，それは法解釈が恣意的であってもよいということではない。法解釈に当っての実践的決断は，できるだけ客観的で合理的であることが必要である。問題となっている社会的事実を，事実として客観的に認識した上で，法を当てはめて論理的に筋道をたてて処理し，そこで下された結論が，公正妥当で一般的常識にも適っていることが必要である。

(b) 法解釈の態度　解釈者である裁判官が，どのような立場に立って判断するかによって，同じ事件でも結果が異なることがある。19世紀ドイツ法学を支配していた**概念法学**の立場は，制定法は全体として完結性をもち，欠缺がないから，裁判官は定められた法規に従って，厳格に裁決しなければならないと

考えた。裁判官の任務は，もっぱら法規の論理的操作によって具体的事実を裁決することであるとされ，裁決が具体的に妥当であるかどうかが問題ではなかった。概念法学の立場は，法規への過度の信頼にあり，裁判の具体的妥当性よりも法的安定性を重視した。このような概念法学は，19世紀の末以降の資本主義の急速な発展に伴う社会の変化に応じきれなくなり弊害も多くなって，自由法運動の批判を受けることとなった。

19世紀末から20世紀初頭にかけてフランスやドイツを中心に発展した自由法学は，法の欠缺を認め，裁判官の法創造的機能を強調した。法がない場合には，具体的事実の中から法規の目的や社会的要求に適合する法を発見すべきであると考えた。この立場は制定法至上主義から脱却して，社会生活の実状に即した裁判の具体的妥当性を重視した。裁判官の法創造的機能を認めることは，現代法学の通念であるといってよい。

(2) 法解釈の方法

法の解釈においては，妥当な結論を導くために法規の技術的操作が用いられる。法規の言葉の意味を理解しただけでは，妥当な結論を導くことはできない。法秩序全体を考慮に入れて，論理的操作によって結論を導かなければならないことが多い。

(a) 文理解釈　　法規の字句の意義を法文上から確定する解釈である。文言の意味が分らなければ法規のもつ意味内容も理解できないので，字句や文章の解釈が法解釈の出発点になる。特殊な専門用語や法令用語については，それらの特有な用法に従って解釈しなければならない。たとえば前者については，人・法律行為・無効・取消・善意・悪意などであり，後者については，推定・適用・準用などである。法規範のもつ意味内容を確定するにあたって，先ず法規の字句や文章の意味を明らかにすることが必要であるが，文理解釈だけでは法規範のもつ真の意味を理解することはできない。

(b) 論理解釈　　論理解釈は，文理解釈の成果を前提として，法規範のもつ意味内容を確定することである。論理解釈は，法秩序全体に対する論理的関連，法が実現しようとする目的，適用結果の具体的妥当性などを考慮しながら論理的思惟の法則に従ってなされる解釈である。論理的操作には，つぎのような方法が用いられる。

① 目的論的解釈　　法規は目的があって作られるから，その目的を理解し

て，それとの関係で法規範のもつ意味内容を確定しようとする解釈である。

　② 拡張解釈　法規の字句の意味が限定的だったり狭い場合に，本来の意味を拡張して，法の真意を把握しようとする解釈である。

　③ 縮小解釈　法規の字句の意味が広い場合に，本来の意味を限定したり縮小したりして，法の真意を把握しようとする解釈である。

　④ 補正解釈　変更解釈あるいは更正解釈ともいわれる。法規の用語に明白な誤りがある場合に，法規の目的に照らして，字句の意味を変更または更正して解釈することである。

　⑤ 沿革解釈　法規の成立過程における法案・その理由書・立法者の見解・議事録などの立法資料を参考にしてなされる解釈である。

(c) 類　推　類推は，ある事項について規定した法規がない場合に，それと類似した事項について規定した法規を推測して適用することである。類推は，法規そのものの解釈とは区別される。たとえば損害賠償の範囲について，債務不履行による損害賠償の範囲を民法416条で「通常生ずべき損害」と規定しているが，不法行為による損害賠償の範囲についての規定を欠いているので，この場合には，民法416条の規定を推論して解釈する。法規では，しばしば「準用」という用語を用いて，類推すべきことを明示している場合もある。「準用」の場合は，準用される法規をそのまま当てはめるのではなく，二つの事項の間の差異に応じた変更を加えて解釈する。

　類推は法規のないことを前提として，法規を間接推論して適用するものであるから，刑法では罪刑法定主義の要請により禁止されている。

　① 反対解釈　法規の規定する事項と反対の事項が存在する場合に，法規の規定することと反対の推論をすることである。たとえば民法1条ノ3「私権ノ享有ハ出生ニ始マル」と規定しているが，胎児についてはと特別の場合（721条・886条）を除き私権は亨有できないと解釈する。

　② 勿論解釈　法規に規定する事項から推論して，他の事項についても同様の法解釈を認める解釈である。たとえば，民法738条「成年後見人が婚姻をするには，その後見人の同意を要しない」という規定から，成年後見人でさえ自分の意思だけで婚姻することができるのであるから，被保佐人については，もちろん保佐人の同意を必要としないと解釈する。

4　法　　源

法源とは法を成立させる直接の源となる事実をさすが，多義的でその用法も一定していない。法解釈学では，法を認識する資料をいう。裁判官が裁判するに当たって，拠るべき規準とするものである。

(1)　成　文　法

成文法は，文字で表わされ文書の形式をそなえ，一定の手続と形式に従って制定された法規である。近代国家では成文法が重要な法源である。判例を法源とする英米法諸国においても成文法は重要な法源であり，成文法は判例を修正・補充する。成文法の形式には，憲法・法律・命令・規則・条約などがある。

(a)　憲法　　憲法は国の基本法であり，広義では国の基本法たる性質を有する法規を指し，日本国憲法・国会法・内閣法・裁判所法などがこれに入るが，狭議では日本国憲法のみを指す。

(b)　法律　　広義では成文法と同じ意味で用いられるが，狭義で法律というときは，国会の議決を経て制定された法規をいう。民法・商法・刑法・民事訴訟法・刑事訴訟法を憲法と合わせて六法と呼んでいる。

(c)　命令　　広義で命令というときは，国会以外の国家機関の制定する法規の総称であるが，狭義で命令というときは，内閣その他の行政機関が制定する法規をいう。

命令には，法律を執行するための執行命令と法律の委任する事項を規定する委任命令とがある。制定権者のいかんにより，政令・総理府命・省令・その他外局の長の発する命令および会計検査院規則・人事院規則などがある。

(d)　条約　　条約は国際法の主体である国際間の文書による合意である。国際間の合意には，協定・協約・憲章・議定書など名称は多様である。条約は国家間の合意であるため，その効力は国内的にも効力があるのかが問題になる。二元論では，条約は国内的に効力が及ばず，条約と同じ内容の法律を制定することによって，初めて国内的にも効力を及ぼすことができるとする。これに対して一元論では，国家の意思は統一的であって対外的・対内的に相違するものでなく，国家が条約を締結するときは，それは対内的にも効力をもつとする。実際には，条約がそのまま公布されるだけで新たな国内法が立法されることのない場合と，国内法として同じ内容の立法がなされる場合とがある。前者は締結国の国民相互の関係を条約で直接規律している場合であり，後者は締結国に

対して，条約実施のための国内法を制定する義務を課している場合である。

条約が効力を有するためには調印・批准・批准書の交換などの諸手続が必要である。条約の締結は内閣の権限に属し，条約の内容が確定したときに，条約の文書の作成にあたった条約当事国の代表者が調印し，内閣が最終的に確認して確定的に同意を与えて批准を行う（憲73条3号）。条約の締結に当たって国会の承認を必要としている（憲73条3号但書）。批准書は天皇が認証することになっている（憲7条8号）。特別の規定のない限り批准書交換の時から効力が発生する。

(2) 不 文 法

不文法は，一定の手続と形式に従って制定された成文法以外の法である。

(a) 慣習法　近代国家においては成文法が中心であるが，部分社会の特殊性のために画一的に規定されないような生活関係や取引関係では，慣習法が認められている。慣習は，ある特定の社会における人々の行動が反復されることによって，その社会の生活の規範となったものである。慣習法は，慣習が法と同一の効力があるとして認められたものである。

公の秩序または善良の風俗に反しない慣習で，法令で認められたものおよび法令の規定のない事項に関するものは，法律と同一の効力を認めている（法例2条）。この外，法律行為について，当事者が慣習に従う意思をもっているときは，任意規定（当事者の意思で適用を排除できる規定）に優越する効力が認められている（民92条）。商事に関して，商法に規定のない場合は，商慣習を適用する（商1条）として民法より商慣習法に優越的効力を認めている。国際関係においては，国際慣行によって形成された慣習法が，条約とならぶ重要な法源になっている。

(b) 判例法　判決は裁判の具体的特殊性に基づいてなされた法判断であるが，同一趣旨の判決が繰り返され，判例の方向が確定したときには法則化される。判決に法的効力を認めているものを判例法という。英米法系諸国では，判例が最も重要な法源である。

イギリスにおいては，先例拘束性の原理が13世紀末までには法原理として確立していたといわれる。やがて判例法の体系であるコモン・ローが形成される。**先例拘束性**とは，後の同種の事件について，先例の判決に拘束されることである。先例拘束ということから判決が固着的にならないようにイギリスでは，先

例が拘束力を有するのは，その事件の主要事実に関して当該判決の決定的理由となっている判決理由のみである。後におきた事件と主要事実を同じくする先例が存在しない場合には，類似先例からの類推などによって裁判所は新たな判例を形成することになる。

　わが国においては，判例の拘束力は制度的に保障されていないが，最高裁判所の判決の事実上の拘束力は大きい。上級審の裁判所の裁判における判断は，その事件について下級審の裁判所を拘束する（裁4条）。下級の裁判所は，最高裁判所の判決と異なった判決をすることもできるが，上告されることによって，最高裁判所が判例を変更しないかぎり破毀される。最高裁判所が判例を変更する場合は，大法廷で裁判しなければならない（裁10条）。具体的妥当性の要請から，判例を変更することが妥当である場合には判例の変更を認め，15人の裁判官全員の構成する大法廷で裁判することになっている。わが国では先例拘束性の原則はないが，学説の中には法源性を認めるものもある。

第 2 章　憲　　法

第 1 節　近代国家と憲法

1　近代国家と憲法の源流をたずねて
(1)　憲法は近代国家の不可欠の構成要素

　憲法は近代国家の産物であり，近代国家の証といってもよい。憲法によって，国家の構成員たる諸個人は人権の享有主体と認証される一方で，国家は人権を侵害しないこと，またヨリよく人権を保障することを義務づけられる。

　ところで，憲法といえば，われわれ日本人には聖徳太子の憲法十七条も思い出されることであろう。だが，この憲法十七条は，名前は「憲法」だけれども，〈近代国家の証〉としての〈憲法〉とはまったく別物である。どう別物なのか？

　近代国家に固有の憲法の意味について簡潔に示した一文が，フランス人権宣言第16条にある。すなわち——

　　「権利の保障が確保されず，権力の分立が規定されない全ての社会は，憲法をもつものではない」[1]

　ここでいう権利とは人権と理解してよい。つまり，権力分立についてひとまず脇に措けば，要するに，人権保障のない社会には，仮に憲法と名のつく法規範があったとしても，憲法はないと同じだ，ということである。では，人権とは何か？　それは「人間の奪うべからざる固有の権利」である（詳しくは後述）。この人権が何から守られなければならないか，といえば，何よりもまず国家権力による侵害から，である。つまり，近代国家に固有の憲法とは，人間（被治者）が国家（統治者）に対して，自分（たち）に生れながらの権利（＝人権）があることを認めさせ，国家（統治者）に人権侵害をしないように義務づけた文書，なのである。

　しかるに，憲法十七条の方はどうかというと，こちらは被治者が統治者に突き付けた文書ではない。それは，摂政たる聖徳太子が主として官吏である豪族

に与えた[2]道徳的訓戒であり，役人心得といったようなものである。前段との対比でいえば，いわば上級統治者（天皇や摂政）が下級統治者に釘を刺したものといえるだろう。もっともそのことによって被治者に一定の利益が生じている側面はある。たとえば，「百姓には重税を課してはいけない」（十二条）とか，「農繁期に民を使ってはいけない」（十六条）といった趣旨の規定があるが，これは被治者にとって利益である。しかし，これは民（被治者）に人権があることの効果として発生する利益ではなく，上級統治者が下級統治者に釘を刺した結果発生しうる反射的利益にすぎない。換言すれば，十二条違反，十六条違反があっても，民は統治者に対して侵害を許さない固有の権利を有しているわけではないから，現代風にいえば，民は豪族に利益回復を請求できる地位にはない。

以上から，近代国家の〈憲法〉と「憲法十七条」の「憲法」の違いが明らかになったと思う。対統治者との関係で被治者の権利を認めているか否か，ここがポイントである。

(2) 近代憲法の生成の前提

近代国家と憲法との関係について，「国家の構成員たる諸個人が人権の享有主体となる一方で……」と前に述べた。ここには，近代国家そして憲法が成立するための二つの重要な前提が示されている。第1に，権利主体としての〈個人〉が存在すること，第2に，人権概念が成立していること，である。そこで，この二つの前提がどのように成立してきたかということについて考えてみたい。

近代国家に不可欠な要素としての憲法は，市民革命によって打ち立てられた。その意味で，近代国家の歴史は市民革命に始まるといってよい。しかし，上記二つの前提も含めて，憲法を含む近代国家を生みだす諸要素が市民革命によって突如現れたというわけではもちろんない。歴史というものは，重層的に捉えるべきものである。すなわち，歴史は，古い要素の上に新しい要素が加わり，そのことによって新旧の要素が第3の要素に変化したり，あるいは共存したりすることを繰り返しながら展開される。革命のような急激な変化が起きた場合，往々にして変化の局面にのみ注意が向きがちであるが，このような急激な変化による生成物も，その素材は実はやはり過去の堆積物のなかにあるのである。近代国家を成立させた諸要因も，中世から市民革命への歴史の中で形成されてきた。

(a) 中世――個人の不在　　歴史上，〈個人〉が現れてくるのは，近世の始ま

りを告げるルネッサンス以降であるといわれる。周知のように，ルネッサンスとは，人間中心主義や古典古代の文化の復興，そして何よりも当時のヨーロッパの庶民感情の大胆な自己表現を内容とする，14世紀のイタリアから全ヨーロッパに広がっていった都市文化の総称であるが，こうしたルネッサンスより前，すなわち中世には，〈個人〉は存在していなかった。やや長いけれども，エーリッヒ・フロム（Erich FROMM, 1900-1980）は，そのいきさつを次のように説明している。

　近代社会とくらべて，中世社会を特徴づけるものは個人的自由の欠如である。当時ひとはだれでも社会秩序のなかで，自分の役割へつながれていた。社会的にいっても，一つの階級から他の階級へ移るような機会はほとんどなく，一つの町や村から他の場所へ移るという地理的な移動さえ，ほとんど不可能であった。……またときには，自分の好む衣装をつけることも，好きなものをたべることさえも自由ではなかった。職人はその製品を一定の価格で売らなければならず，百姓も町の市場という一定の場所で売らなければならなかった。……個人生活も経済生活も社会生活もすべて規則と義務とにしばられ，実際に個人が自由に活動する余地はまったくなかった。
　しかし近代的意味の自由はなかったが，中世の人間は孤独ではなく，孤立してはいなかった。生まれたときからすでに明確な固定した地位をもち，人間は全体の構造のなかに根をおろしていた。こうして，人生の意味は疑う余地のない，また疑う必要もないものであった。人間はその社会的役割と一致していた。かれは百姓であり，職人であり，騎士であって，偶然そのような職業をもつことになった個人とは考えられなかった。社会的秩序は自然的秩序と考えられ，社会的秩序のなかではっきりした役割を果たせば，安定感と帰属感とがあたえられた。……ひとは生まれながら一定の経済的地位におかれ，それによって，伝統的に定められた生活程度は保証されたが，同時に，より高い上層階級の人間に対する経済的義務は果たさなければならなかった。しかしこのような社会的地位の限界を破らないかぎり，自由に独創的な仕事をすることも，感情的に自由な生活をすることも許されていた。いろいろな生活様式をあれこれと自由に選ぶという，近代的な意味での個人主義（しかしこの選択の自由は非常に抽象的なものであるが）は存在しなかったが，実際生活における具体的な個人主義は大いに存在していた。

「[社会は] 構造的であり，人間に安定感を与えていたが，しかも社会は個人を束縛していた。しかしその束縛は，のちの世紀における権威主義や圧迫が行なったものとはちがっている。<u>中世社会は個人からその自由を剥奪しなかった。というのは，『個人』はまだ存在しなかったからである。</u>人間は……まだ自己を個人としては認めず，ただ社会的役割（それは当時においては自然的役割でもあった）という点でのみ，自分の存在を意識していた。また他人も『個人』としては考えなかった。町へやってきた百姓は異国人であり，同じ町のなかでさえ，階級のちがう人間は互いに異国人と考えられていた。自分自身は他人や世界について，それを分離した存在として考えるような意識は，まだ十分に発達していなかった[3]。」（傍点──原典，下線──引用者）。

このように，中世には個人という観念がなかったのである。もちろん生物学的な個体としての生身の人間は存在したが，しかし彼らは自己および他人を個人としては意識しなかった。個人としては意識しなかったということは，彼らは百姓，職人，騎士といった身分を離れて，あるいは身分から独立した人間というものを観念しえなかったということである。つまり，町に暮らすAさん，Bさんは，それぞれ百姓のAさん，職人のBさんとして認識されたが，身分という属性ぬきに単なる人間として認識されることは決してなかった。

逆に言えばこういうことになる。〈個人〉なるものが観念されるということは，Aさん，Bさんという具体的な人間が**身分**という属性ぬきに単なる人間として，換言すれば「抽象的ひと」として認識されることを意味し，このように認識される局面においては身分は意味を失うということである。「具体的な人」を身分という属性ぬきに〈個人〉として認識する度合あるいは局面が増加していく傾向を，個人主義の発達と呼ぶとするならば，個人主義の発達は，身分の意味をそれだけ失わせていくことを意味する。のみならず，個人主義の発達は，身分という属性ぬきに単なる人間として同じ存在であるという認識，すなわち平等の観念もまた醸成する。そして，**平等**の観念は，単に身分にのみ由来する諸権利，すなわち身分的諸特権とやがて衝突することになり，ついにはそれらを打破するのである。この身分制打破の急激な政治的過程こそ市民革命にほかならない。

(b) 〈個人〉誕生の契機　　ヨーロッパの歴史に即していえば，〈個人〉誕生

の重要な契機はルネッサンスとキリスト教に求められる。

ルネッサンスとの関係について,再びフロムの説明を聞こう。

> 中世社会の崩壊が,中部および西部ヨーロッパよりも,なぜイタリアでいっそう早く起こったかということには,多くの経済的政治的な原因がある。まずイタリアの地理的な位置,そしてそれから生ずる商業的な利益があった。当時地中海はヨーロッパの重要な貿易ルートであった。また法皇と皇帝との争いの結果,多くの独立した政治団体が生まれたこと,さらに,東洋に近接していたことから,絹織物など,工業発達にとって重要な技術がヨーロッパの他の地方よりもはるか以前に,まずイタリアにもたらされたことなどがその原因である。/このような条件の結果,イタリアでは,創意と力と野心にみちた強力な有産階級[ブルジョア——引用者]が発生した。封建的な階層制度は次第に重要さを失っていった。……階級的な区別は無視されるようになった。生まれや家柄より,富が重要になった。/……このように中世的社会機構が次第に崩壊した結果,近代的な意味の個人が出現した4)。

この引用からわかるように,ルネッサンスは新興の「創意と力と野心にみちた強力な有産階級」の文化であり,この階級の者共にまずもって個人の自覚を促し,このことが身分のもつ意味を希薄化させていったのである。新しい「経済的政治的な」力が身分制を掘り崩していくことによって身分制の背後に隠れていた個人を析出する,という市民革命に直接つながる契機をここに見ることができる。

キリスト教については,同教に内在する個人主義的平等観が重要な要因である。ここでいう平等とは,「罪ある者としての神の前での平等」であるが,この平等が個人主義的だというのは,キリスト教において救済されるのは,あくまでも「個人」だということである。すなわち,民族的帰属にかかわらず,「選ばれた敬虔な個人」が救済されるのである。この点は救済の対象を選ばれた民族とみるユダヤ教との顕著な違いである(ちなみに,旧約聖書はユダヤ教の聖典でもある)。こうした意味でのキリスト教の個人主義は,宗教改革によって生まれた,個人は教会を媒介することなく信仰によってのみ神と直接結ばれるとするプロテスタンティズムによってヨリ一層強められることになった。

(c) **人権**という考え方の生成——ロックの思想　　人権という考え方をもっ

とも早く唱えたのはイギリスのジョン・ロック（John LOCKE, 1632-1704）だといわれている。ロックの理論を彼の『市民政府論』5)に即して簡単にフォローしてみよう。

彼は自然状態から説き起こす。すなわち――

すべての人間は，自然状態において「完全に自由な状態」にして「平等の状態」にある。

こうした「自然状態には，これを支配する一つの自然法があり，何人もそれに従わねばならぬ，この法たる理性は，……全ての人類に，一切は平等かつ独立であるから，何人も他人の生命，健康，自由または財産を傷つけるべきではない，ということを教えるのである」

「自然状態においては自然法の執行は各人の手に託されているのであって，このようにして，この法［何人も他人の生命，健康，自由または財産を傷つけるべきではない，という法――引用者補］に違反する者を法の侵害を防止する程度に処罰する権利を各人がもつのである。」

したがって，自己の生命，健康，自由または財産に対する侵害を防止するために，侵害者を殺す必要があると判断した場合には，彼または彼女は侵害者を殺す権利がある。

このように，「もしも自然状態において，ある者が他の者をそのなした悪の故に罰してもよいとすれば，結局すべての者がそうしてもよいということになる。何故なら，本来一人の他人に対する優位もしくは権限の存しないあの完全な平等の状態においては，ある者が，この法を強行するために為しうることは，何人でも当然同じようになしうる権利を持っていなければならぬからである」（第2章）

だが，そうすると，各人は自己の生命，健康，自由または財産に対して絶対的権利をもっているとしても，その権利の「享受ははなはだ不確実」といわなければならない。「というのはすべての者が彼と同様王であり，各人が彼と平等であって，そうして大部分は衡平と正義とを厳密に守るものではないのだから，この状態においては，かれの所有権の享受は，はなはだ不安心であり，不安定である。それ故に彼はたとえ自由であっても怖れと不断の危険とに満ちている状態を進んで離れようとするのである。彼が彼らの生命自由および資産，すなわち総括的に私が所有property と呼ぼうとするものの相互的維持のために，すでに結合しまたは結合しようと望んでいる他の人々と，社会を組成することを求めかつ欲するのは，理由が

ないことではない」

　かくして,人々は「各人の自由と所有とを,よりよく維持」するために,「一つの協同体あるいは政府を作るのに同意」し,まさにこのことによってのみ,「自分の自然の自由を棄て市民的社会の羈絆のもとにおかれるようになる」のである（第8章,第9章）

　「各人の自由と所有とを,よりよく維持」するために組織された国家（この文脈では上記「協同体あるいは政府」と同視してよい）は立法権をもつが,この立法権は目的の制限を受ける。すなわち,「立法権は,ある特定の目的のために行動する信託的権力に過ぎない。立法権がその与えられた信任に違背して行動したと人民が考えた場合には,立法権を排除または変更し得る最高権が依然としてなお人民の手に残されているのである。何故ならある目的を達成するための信託された一切の権力は,その目的によって制限されており,もしその目的が明らかに無視され違反された場合には,いつでも信任は必然的に剝奪されなければならず,この権力は再びこれを与えたものの手に戻され,その者はこれを新たに自己の安全無事のためにもっとも適当と信ずるものに与え得るわけである」（第13章）。

　敢えて単純化してパラフレーズすると,次のようにまとめられようか。すなわち,各人は自然状態において,自己の生命,健康,自由または財産に対して十全の権利を持っている。この権利は単に人であるということだけで発生する権利であるから,今日の用語でいう「人権」にほかならない。ところが,この人権を守る権利も自然状態では皆平等にもっているから,その権利の侵害に対する自然権に基づく処罰合戦（その究極は「殺し合い」）になりかねない。そこで,人々は合意に基づいて国家をつくり,そこに人権擁護権能を与える。国家は,人権擁護のためにつくられたものだから,この目的に反して権限を行使する国家は,目的違反にして人々との間の契約に反したものであり,国家をつくったひとびとの手によって取り替えられる。この国家を取り替える権利は,一般に**抵抗権**と呼ばれている。

　こうしたロック流の人権理論を忠実に最初に実定化したのが,『市民政府論』から約1世紀おくれて登場したアメリカの独立宣言である。そこでは,まさにロック流に「人々の自然権をよりよく擁護するための契約に基づく政府,政府が契約違反をした場合には契約違反をしたほうが悪いのであるから,人民はそ

れに従う必要がないという抵抗権，というふうに，自然権→契約による政府→抵抗権という三段構えの説明」[6]がなされている。

(d) **中世が近代を準備した** このように，ロックにより理論化されアメリカ独立宣言によって実定化されたような人権論や**社会契約的国家観**の源はどこにあるのだろうか？

一つの源は，中世の封建制に求められる。

ここで，われわれは，「封建制」という言葉の意味を確認しておかなければならない。そこには少なくとも二つの意味がある。

第1は農奴制としての封建制，第2はレーン制としての封建制である。

前者は，「生産手段と結びついた小農民を農奴とし，領主が直接的・人格的な『経済外強制』を行使して農奴から封建地代を収取する」という「領主＝農民間の支配・隷属関係」という意味での封建制である。この意味での封建制は，農耕定住生活が定着した後の歴史の一定段階で，洋の東西を問わず広く見られる関係であり，その意味で普遍史的な概念である。

これに対し後者のレーン制としての封建制は，主として8，9世紀から13世紀ころまでの西ヨーロッパで行われた「支配階級内部の法秩序」である。その意味で，特殊西欧的概念である。

さて，人権理論につながる素材としての封建制というとき念頭におかれているのは，後者の意味での，すなわち，レーン制としての封建制である。レーン制とは「主人と従者が契約によって保護と勤務の義務を誠実に果たしあう主従制（家士制）と，土地支配権の行使を主とする権限を主人がレーンとして従者に給与する恩貸制（恩給制）」とが結合したものである。「この主従関係は主人と従者の双方を拘束する誠実義務の上に成り立つ契約関係であって，主人の支配は完全に一方的なものではなく，主人の誠実義務違反に対して，従者は実力による反抗権をもっていた」。かかる反抗権に基づき「従者の代表が判決発見人となる封建法廷において主人もまた裁かれ」得たのである[7]。

以上のような特徴をもったレーン制から，いわばロック流の人権理論の構成要素を抽出することはさして困難ではないだろう。

第1に，支配階級内部に限ったこととはいえ，そこには社会関係を契約関係と見る視点があるということである。契約関係であるということは，支配階級内部に存する権利・義務はけっして所与のものではなく，契約締結行為という

作為によって初めて生ずるものであり，権利・義務の内容も契約によって明確にされるということである。ここに社会契約的国家観につながる契機がある。

第2に，「自由」の観念である。義務は契約的拘束から発生するのであって，したがって契約なければ義務なしである。そして，契約内容はともかく契約を締結するか否かは当事者の意思のみにかかっている。当事者が契約を締結するか否かを決しうるということは，当事者はその限りで自由な存在であることが前提されていなければならない。

第3に，上位権力の違法な権力行使を権力作用を受ける側が権利に基づき排除できるという関係である。すなわち，主人という上位権力の義務違反という違法な権力行使を，従者（権力作用を受ける側）が契約に基づく権利に基づき排除できるという関係は，国家権力による違法な人権侵害行為を人権の名において排除できる，という近代的人権保障の原型といってよいだろう。

このように，中世の封建制（レーン制）に，近代的な人権につながる重要な要素の胚胎をみることができる。もちろん，中世における権利とは身分的特権にほかならない。したがって，単に人であるという一事をもって，したがって身分なるものを原理的に否定することによって成立する人権とは，理論的にはまったく別物であって，近代の目からすれば，身分的特権は克服の対象であることはいうまでもない。しかし，身分的特権を守るための抵抗の歴史の中で培われた理論的・実践的蓄積が，一人の天才をして身分的特権を人権に読み替えるというある意味でのコペルニクス的転回を可能にしたのであってみれば，中世の身分的特権はやはり人権の母なのである。換言すれば，身分的特権が成立しない地平では，あるいは法と権利が不在で権力者の恣意的命令のみが支配する専制のもとでは，人権概念はけっして生成しえなかったはずである。

法史学の碩学，村上淳一は，このいきさつを次のように要約している。

　西洋の中世社会では，封主と封臣の間にある程度対等な関係（一種の契約関係）があり，諸身分（主として貴族身分）は自律性を保ちながら君主とともに政治的秩序を支えていた。官僚制を手足として統一的支配を行なった西洋近世の絶対君主でさえ，地方権力の抵抗を完全に克服することはできず，いわゆる『身分制的自由』を完全に否定することもできなかった。こうした抵抗と自由が次第に広い範囲の人々に担われることによって，基本的人権も議会制も，罪刑法定主義も確立したの

であり，また，市民相互の権利義務関係を規律する私法も，その権利義務を実現する裁判制度も，体系的に整備されていったのである[8]。

2 市民革命と近代憲法

(1) 市民革命

(a) 市民革命の特徴　近代憲法は**市民革命**によって打ち立てられた。市民革命の代表的なものといえば，イギリスの清教徒革命（1642年）・名誉革命（1688年），アメリカの独立（1776年），フランス革命（1789年）である。これらの革命に共通する特徴を一言でいうとすれば，それは，諸産業の発達と商品経済の発達の過程で経済的な力をつけてきた人々および彼らと連帯する人々が，自分たちの国家をつくるべく，それまでの政治体制（王政，帝政）・社会体制（身分制）を打破する試みということである。「経済的な力をつけてきた人々および彼らと連帯する人々」は，自分たちの国家をつくろうとしたとき，彼らは〈市民〉という範疇で捉えられる。この革命が市民革命と呼ばれる所以である。こうした〈市民〉の内容をもう少し具体的にいえば，そこに含まれるのは，第1には，商工業者，独立自営農民のような，自己の責任と計算において何らかの経済活動を自前で営む者たち（「経済的な力をつけてきた人々」というとき念頭におかれているのはこういう者たちである），第2に，第1の人々と「連帯する人々」であるが，ここには貴族や知識人の一部そして民衆（ヨリ精確にいえば，第1の「経済的な力をつけてきた人々」以外の大多数の人々のうち革命を支持する者たち，ということになろうか）が含まれる。ただ，ここで一つ注意しておかなければならないことがある。それは，たとえば単に商工業者というだけではここでいう〈市民〉ではまだないということである。自分たちの国家をもとうとしたとき，あるいは少なくとも国家のあり方に何らかの利害関心をもって初めてここでいう〈市民〉たる資格を備えるのである。

市民革命によって打ち立てられた憲法の内容は，まさにこうした特徴に規定されることになる。

(b) 「市民」とは誰か？　ところで，市民革命に関わって〈市民〉なる範疇について言及したが，その際，たとえば，次のような疑問を覚えたかもしれない。自分たちの国家をもとうなどという意識はまったくもたず，また国家のあり方に対しても何らの利害関心ももたない者は〈市民〉ではないのか，もし市

民ではないとすれば、何なのだ？　あるいはまた、現在の国家を転覆させて自分たちの国家をつくろうとしている暴力革命集団があったとして、その集団の方が〈市民〉で、今の国家で満足している者は〈市民〉ではないのか？　といった疑問である。こうした疑問に対する答え方は〈市民〉概念をどう捉えるかによって変わってくる。いずれにせよ、〈市民〉概念は、憲法を学ぶ上でけっしてよけて通れない概念なので、近代憲法の内容を論ずる前に、ここで〈市民〉概念について少しく論じておこう。

　市民という概念は多義的である。しかし、そこには一つの共通項がある。それは、何らかの意味で**〈公共事〉**と関連しているということである。〈公共事〉とは、一つの社会においてその構成員全員に多かれ少なかれ関わってはいるが、個人の力では実行したり解決したりすることが不可能か困難、仮に可能でも著しく非効率な事柄ないし問題のことをいう。具体的には、上下水道の整備、排泄物やゴミの処理、道路や橋の建設から一国の安全保障にいたるまで、〈公共事〉には枚挙の暇がない。こうした〈公共事〉との関わり方に応じて種々の市民概念が出てくる。

　個人の〈公共事〉との関わり方がいかに受動的、名目的、形式的であっても関わりをもつ以上はやはりその個人は市民である、というのが最も広い市民概念である。この場合の市民は、実質的に住民とイコールである。《未成年ゆえに選挙権がなく、また無収入ゆえに税金も収めず、さらには国政から地方行政にいたるまでおよそ政治に対する関心は皆無の大学1年生》を想定しよう。こうした彼または彼女も、ここでいう市民に含まれることになる。なぜなら、こうした大学生も水道水で作った朝飯を食べ、自分の排泄物を下水に流し、最寄りのごみステーションにごみを捨て、公道を通って大学に向かうのであって、いかに受動的とはいえ、これはこれで立派に〈公共事〉に関わっているからである。

　これに対して、最も能動的な市民概念といえるのは、先に述べた市民革命の担い手たる市民である。すなわち、自分たちの国家をつくろうとし、つくった暁にはそれを積極的に守っていこうとする人々である。国家とは公共事を管理・処理するための機構にほかならないから、まさにこれ以上能動的な市民は考えられない。自分たちの国家を守ろうとすると、場合によっては自己の命をかける覚悟も必要だとすれば、ここでの市民は、〈国家のために死ぬことも辞さ

ない市民〉ともいえる。いずれにせよ，この概念のもとでは，前述の《　》の大学生などは，市民とはとても呼べないということになる。

さて，提示された二つの市民概念，すなわち，受動的市民と能動的市民のうち，前者は既に述べたように住民概念のなかに解消させることが可能であった。とすると，前者は市民と呼ぶことを止め，市民とは専ら「国家のために死ねる人々」と概念規定を一本化すれば，ことばの無用な混乱も避けられすっきり整理ができそうではある（図１参照）。

だが，そうした整理にはやはり問題があるといわなければならない。というのは，諸個人の〈公共事〉との関わり方は質的にも量的にも多種多様である。にもかかわらずそうした多様性がすべてネグレクトされてしまうからである。たとえば，公共事に対して並々ならぬ関心をもち，それ故に税金もきちんと納め，選挙もけっして棄権しない，しかし国家のために死ぬのは真っ平ご免という人を想定しよう。図１の整理では，こうした人は市民でなくなるおそれがある。しかし，こうした人々は，公共事のヨリ良い管理・処理を行う国家を選挙を通じてつくろうとしているのであるから，自分たちの国家をつくろうとした市民革命の担い手の市民と本質的な部分で共通している。だとすると，こうした人々を市民から除外するわけにはいかないであろう。市民概念を定量的に捉えるとすれば，公共事への関心度が高いほど市民性もまた高くなるような整理が求められよう。そうすると，図１は次のように補われる必要がありそうである。すなわち，〈市民＝国家のための死ねる人々〉と〈住民〉の間に〈市民＝公共事に関心をもつ者〉という領域を設けるのである（図２）。こうすることで，〈国家をつくろう〉あるいは〈国家のあり方に影響を与えよう〉とする態度の量的な差異（強弱）の問題をすくい取ることが一応可能になるだろう。

量的な問題はこれで解決がついたとして，質的な問題はどうか。ここで念頭においているのは，国家に対して積極的に何らかの働き掛けを行おうとするスタンスの人々だけではなく，国家からできるだけ放っておいてもらいたいという人々もまた市民ではないのか，という問題である。結論からいえば，彼らも〈市民＝公共事に関心をもつ者〉という範疇で捉えることができると考えられる。国家に向かって何らかの働きかけをしようとする人々を**〈国家への自由〉**を重視する人々と呼ぶとすると，国家から放っておいてもらいたいという人々は〈国家からの自由〉を重視する人々と呼ぶことができるだろう。たとえば，自

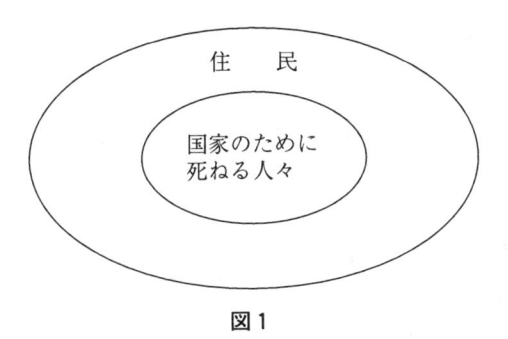

第1節　近代国家と憲法　31

図1

住　民
国家のために
死ねる人々

図2

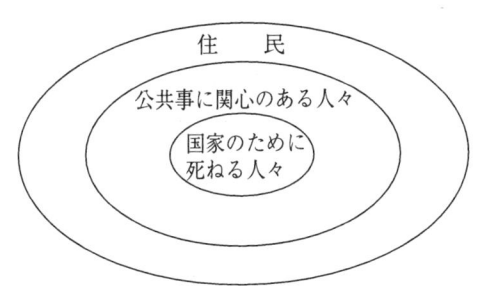

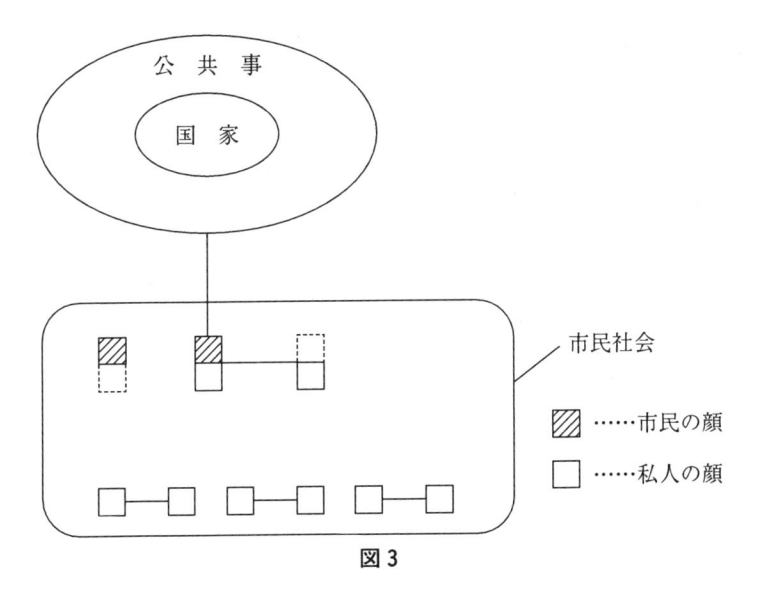

住　民
公共事に関心のある人々
国家のために
死ねる人々

図3

公　共　事
国　家

市民社会

▨ ……市民の顔
☐ ……私人の顔

分の出版物が猥褻だとして猥褻罪で警察に検挙された出版者が警察や社会に対し「公権力には放っておいてもらいたい。これは違法な干渉だ。私には出版の自由がある。猥褻か否かは読者が判断することであって公権力が判断することではない」と主張するとき，この出版者は，まさに〈**国家からの自由**〉を主張している。〈国家からの自由〉を重視する人々にとって国家をつくることへの関心は限りなくゼロかもしれない。では，彼らの市民性は低いのだろうか。否，そうではないだろう。〈国家からの自由〉を確保という観点から国家のあり方にむしろ鋭い関心をもたざるを得ないのであって，彼らは公共事に関心をもつ者としての市民たる資格を強く主張できるであろう。このように，〈市民＝公共事に関心をもつ者〉という規定は，〈公共事への関心〉を共通項とすることによって，質的に異なる多様な市民像を――国家に対するベクトルが正反対のもの（「～への」と「～からの」）まで――包摂することになる。

　ところで，ここまでのところでは，市民であるかないかを人間の一つのタイプであるかのように論じてきたが，そもそもタイプの問題なのか，タイプの問題という側面があるとしても，それ以外の側面はないのか，という問題が実はある。

　確かに，公共事に関心を強くもつタイプの人間とほとんどもたないタイプの人間がいることは経験的に明らかなようだ。ここで，この考察の初めの方で想定した《　》で示した大学生をもう一度想起しよう。この彼または彼女は，公共事に全く関心もたない典型で，これまでの議論では非市民タイプに属する。さて，この大学生がある日突然全く身に覚えのない罪で逮捕されたとする。当然，彼または彼女は，自分は無実であって即刻解放するよう捜査機関に主張するであろう。これは，国家からの自由に基づく，国家の行為への非難にほかならない。この限りでは先ほどの出版者とこの大学生との間に本質的な違いはないのである。では，この大学生は突如市民タイプに変身したということになるのか？　タイプの問題だとすると「変身した」といわざるを得ない。もっとも，違法な逮捕という事態に直面して，突如市民意識に目覚め変身する，というのは大いにありそうなことではある。しかし，事態の説明としては，「彼または彼女は，違法な逮捕に直面して思わず自由を主張した」，で十分であろうし，実態に即しているだろう。つまり，敢えてタイプの変化という問題をもちだす必要はないということである。

とすると，当該の人が市民であるか否かは，その人間のタイプによって決まってくるという見方のほかに，その人間がいかなる場面・局面に立っているかによって決まってくるという見方も可能になってくることがわかる。前者の見方を仮にタイプ論と呼ぶとすれば，後者はそれぞれの場面・局面で好むと好まざるとにかかわらず負わざるを得ない役回りに規定される議論なので，ロール（役割）論と呼ぶことにする。

　ロール論によれば，社会生活を営んでいく上で一人の人間がいろいろな役割，顔を持つように（たとえば，仕事に出れば「職業人」，家に帰れば，「妻」にして「母」にして「主婦」，そしてある時は「一人の女」というように），ある人間が〈公共事〉あるいは〈公共事〉の管理・処理装置たる国家と何らかの形で向かい合ったときの顔がすなわち市民である，ということになる。この見方によれば，同一人が時と場合によって市民であったりなかったりすることになる。「この次の選挙で何党に投票しようか？」と考えているときその人は市民であるが，「今晩何を食べようか？」と考えているときは市民ではない。また，駅前広場で「消費税を廃止しよう」というチラシを配る男はその時市民を演じているが，同じ駅前広場でガールフレンドを待つ彼はその時市民ではない。あるいは，深夜警察官に呼び止められて不審尋問を受けたおじさんはその時「市民をする」羽目になるが，歓楽街で「社長！　よってってよ，いい娘いるよ」と客引きに呼び止められるときは市民ではない。けだし，この三つの例のそれぞれ前者の場合には，登場人物が公共事ないし国家に向かっているのに対して，後者の場合にはその要素が欠けているからである。後者において登場人物が演じているのは，「私人」という役である（図３参照）。ちなみに，私人相互の関係を規制する法のことを私法と呼び（私法の一般法が民法），これに対し，市民と公権力（国家，地方自治体）との関係を規制する法は公法と呼ばれる。憲法とは公法の基本法にほかならない。

　ロール論とタイプ論は，いわば位相の違う独立した議論であって，一方を取れば他方は否定されるという関係ではない。目的に応じて使い分けられるべきものであろう。人間の政治行動やエートスを分析しようとする際には，タイプ論がそれなりに役に立つであろうし，当該紛争の法律関係を明らかにしようとする実定法学的関心からは，まずロール論をとらなければならない。

　以上の議論から，〈市民〉について一定の理解が得られたと思う。初めの方で

示した想定疑問についても，何らかの解答ができる程度の素材は提供されたはずである。読者においては，改めて考えてもらいたい。

　(2)　近代憲法の特徴

　本節の初めの方で言及したように，フランス人権宣言に従えば，近代憲法の必須要件は，権利（人権）の保障と権力分立である。そこで，権利のありようと権力分立という観点から，市民革命によって打ち立てられた近代憲法の特徴を抽出してみよう。

　だが，その前に，近代憲法の特徴というとき，その意味するところを確認しておく必要がある。まず，ここでいう特徴とは，市民革命を成し遂げたヨーロッパ諸国が打ち立てた人権宣言を中核とする憲法に共通に見られる特徴という以上の意味があるということである。もし，たんに共通の特徴というだけなら「ヨーロッパ近代の憲法の特徴」というべきであるからである。他方，「近代に入った諸国において制定された憲法の共通特徴」ということでもない。たとえば，日本のように，近代に入っても下記の特徴を備えない憲法を制定した国もあるからである。1889年制定の大日本帝国憲法は，〈天皇主権〉，〈法律の留保付きの臣民の権利〉という点を特徴とするが，これらはそれぞれ国民主権，人権の拒否にほかならない。そうすると，ここでいう近代憲法の特徴とはどういうことかというと，いささか長くなるが「市民革命を成し遂げたヨーロッパ諸国が打ち立てた人権宣言およびそれを含む憲法が，普遍的であらねばならぬと主張してやまない特徴で，ヨーロッパ以外の地域の少なからずの国々が自身の近代化の過程で受容し，あるいは範とした特徴」ということである。であるがゆえに，「ヨーロッパ近代の憲法の特徴」から地域固有名詞をとって〈近代憲法の特徴〉といいうるのである。

　(a)　人権理論の実定化　　ロックによって提唱された人権理論が，市民革命によって，人権宣言あるいは独立宣言という形で初めて実定化された。これは，市民革命が，身分的権利（特権）ではなく，個人の権利（人権）を保護する国家をつくろうとした試みであることの帰結といってよい。

　既述のように，ロックによれば，人権とは，すべての人間が，単に人間であるというだけで享有する権利で，論理的に国家に先行する（前国家的権利）。国家に先行するとは，まず人権があって，諸個人の人権をよりよく保障するという，まさにその目的のために，諸個人が合意に基づいて国家をつくりだした，

ということである。

　そこから帰結するのは、国家は人権を侵害するようなことは、国家創出の目的に反するゆえに、けっしてしてはならない、ということである。民主的に組織された立法府が、法定の民主的手続を遵守して採択した法律であってもことは同じである。このような法律であっても人権を侵害することは許されない。人権を侵害する法律の効力は否定されなければならない、ということになる。この局面では、人権は民主主義に優先するといってよい。

　もっとも、人間にとって人権以上の利益が存在しないとしても、具体的なケースでは、人権の一定の制約もやむを得ないことも起こりうる。それは、人権と人権が衝突する場合である。この場合、何とか折り合いを付けなければならないが、その結果、一方あるいは両方の人権が一定の制約を受けざるを得なくなる。とはいえ、人権相互の折り合いという問題には自明の答はない。ゆえに、難しい。しかし、こうした問題の考究にこそ憲法学の主要な使命のひとつがあるといわなければならない。具体的な検討は次節以下でなされる。

　(b)　人権の内容は自由権　　市民革命によって宣言された人権をその内容でみるならば、それは今日の憲法学でいうところの自由権である。フランス人権宣言はアメリカ独立宣言を一つの典拠とし、そのアメリカ独立宣言はロックの人権理論の実定化であり、ロックの理論は、生命・自由・所有を人間の固有の奪うことのできない権利として提唱するものであってみれば、人権宣言でいう人権の内容が自由権であることは、けだし当然の帰結である。

　まず、総論規定として、アメリカ独立宣言では「生命、自由および幸福の追求」の権利が謳われている。フランス人権宣言では、自由は他人の自由を確保する以外の理由では制限され得ないことが宣言され（4条）、「法により禁止されないすべてのことは、妨げることができ」ないという原則が明記されている（5条）。すなわち、法や権力者が許したこと以外は禁止されるというあり方の否定である。

　各論では、**精神的自由**として、信教の自由（ヴァージニア権利章典16条）、意見表明の自由（フランス人権宣言10条）、思想・意見の自由な伝達（言論・出版の自由）（同11条）が、身体的自由として、法定手続の保障（同7条）、**罪刑法定主義**（同8条）、無罪推定（同10条）が、そして経済的自由として所有権の不可侵（同17条）が定められている。

(c) 国民主権　　**主権**とは，国のあり方を最終的に決める意思ないし力，のことをいう。そして，市民革命は，市民たちが自分たちの国家をつくろうとして成功させたものであった。とすれば，国のあり方を最終的に決める意思ないし力は自分たちにあることは当然である。

しかし，そうなら**国民主権**ではなく，市民主権というべきではないか，という疑問が出てくるかもしれない。けだし，当然の疑問である。だが，市民革命が目指していたことからすると，最終的には国民主権でなくては具合が悪いことになる。既に述べたように，市民革命の担い手たる市民とは，それなりの具体性をもった人間集団だった。すなわち，有産階級とそれに連帯する人々であった。彼らは「自分たちの国家」をめざすわけだが，ということは，彼らの前にある国家は自分たちの国家ではなかったということである。では，だれの国家であったか。君主の国家であった。そこでは主権者は当然君主である。その君主から市民たちは主権を奪取したのである。とすれば，たしかに市民主権というべきである。だが，彼らが目指したのは，そこにとどまるものではなかった。もし，そこにとどまるなら，それは市民身分とそれ以外の何らかの身分から構成される新たな身分制国家の構築にほかならない。そうではなく，彼らが目指したのは，身分制そのものの廃止だった。では，身分制が廃されるとどうなるか？　国家に所属する者すなわち国民は，皆国民として平等な存在にならなければならない。かくして，市民革命が達成されたそのとき，革命の担い手たる市民とそれ以外の人々がいたとしても，彼らは法的には対等・平等の存在になるのである。とすれば，主権の帰属は「国民」でなければならないことが理解されよう。

フランス人権宣言第3条に曰く――

　「あらゆる主権の原理は，本質的に国民に存する。いずれの団体，いずれの個人も国民から明示的に発するものでない権威を行い得ない」。

(d) 個人主義　　ここでいう**個人主義**とは，個人が対国家との関係で初めて独立の権利主体（人権享有主体）と認められた，ということである。既に述べたように，それまでは，〈個人〉という観念がそもそもなく，個々の人間は具体的な身分や団体に属するものとして認識され，逆に言えば，身分や団体から独立の存在としては認識されていなかった。別の言い方をするならば，個々の人間は，身分や団体の構成員としての権利（メンバーシップ）はもっていたとして

も，対国家との関係では独立の権利主体ではなかった。しかし，市民革命によって身分制と諸団体の既得特権が否定されることによって，個々の人間は，対国家との関係で独立の権利主体として析出されたわけである。

ところで，この個人主義，それまで身分制のなかで抑圧されてきた者や団体の中で自由を奪われてきた者（「家」という団体の中で自由な結婚も許されなかった者たちを想起せよ）には幸いをもたらすとしても，いいことばかりではない。国家と個人の間に新たな緊張関係を生むからである。つまり，身分や団体はそのメンバーやメンバー外の他人を抑圧してきた一面をもつ一方で，国家を含む上位権力からそのメンバーを守る防波堤の役割も果たしてきたが，身分制と諸団体の否定は，そうした防波堤を取り去ることにほかならない。かくして個人は，「言わば裸で，今や権力を全てその手に持つことになった国家と対峙しなくてはいけないという意味で」，個人と国家はまさに緊張した関係におかれることになったわけである。そうであるだけに，「国家からの自由というものが，近代憲法の何といっても一番の眼目の課題になる」のである[9]。

(f) 権力分立　**権力分立**とは，立法府・行政府・司法府がそれぞれ抑制しあいながら均衡を保つことで，国家権力の恣意的行使を防ぎ，そのことによって国民の自由を保障していこうとする考え方である。権力分立の具体的なあり方は多様でありうるし，実際に多様である（たとえば，大統領制と議院内閣制では異なるし，憲法保障機能でも憲法裁判所制度を採っている国もあれば，通常裁判所に違憲審査権を付与する方法を採っている国もある，という具合である）。

ここでは，どうして権力分立によって国家権力の恣意的行使を防ぐことが期待できるのか確認しておきたい。

争っている当事者の一方が裁判役を務めるような裁判はとても公正ではないことは容易に理解されよう。それと同じ理屈で，立法府・行政府はともに司法権をもってはならないのである。

公権力の行使により人権侵害を受けた市民が救済を求めるという場面を想定しよう。市民の主張のとおり人権侵害があるとすると，その原因は二つに一つである。第1，違法な行政権の行使があった，第2，立法府が人権を侵害するような法律を立法していた，である。第1の場合には行政府が，第2の場合には立法府が，それぞれ裁判役になっては裁判の公正が保てないことは明白である。だが，第1の場合の立法府，第2の場合の行政府はどうだろうか。少なく

とも当事者ではないので、裁判役がつとまる可能性がなくはない。しかし、人権侵害の原因が第1の場合か第2の場合かは審理してみなければわからないとすれば、人権侵害の原因を作っているかもしれないいずれか一方に裁判役を担わせることになり、やはり公正な審理は期待できない。

では、立法と行政（執行）が同一の人または組織に帰属するとどういう不都合が生じるか？　ロックの説明を聞こう。

　同一人が立法執行の両権力を手に収めれば、彼らは自分の作る法への服従から免れ、法をその作成においても執行においても、彼ら自身の私的利益に適合させ、以て社会および政府の目的に背反し、協同体の自余の者とは利害を異にするにいたるであろう。それ故全体の福祉がまさにそうあるべきように考慮されている秩序のある国家においては、立法権は種々の人々の手に置かれ、それらの人は正当に会合して、彼らだけで、または他のものと共同で、法を作る権力をもつのである。そうして彼らは法を作ってしまえば再び相分かれ、彼ら自ら自己の作った法に服するのである。そのことが彼らにとって新しい、また切実な束縛ともなって、彼らをして法を公共の福祉のために作るように配慮させるようになるのである[10]。

つまり、立法者が執行機能も同時に担うことになれば、自ら作った法に服従しなくなる。なぜなら、彼らは執行の過程で自己に都合のよいように法を歪め、執行に都合のよいように法を作るからである。そのため、法によって守られなければならないはずの諸個人の権利や全体の福祉に対する配慮が後退し、結果として個人の人権や自由は危機に曝される、というわけである。

3　現代国家と憲法
(1)　社会矛盾の増大
　市民革命後の19世紀はブルジョアの世紀と呼ばれる。ブルジョアとは、市民革命の担い手としての市民のことである。市民革命は、彼らに全面的な経済的自由を与えた。他方、農民は土地から「解放」され（これはこれで農民にとっての経済的自由の一面である）、その一定部分は都市の工場労働者予備軍となった。また、科学の発達は工場による大量生産技術を可能にした。こうして、資本主義が発達する条件が出そろうことになる。

資本主義とは，生産手段を有する者が，第1に商品と，第2に——雇用を通じて——労働力とを購入することで，自己の有する生産手段に労働力を結びつけ，そのことを通じて商品にさらなる価値を付加し，さらなる価値を付加されたその商品を売ることで利益をあげる，という生産関係を意味する。図式化すると，

$$G - W \cdots \begin{matrix} \text{Pm} \\ \text{A} \end{matrix} \cdots P \cdots W' - G'$$

（G＝貨幣，W＝商品，Pm＝生産手段，A＝労働力，P＝生産）

となる[11]。生産手段を有し労働力を買う者は資本家，労働力を売る者は労働者と呼ばれる。

市民革命によって打ち出された経済的自由は，ブルジョアを資本家に，農民を労働者にすることで資本主義的生産関係を可能にし，そして科学の発達がもたらした大量生産技術は資本主義を飛躍的に発展させたのであった。

しかし，こうした資本主義の発展は，これまで社会になかった新たな矛盾を生み出した。すなわち，資本家と労働者，ともに同じ人間であるにもかかわらず，前者が後者の犠牲のもとに豊かになり，豊かさを維持するという関係である。

労働者が資本家に労働力を売るという経済的な関係の法的表現が雇用契約であるが，この契約は，契約締結の自由があるという前提で結ばれる〈労働力をいくらで売りましょう／買いましょうの合意〉であり，かつ，いずれの当事者にもこの契約的拘束から脱退する自由があるから，雇用契約の当事者は形式的には対等平等である。ところが，契約的拘束から脱退する自由が行使された結果のもつ意味は，労働者と資本家では全く異なる。多くの場合，労働者にとって圧倒的に不利である。一人の労働者が「私，辞めます」といっても，当該労務内容が余人をもって代え難いような例外的な場合を別にすれば，それが資本家にとって死活問題になることはなく，辞めた労働者の代わりを見つけられる状況では痛くも痒くもない。他方，労働者にとって「君には辞めてもらいます」の一言は，ほかに雇ってくれる先を見つけられなければ直ちに死活問題である。労働者は自己の労働力を売ってしか生活が成り立たない人々だからである。

資本家と労働者のこうした実質的不平等は，市場経済では不可避の好不況の波を念頭に置くとより顕著になって現れる。不況時は生産を縮小するために，契約自由の名のもとに労働者を解雇する。解雇された労働者は，不況であるが

ゆえに次の就職先は容易には見つからない。かくして，労働者は生活困難，場合によっては生存の危機にすら直面する。これは，労働者の犠牲による資本家の生き残りにほかならない。好況時は，資本家は失業者を再吸収する，しかし，それでも資本家にとってできるだけ有利な条件にならざるをえない。両者ともにできるだけ多くの物を取ろうとする。資本家はできるだけ賃金を抑えて多く働いてもらおうと思い，労働者は少しでも多くペイを得ようとする。しかし，「この条件なら，契約を結ばない」といえる余地をヨリ広くもっているのはやはり資本家の方である。資本家も労働者を雇えなければ困るであろうが，その「困る」は，「もっと多くの利益を得られたはずなのに，雇えなくて得られない」ので「困る」であり，生活困窮の「困る」ではない。他方，労働者の方は，好況による労働力の売り手市場であっても，契約しなければ生きる糧がないのである。

　実際，19世紀イギリスの労働者の条件は過酷で非人間的である。一例を紹介しよう。

　　ロンドンの製パン職人たちの仕事は，通例，夜の11時に始まる。この時間に彼はこね粉をつくるが，これはきわめて骨の折れる工程であって，一焼き分の量およびその品質に応じて，30分から45分かかる。そのあと彼は，こね板の上に身を横たえる——このこね板は同時に，こね粉をねるこね鉢のふたとしても役立つものである。そして彼は，粉袋を枕にし，もう一枚の粉袋を身体にかけて2，3時間眠る。それから，こね粉を投げつけこねたり，目方をはかったり，型に入れたり，オーブンのなかに入れたり，オーブンから出したりといった敏速で絶え間ない5時間の労働が始まる。パン焼き場の温度は75度から90度〔カ氏。セ氏では約24度から32度〕に達し，小さいパン焼き場ではそれより低いどころかむしろ高い。食パンやロールパンなどをつくる仕事が終わると，パンの配達が始まる。日雇人たちのかなりの部分は，上述のきつい夜業を終えたあと，昼間はパンをバスケットに入れたり，手押し車に乗せたりして家から家へと配り，その間にもパン焼き場でときどき作業をする。季節と事業の範囲とに応じて，仕事は午後1時と6時の間に終わり，他方，職人たちの一部は夜遅くまでパン焼き場で仕事についている[12]。

　こういう状況の中から労働者の生活と安全を守ろうとする運動がまさに起こ

るべくして起こってくる。そして，そうした中から労働権・生存権といった――市民革命後の人権宣言にはなかった――新しい法理が生成されてくるのである。

(2) 社会権の生成

(a) 社会権法理の生成　**社会権**とは，個人がその自助努力だけでは当該社会において人間の名に値する生活が不可能または危殆化した場合に，必要な援助を国家に要求していく権利の総称である。こうした社会権という考え方は，資本主義が急速に発達した19世紀の西ヨーロッパにおいて，既述のようなきわめて苛酷な状況におかれた労働者がそうした状況を脱却すべく展開した労働運動・社会運動の中から生成されてきた。以下では，社会権法理が生成される過程を労働権を例に素描する。

労働権といえば，労働組合の結成やストライキ（罷業）などが想起されるところであろうが，実は19世紀の初めには労組の結成もストライキも禁止されていた。たとえば，イギリスにおいては，restaint of trade（営業制限）の法理から労働組合の結成が刑事的に取り締まられていて[13]，フランスでは，何と結社の一般的な禁止を理由に，同様に刑事罰の対象とされていた[14]。

フランスについてはやや説明を要するであろう。実は，1789年のかのフランス人権宣言では集会・**結社の自由**が明記されていないのである。もっとも，人権宣言や憲法に明記されていないからといって直ちに当該自由や権利が否定されたと見るべきではないことはいうまでもない。明記されていないこと，すなわち否定だとするとおよそ新しい人権（日本でいえば，プライヴァシー権や知る権利など）を基礎づけることができなくなるからである。アメリカ憲法などはこの理を明文で規定している（修正9条）。もとよりフランス憲法もアメリカ憲法修正第9条の法理を否定するものではないであろう。ところが，こと結社の自由については，人権宣言の当時，支配者たちは明確に否定するという立場を採っていた。それはどうしてか。一つには，ルソーに代表されるような徹底した個人主義思想（団体が審議に影響を与えると一般意思への到達が阻害されるという考え方。典型的には，『社会契約論』第2編第3章参照）があったこと，そして，それに加え，革命の主たる担い手である新興ブルジョアが何よりも打倒することを欲したのはアンシャン・レジームの特権的同業者組合であったことから，結社の自由を法認することで特権的同業者組合が復活することを彼らが恐れた

ということである。

では，どのようにして労働組合の結成や**ストライキ**は認められていったのか？ それらが認められるためには，労働組合の結成が自由になること，ストライキに刑事罰が科せられないこと（刑事免責），ストライキを実行することで労働者が解雇されたり，使用者の蒙った損害を労働者が賠償する義務を負わないこと（民事免責）が達成されなければならない。これらの達成の論理をフランスの例でみてみよう。

フランスで一番最初に達成されたのは，ストライキの刑事免責であった。1864年のことである。同年5月25日法によって，団結を禁止していた刑法典の該当条項が改正され，ストライキの刑法上の自由が承認された。この刑事免責は「労働の自由」の名において正当化された。すなわち，一人の労働者が労働放棄をしても刑事罰を科せられないこと（労働放棄の自由）を根拠に，ストライキを複数の労働者が労働放棄の自由を行使していると見ることによって刑事免責を導出したのである（ゼロはいくら足してもゼロ）。

次いで，その20年後の1884年法で労働組合結成の自由が承認された。しかし，この段階でも結社一般の自由はまだ認められていなかった。それが認められるのは，ようやく1901年になってからであった。では，結社一般の自由が認められていないにもかかわらず，労働組合の結成が認められたのはなぜか？ 最大の要因は産業構造の変化であると考えられる。すなわち，工業が大工業化することによって，被用者の数が増大し，このため労働者と使用者が相対の個人として労働条件を論議するというようなことは昔日のものとなり，使用者側も労働者を集団として捉えることが自己の利益にもなるという状況が生まれたことである。アンシャン・レジームの同業者組合の復活の恐怖は時とともに薄れ，ついに必要が恐怖に勝ったとでもいえようか。

ところで，フランスの場合，結社の自由が否定されていたので，労組結成の自由を認めるために独自立法を要したが，憲法上結社の自由を含む個人の自由が規定されている国においては，労組結成の自由の承認もストライキの刑事免責も独自立法なくして既存の人権条項から理論的に導出可能であった。労組結成の自由は結社の自由に含まれるし，刑事免責は既述のように個人の労働の自由から認められるからである。

ところが，ストライキの民事免責はそうはいかない。というのは，労働者集

団あるいは労働組合に特別な権利（集団的権利）を法認しないかぎり，労使間を規制するのは個別の労働契約（使用者と労働者個人との間で結ばれる契約）しかないからである。つまり，ここでは民法上の契約法理が支配する。それによれば，ストライキは労働放棄だから，労働者の債務不履行にほかならない。債務不履行に対しては，債権者（この場合，使用者）は，契約の解除すなわち解雇が可能である。加えて，そもそもストライキとは，労働者が自分たちの要求を使用者にのませるために使用者に経済的打撃を与える行為だから，契約法理によるかぎり，使用者に生じた経済的損失は労働者がこれを賠償しなければならないことになる。しかし，これでは労働者にとってストライキを打つことは自殺行為に等しいことになろう。

　しかし，労使の経済的力関係からして，労働組合の結成と団体交渉だけでは，労働者の人間の名に値する生活を獲得維持することが困難だとするならば，労使の実質的に対等な関係をつくり出すためにやはりストライキは認められなければならない。かくして，フランスでは，破毀院（フランスの最高裁判機関）がそれまで採っていた「ストライキは労働契約を自動的に解消させる」という説——「労働契約破棄説」と呼ぶ（この説によれば，ストライキ終了後の職場復帰は，使用者が再雇用したと構成される）——に対し，ストライキは個別的労働関係に還元できない集団的性格を有していることに着目し，その説の適用範囲を狭める動きが戦間期から下級裁判所に見られるようになり，1939年には高等仲裁法院が「労働者がその職を放棄する意思を明白もしくは暗黙に示さない限り，罷業はそれ自体で個別契約を破棄することはない」と判示するにいたった——「労働契約停止説」と呼ぶ——。その後，ストライキ権が1946年憲法の前文で承認され，ついに，1950年2月11日法によって「労働契約停止説」が法認され，ストライキの民事免責が達成されたのである。

　このように，ストライキの民事免責が認められたということは，「公権力（立法，裁判所）の介入により罷業が労働契約の解消をもたらさないとすること，すなわち，公権力が私人間に介入して契約自由の原則を（具体的には使用者の解雇の自由）を労働者に有利に修正したこと」を意味する。つまり，国家が労働者に有利なように「必要な援助」を行っているのである。かくして，ストライキの民事免責には，ストライキ権の社会権的性質が凝縮されているのである。

　(b)　社会権の憲法規範化　　このように，社会権法理は資本主義の発達に伴

う社会矛盾の増大の過程の中で19世紀後半から生成されてくるが、それが憲法の規範として実定化されたのは、ドイツの1919年の**ワイマール憲法**が最初といわれている。

同憲法では、個人の経済的自由が、人間たるに値する生活の保障に従属することが宣せられる。すなわち、「経済生活の秩序は、すべての者に人間たるに値する生活を保障する目的をもつ正義の原則に適合しなければならない。この限界内で、個人の経済的自由は確保されなければならない」(151条)。この原則から「所有権は義務を伴う。この行使は同時に公共の福祉に役立つべきである。」(153条) ということになる[15]。

社会権の各論では、まず、労働権について次のような規定がある。

「労働力は、ライヒの[16]特別の保護を受ける。」(157条)

「労働条件および経済条件を維持し、かつ、改善するための団結の自由は、各人およびすべての職業について、保障される。この自由を制限し、または妨害しようとするすべての合意および措置は、違法である。」(159条)

社会保障ないし**生存権**については、社会保険制度と最低生活保障に関わる規定がある。すなわち、

「健康および労働能力を維持し、母性を保護し、かつ、老齢、虚弱および、生活の転変にそなえるために、ライヒは、被保険者の適切な協力のもとに、包括的保険制度を設ける」(161条)、「各ドイツ人に経済的労働によってその生計〔の途〕をうる可能性が与えられるべきである。かれに適当な労働の機会が与えられないかぎり、その必要な生計について配慮される。詳細は、特別のライヒの法律によってこれを定める」(163条)。

ワイマール憲法以後、世界の憲法の多くで社会権規定が導入されるようになった。日本国憲法もその一つである。日本国憲法では、周知のように、労働権、教育を受ける権利、生存権が定められている。このように、ワイマール憲法以降社会権規定が世界に広がっていったことから、社会権はしばしば「20世紀的人権」といわれる。この対比でいえば、人権宣言に盛られた自由権は「19世紀的人権」とか「古典的人権」とよばれる。

このように、「20世紀的人権」という新たな人権要素が加わったことで、国家の正当性の根拠もそれにしたがって変化していくことになる。すなわち、19世紀のある時期までは、国家は人権宣言に宣せられた自由を守ることでその正当

性を主張しえたが，それから以後，とりわけ20世紀においては，自由を守ることに加えて社会構成員が人間の名に値する生活が可能になるよう配慮することが求められるようになってきた。もちろん，社会構成員の人間の名に値する生活のために，国家が具体的にどのような方法でどれだけ市民社会に介入するかは，国と時代によってそのあるべき姿が異なってこざるをえないが，少なくとも社会構成員の人間の名に値する生活のための市民社会への介入を不要とする国家は——国家の介入なくとも，社会構成員が皆人間の名に値する生活を享受できている社会があるとすれば，それは例外だが——もはやその正当性を主張しえないといってよい。このことは「自由の国」アメリカにおいても妥当する。

　近代を現代とそれより前の近代に分けるとすれば，社会構成員の人間の名に値する生活に配慮しなければ正当性を主張できなくなったところに「現代国家」の特徴があるといえる。かくして，19世紀までの国家観では，国家は市民の自由を尊重すべく市民社会への介入はミニマイズすることが善とされたことから，現代より前の近代国家はしばしば「夜警国家」(国家の仕事は，市民の生命と財産を守ること)と呼ばれ，現代国家の現実または目標は市民の福祉を重んずるところから「福祉国家」とか「社会国家」としばしば特徴づけられるのである。今日，自身の「社会国家」性を示す憲法上何らかの規定をおいている国々は，日本のほかに，ドイツ，フランス，イタリア，ポルトガル，トルコ，スペイン，ギリシア，オランダ，デンマーク，スウェーデン，ロシア等々多数に及んでいる。

　(c)　自由権と社会権の違いとその相互関係　　**自由権**と社会権では権利の発現形態が異なる。

　自由権の場合には，「国家から放っておいてもらうこと」が権利の核心であるから，国家が何もしないことによって基本的に保障されているといってよい。自由権の享有者にとっては，自由権が行使できているかぎり，逆言すれば，国家が何もしないかぎり，自由権を特に権利として意識することもなく，いわば空気のように所与のものと感じられるであろう(A下宿からBアパートに引っ越した学生は「自分は居住移転の自由」の権利を行使したのだとは，普通は感じない)。自由権が権利として自覚されるのは，その行使に何らかの干渉によって制限がかかったときである。権利と自覚された自由はいかに救済されるか。その干渉が不当なものであれば，それを排除することによって救済される。つまり，こ

の場合，自由権は〈妨害排除権〉として発現される。

これに対して，社会権は「国家に一定の積極的行為（援助）を求める」ことを内容とするから，国家が何もしないことはそれ自体権利侵害になるといってよい。また，国家の行為が必要なことから，国家行為の実行手続，権利者側からいえば権利実現手続が予め法定されていることが，権利実現の前提として求められることになる。こうしたことから，権利救済のあり方も自由権の場合よりも複雑にならざるをえない。たとえば，ある国の憲法に日本国憲法のような生存権規定があるとした場合で，さらに①それにもかかわらず，日本の生活保護法に相当する法律が未制定の場合，②相当する法律はあるが，その法律では人間の名に値する生活ができない場合，③法律に従えば人間の名に値する生活ができるが，行政が法律に従わない行為を行った場合，では救済の態様が異なってくる。

次に，自由権と社会権の関係をどのように捉えるべきだろうか。

前者は19世紀的人権，後者は20世紀的人権としばしばよばれることから，人権の主要な内容が19世紀から20世紀で変容したと捉えるとすれば，それは誤りである。自由権の基礎の上に社会権が生成されてきたという〈自由権が社会権を規定する関係〉と，社会権があるがゆえに自由権がヨリよく行使されうるという〈社会権が自由権を規定する関係〉という二重の関係として捉えるべきである。

自由権の基礎を見失うとパターナリズム的支配を誘発・助長する恐れがある。パターナリズムとは支配する側が支配される側の利益を根拠に支配される側の自由を制限するという，権威主義の一種である。つまり，自由権の基礎を見失うと，「行政は，公益目的のために，国民の福祉を実現しようとしているのだから，国民もそれに協力するべきであるのに，一部の私的利益に執着する国民がそれに対立し反対するのはよろしくないという考え方」が誘発され，そこから「国民個人がもっている権利は，それぞれの個人の私的利益の追求にほかならないのだから，公益による私益の制限は，行政活動のために国民諸個人の基本的人権を制限しうるという論理」[17]が導き出される，そういう恐れがあるということである。ここでは，自由の主張は「わがまま」にすり替えられ，支配者の利益に〈公益〉という装いが施される。

では，自由権の基礎を見失わないためには何が求められるか？　それは，「人

間の名に値する生活」のために今自分には何が必要かが最もわかっているのは，社会権に基づき国家から「必要な援助」を受ける当の本人のはずであるから，あくまでも本人のニーズを出発点におくということである。つまり，まず自由権の主体としての具体的な人間のニーズが起点にあり，ついでそれに対して国家がどう応えるのかの検討があり，そこから〈必要な援助〉が措定される，という筋合いのものであって，まず国家の権能・義務があって，そこから〈必要かもしれない援助〉が決められる，ということであってはならないということである。自由権の否定の行き着く先は，ジョージ・オーウェル『1984年』が描くグロテスクな超管理社会である。

　以上が，〈自由権が社会権を規定する関係〉である。他方，〈社会権が自由権を規定する関係〉とは，一言でいえば，人間の名に値する生活ができないところで自由の十全なる行使は期待できないということである。自由とは，対国家との関係でいえば，「放っておいてもらう」というきわめて消極的なものだが，対市民社会との関係でいえば，それは，受け手の存在を前提とする何らかの表現の自由という積極的な側面をも持っている。しかし，人間の名に値する生活ができないところで，こうした積極的行為を市民に期待することは困難である。ルネッサンスの担い手が新興有産階級であったことを想起されたい。つまり，経済的ゆとりは自由の精神への一つの栄養なのである。しかし，その栄養が乏しいところでは，市民の自由の行使は結果として抑制され，それは社会全体にとって損失である。このいきさつは，自由の重要性を説いたJ. S. ミル（John Stuart MILL, 1806-1873）の次の有名な言葉に凝縮されている。

　　意見の発表を沈黙させることに特有の害悪は，それが人類の利益を奪い取るということなのである。すなわち，それは，現代の人々の利益を奪うと共に，後代の人々の利益をも奪うもので……ある。もしもその意見が正しいものであるならば，人類は誤謬を棄てて真理をとる機会を奪われる。また，たとえその意見が誤っているとしても，彼らは，これとほとんど同様に重大なる利益――即ち，真理と誤謬との対決によって生じるところの，真理の一層明白に認識し一層鮮かな印象をうけるという利益――を，失うのである[18]。

　また，社会権が保障されないと，上に述べた理由からの市民の能動性の低下

にとどまらず，政治的アパシー（無関心)が増大し，ひいては国家への不信を生み，考えられる最悪の場合には，アナーキー状況の出来またはファシズムの擡頭を許しかねない。ファシズムの重要な属性の一つが市民的自由の否定であってみれば，社会権の保障が自由にとって極めて重要であることが理解されよう。もっとも，社会権が保障されればファシズムの危険はなくなるかといえば，そう単純なものではない。何しろ，ファシズムはワイマール憲法下のドイツで発生したからである（後出・福田歓一の引用参照）。

(3) 参政権の拡大と大衆民主主義

19世紀の労働者による労働運動・社会運動は，労働者階級の参政権要求を含み，やがてそれは成年男子の普通選挙権として結実していった。さらに，今世紀に入り成年女性にも**参政権**が認められ，かくして完全な意味での普通選挙制が「現代国家」の標準となった。民主主義は「政治社会における権威的（成員全体を拘束する）意思決定が（資格ある）成員全体の意思に基づいて行われるという原理として要約できる」とすれば，完全普通選挙の達成は，成員が全体として選挙権をもつわけだから民主主義の大きな前進である。実際，労働者階級が自分たちの参政権要求を行う際に掲げたスローガンはまさに「民主主義」であった[19]。

しかし，「成員全体の意思に基づいての意思決定」という面では，新たな問題を抱え込むことになった。というのは，「成員全体の意思に基づいての意思決定」が可能になるためには，成員間の一体感ないし同質性という条件が必要であるということが広く認められているからである。つまり，普通選挙に到達する前には，政治は「財産と教養をもつ者」（市民革命の中心的担い手）に委ねられていて，成員間には「財産と教養」というある程度の具体性をもった同質性があったのだが，そうした同質性は完全普通選挙によって失われたということである。とくに，既に述べたように資本家と労働者には和解しがたい利害対立があるとすれば，彼らそれぞれの代表が同一の意思決定の場で角を突き合わせて，「成員全体の意思に基づいての意思決定」が可能かと問えば，階級対立から中立的な問題（たとえば，脳死を人の死と認めて臓器移植を促進するか否かというような問題）は格別，階級利害が衝突する問題ではそれは原理的に不可能といわなければならない。つまり，意思決定の場が通常議会であるとすれば，議会はたえず機能不全をおこす危険を抱えているということである。

もっとも，議会が先鋭な階級対立の場と化せば，機能不全どころか，そもそも議会は存立しえないであろう（そこに浮上するのは「革命か死か」というラディカルな問題であるはずだ）。しかし，現実の歴史は，後述する社会主義国を除いて，そうしたラディカルな方向には進まなかった。というのは，資本主義の発達は一方で階級対立を激化させつつ，他方で——社会権法理が生成されてきたことも手伝い——それなりの物質的豊かさを社会にもたらし，そこそこの財産と教養をもつ社会成員を増加させ，ついに彼らを最大の有権者層にしたからである。彼らは，市民革命をリードした〈自己の責任と計算において何らかの経済活動を自前で営む者〉とは異なり，「社会の広い網の目のなかに自分の仕事のチャンスをなんとか見つけようとする人間の大群，大衆という言葉でよばれる人々」[20]である。いわば，民主主義が存立するための新たな同質性が，すなわち大衆性という名の同質性が獲得されたことになる。大衆民主主義の生成である。しかしながら，大衆民主主義もまた新たな問題に直面せざるを得ない。三点指摘しておこう。

第1は，大衆の無力感とマイノリティーのますますの周縁化である。

有権者数の増加は，それだけ1票の価値が低下するだけでなく（これ自体，無力感を生む原因であるが），一定の要求を政治に反映させようとすると，巨大組織による運動によらざるをえないという現実を生んだ。巨大組織の前に個人は無力感を禁じえない。加えてそうした組織が，自分のコントロールを完全に超えた，いわば〈怪物〉として立ち向かってくるならば，その無力感は一層のものとなる。しかし，それでも大衆の利益実現のために巨大組織が動けば，それは大きな力であり，大衆にとって心強い存在ともなろう。ところが，個人的にはきわめて切実だが，それが大衆的要求となりにくい利害については，結果的に捨て置かれがちになる。かくしてマイノリティーの要求が実現される機会はますます狭められるのである。

第2は，情緒性，情動性である。これは，同一のコインの大衆迎合主義の裏面といえる。〈大衆〉は，精確ではあっても理解に努力を要するような言葉や概念に真摯に耳を傾けてくれるとは限らない。むしろ経験は逆のことを教える。とすると，政治家にとって，選挙に勝つためにも，ある政策を実行するためにも〈大衆〉の情緒性，情動性に訴えることが効率のいい方法ということになる。実は，ここに**大衆民主主義**の最大の危険が潜んでいる。福田歓一の言葉を借り

よう。

　複雑な社会の中では政治の動きそのものもはなはだ複雑になる。自分の身の回りの日常経験の枠では，とても全部を理解することはできない。そういう場合に，いちばん簡単に判断する方法は，白か，黒か，いいか，悪いかのモラリズムであります。……大衆の適応が順調な場合にはあまり問題はないのでありまして，逆に社会生活が行き詰まり，大衆が不安で，いてもたってもいられないような状況が出てきたときが民主主義の最大の危機であります。どうしてこういう事態になったかが大衆の理解を越えまして，どうすればその困難から抜け出せるかに見通しが立たない。そういうときこそ，いちばんわかりやすい荒唐無稽のデマゴーグが大衆の支持をかっさらういいチャンスが生まれるからであります。実は民主主義のほんとうの怖さはここにあるのかも知れません。たとえばナチスのような運動は，……大衆がまさに政治の当事者として引っ張り出された民主主義の時代だからこそはじめて出てきたのであります。しかも，一気に権力掌握の機会を作ったのは恐慌であった。大衆の生活不安のさなかに，このひどい状態になったのは，すべてユダヤ人が悪いんだと単純明快に割り切って見せて，ナチスが権力を握ればすべてはよくなるという訴えかけで大衆の支持をかっさらい，議会の多数を獲得したからであります[21]。

　第3は，大衆の要請に応える形で行政が大衆の生活にきわめて多くの局面で介入するようになった結果生ずる，行政による情報独占がある。行政がことさら情報を隠そうとしなくても，情報自体は日々行政に蓄積され，しかし，その情報を有効利用するための社会に開かれたチャンネルがなければ，情報の独占状態が生まれる。現代社会は危険社会といわれる。予想される危険に対して適切な対処がのぞまれるところ，危険情報が行政の一部の専門家の手にとどまっているという事態を想定すれば，情報独占が問題であることは容易に理解されよう。

　このような大衆民主主義の状況の中で憲法ないし憲法学には，どういうことが期待されるであろうか？

　筆者自身，明確な見通しを持っているわけではないが，公共事に関わる「成員全体の意思に基づいての意思決定」が，理性的で冷静な議論・会話を通じて

なされる——換言すれば，情緒的・情動的ファクターを極小化する——条件をいかに創出するかという点にこの問題のひとつの鍵があることはおそらくまちがいないであろう。理性的な議論を行うためには，判断材料としての情報の確保が必要である。とすれば，情報公開とそれに伴う説明責任（ここで念頭においているのは，主として人々の安全に関わる情報である。したがって，ここでいう情報には，人々の安全に関わるかぎりで，公権力以外の組織・機関がもっている情報も含まれると考えている)，そして少数意見の尊重の一環として，多数者の陰に隠れがちなマイノリティーの利害の表出の場の確保，といったことが求められることになろう。こうしたことがらについて，具体的な局面での制度改革要求を行う際に有効な憲法論的基礎を与えること，これが大衆民主主義下の憲法学の課題ではなかろうかと思われる。

(4) 社会主義の試みとその挫折，そしてそこからの教訓

(a) 社会主義思想とその体制化　本節の最後に社会主義の問題を取り上げたい。というのは，社会権法理の形成が資本主義の発達に伴う社会矛盾への一つの制度的対応であるように，社会主義的変革要求も資本主義の発達に伴う社会矛盾への対応として沸き上がってきたものであり，その意味で優れて「現代的」であるからである。

一口に社会主義といっても様々な潮流があり，統一的な概念把握は断念せざるを得ないが，ただひとつ共通項がある。それは，「資本主義批判」という一点である。そして，諸潮流ある中で最もラディカルなもののひとつがマルクス主義的社会主義であった（以下，単に「社会主義」というときは「マルクス主義的社会主義」をさすものとする）。社会主義の眼からすると，社会矛盾のそもそもの原因は資本主義的生産様式そのものにあるから，資本主義を廃止しないかぎり矛盾の根本的解決はありえないということになる。このように社会主義は，矛盾の根本的解決の展望を示したことによって，勤労者を中心とする世界の多くの人々の心をつかんだのである。

社会主義者は，資本主義を打倒した後の経済的＝法的制度を次の二つのことを軸に構想した。第1は，生産手段の社会化である。社会矛盾の根源は，人間社会が，同じ人間であるにもかかわらず，生産手段をもつ者ともたざる者に分裂し，後者は前者に雇われなければ生きていけないことに求められるから，生産手段を特定の者（＝自然人あるいは法人）が所有するというあり方（社会主義

理論では，これを，消費財の特定の者による所有——これは「個人的所有」と呼ばれる——と区別して「私的所有」とよぶ）を廃して，すなわち私的所有を廃して生産手段を社会のものにするというわけである。第2は，市場経済にかわる計画経済である。市場経済では好不況の波は不可避で，人々はその波に翻弄されざるをえない。こうしたあり方から脱却するためには，人間の理性によって経済をコントロールすること，すなわち計画経済が求められなければならないし，またそれは可能だというわけである。

　こうした社会主義の理念は，社会主義思想発祥の地ヨーロッパでは運動にとどまったが，1917年，ロシアの革命によってついに体制化の途が開かれた。この革命は，20世紀の最大級の事件であり，文字通り世界を揺るがせた。そして，その後，陰に陽にロシアの影響のもと多くの国々が社会主義化していったのである。

　(b)　社会主義の試みの挫折　　しかし，このようにして生まれ，世界に対して極めて大きな影響を与えた社会主義的変革の試みも，結局のところ，挫折したと言わざるを得ない。体制化された社会主義は，1989年以降その歴史の幕を閉じようとしている。現在，自国の体制を社会主義と規定しているのは，知る限り，中国，ベトナム，北朝鮮，キューバの4カ国のみで，ソ連に代表されるそれ以外の社会主義体制はみな崩壊した（残り4カ国も，社会主義体制のメルクマールを何よりも生産手段の所有のあり方に求めるとすれば，北朝鮮を除き，中国を筆頭に社会主義的要素を希薄化させつつある。その北朝鮮にしても，人類の未来を託せる輝きはおろか，いつ崩壊してもおかしくない状況にあると見ておくべきだろう）。

　なぜ，社会主義体制は崩壊したのであろうか？　たしかに体制内部に種々の欠陥を孕んでいたことは否定できない。しかし，およそ欠陥のない体制というのは経験的にはありえない。とすれば，こうした社会主義体制の崩壊は，政治指導者や国民が何か致命的なミスを犯したために招来されてしまったことで，うまくやっていれば存続しえた，と考えることもできるのだろうか？

　筆者自身，この問いの十分な答えはまだ持ち合わせていない。ただ次の二つのことはいえると思う。ひとつは，もしミスがあったとすれば，社会主義は，人間の理性による経済のコントロールという言葉に示されるように，本来人間の理性に対する高い信頼を基礎におく思想であるにもかかわらず，現実の体制

は，自由権規定に「目的」規定をおくことで，結果として人間理性の自由な発露をむしろ抑圧してしまったということである。たとえば，ソ連の1977年憲法第50条は，表現の自由について，「人民の利益にしたがい，社会主義体制を強固にし，発展させる目的で，ソ連邦の市民は，言論，出版，集会，大衆集会，街頭行進および示威行動の自由を保障される。／これらの政治的自由の実現は，勤労者およびその団体への公共の建物，街路および広場の提供，情報の広範な普及，出版物，テレビジョンおよびラジオを利用する可能性，によって保障される」（傍点・下線──篠田）と規定するが，この規定は，傍点部の目的に合致していないかぎり，下線部の物質的手段が保障されないから，結局自由は行使できないという構造になっている。

　いまひとつは，社会主義的変革のまさに中核部分において，すなわち，資本家と労働者間の根本的不平等を除去し，また不況の不安のない経済を構築するために，導入不可欠とされた制度の中に，実は解決が困難か，あるいは不可能かもしれない問題が孕まれていたことである。導入不可欠とされたのは，〈生産手段の社会化〉と〈計画経済〉であった。しかし，どうすれば生産手段を，真に働く者のものにすることができるか，という問いに対する制度的な解答をついに提示しえなかった。たしかに，生産手段は，法律上は，社会化された。しかし，実質的には官僚所有であったり（この場合，働く者は疎外される＝「自分たちのものだ」とは思えない），「みんなのもの」であることが生産に対する無責任な態度や大小の私物化傾向を恒常的に生みだした。だが，こうした否定的事態をシステマチックに除去する制度をついに見出し得なかったのである。また，〈計画経済〉については，たしかにそれによって恐慌は回避し得たかもしれない。しかし，効率性（むだと浪費の回避），消費者のニーズの充足，そして労働の評価という観点から，一定の市場原理の導入もまた不可避であることが次第に明らかになった。つまり，市場経済（価値法則）を排除した経済は長期的には存立し得ない，ということが経験的に明らかになったということである。とすれば，計画と市場の最適結合やいかに，ということが問題になるが，市場原理導入へ政策の舵が取られたことを契機として，体制は一気に脱社会主義化の方向に動いていったために，この問題には，ついに答えられないまま事態は推移してしまった（中国は，この問題の解答を模索中といえるのかもしれない）。

　(c)　教訓　　この崩壊した社会主義体制は，その基礎が1930年代にできあ

がったことから「30年代型社会主義」と呼ばれる。少なくとも「30年代型」はその歴史的使命を終わったといえるだろう。そして，当面，体制としての社会主義が省みられ，新たな型の社会主義が脚光を浴びることはないであろう。けだし，効率性追求に対する反省はあるものの，当面，効率性は価値たることを失わないとすれば，効率性に関するかぎり資本主義の上をいく体制は考えられないからであり，そして，何よりも，未解決問題（「国家からの自由」，生産過程における勤労者の主人化，計画と市場の最適結合）に対する確かな解決指針は容易には見出しえないと考えられるからである。未解決問題に対する洞察なくして新たな社会主義体制への移行を唱える議論があるとすれば，それは表現の自由に属するとはいえ，無責任といわなければなるまい。

　しかし，思想としての社会主義は，資本主義があるかぎり，その歴史的命脈を保ち続けるであろう。社会主義の資本主義批判の多くは，なお妥当するからであり，また社会主義に内在する「平等」の要請は，フランス革命のスローガン（自由，平等，友愛）を引くまでもなく普遍的だからである。したがって，それはそれで矛盾を抱える資本主義を少しでも「人間化」するために社会主義思想にはいつも仕事が残されているといえる。加えて，上記未解決問題は資本主義のもとでも検討されるべき問題であるとすれば，理想社会を構想する理論として，社会主義はその力を改めて求められ試されているともいえるのである。

1）高木八尺・末延三次・宮沢俊義『人権宣言集』（岩波文庫，1957年）133頁。以下，フランス人権宣言の引用は同書による。
2）憲法十七条については聖徳太子の作ではないとする有力な説もある。この点につき，たとえば直木孝次郎『日本の歴史2』（中央公論社，1965年）78頁以下参照。
3）エーリッヒ・フロム／日高六郎訳『自由からの逃走』（東京創元社，1965年）52〜54頁。
4）同上，56頁。
5）鵜飼信成訳・岩波文庫版（1968年）。以下，『市民政府論』からの引用は同書による。
6）樋口陽一『もういちど憲法を読む』（岩波書店，1992年）61頁。
7）石井進「日本の封建制と西欧の封建制」堀米庸三編『歴史学のすすめ』（筑摩書房，1973年所収）参照。

8) 『〈法〉の歴史』(東京大学出版会, 1997年) 16～17頁。
9) 樋口・前掲, 66頁。
10) 前掲『市民政府論』147頁。
11) 宇野弘蔵『経済原論』(岩波書店, 1964年) 第3章参照。
12) カール・マルクス／資本論翻訳委員会訳『資本論2』(新日本出版社, 1982年) 第1巻第8章「労働日」より。
13) 田中英夫『英米法総論 上』(東京大学出版会, 1980年) 169頁。
14) 以下, フランスについての記述は, 基本的に中村睦男『社会権法理の形成』(有斐閣, 1973年) に拠っている。同書は, 社会権についての今や古典的名著だと思うが, 残念ながら, 現在は品切れ状態である。
15) ワイマール憲法の引用は, 高木八尺・末延三次・宮沢俊義編『人権宣言集』(岩波文庫, 1957年) による。
16) 「ドイツ全体の」という意味。連邦国家であるドイツの各「州の」という意味ではないことを示す。
17) 渡辺洋三「現代福祉国家の法学的検討㈡」法律時報36巻6号 (1964年) 39頁。
18) J.S. ミル／塩尻公明・木村健康訳『自由論』(岩波文庫, 1971年) 36-37頁。
19) 高畠通敏『〈改訂・増補〉政治学への道案内』(三一書房, 1980年) 第Ⅷ章参照。
20) 福田歓一『近代民主主義とその展望』(岩波新書, 1977年) 165頁。
21) 同上, 169～170頁。

第2節　基本的人権

1　基本的人権とは何か

(1)　人権の歴史と日本国憲法

(a)　人権の歴史　　人権尊重という原理は，日本国憲法の最も基本的な原理のうちの一つである。人権とは，人間が人間であるということ自体から当然に有する権利を意味する。

人権という考え方は，人類の歴史の所産であって，日本国憲法97条が「この憲法が日本国民に保障する基本的人権は，人類の多年にわたる自由獲得の努力の成果であつて，これらの権利は，過去幾多の試練に堪へ，現在及び将来の国民に対し，侵すことのできない永久の権利として信託されたものである」と宣言しているのは，人類の自由獲得のための闘争の歴史の成果としての人権を確認したものである。

人権は，歴史的には，人権宣言という形でカタログ化されてきた。その萌芽は1215年のマグナ・カルタに見て取れるが，国家権力を限界づけるという意味での人権思想の誕生は，自然権思想と社会契約説によって育まれ近代になって結実する。ヴァージニア権利章典 (1776)，フランス人権宣言 (1789) がその代表例である。国家は生来の人権保障のために設立された機構であり，その目的のために権力が制限されるという**近代立憲主義**の考え方が誕生したのである。

★　マグナ・カルタは一般的に近代的意味における人権宣言の文書とはいえないといわれている。それはなぜか。第1節1(1)参照。

(b)　人権保障の現代的展開——社会権の登場と人権の国際的保障　　第1節でも述べられているように，市民革命を経て誕生した近代立憲主義における人権宣言は，いわゆる自由権規定がその中核であった。ところが，20世紀に入って，産業化の進展とともに，労働者階級が台頭し政治参加を求めるようになってくると近代立憲主義の理念・制度も修正を余儀なくされた。人権宣言のレベルでは，生存権・勤労権・教育権などのいわゆる社会権規定がそのカタログに盛り込まれることになった。ドイツのワイマール憲法 (1919年) などはその代表例である。

現代における人権保障のもう一つの特色は，人権を国際的に保障しようとい

う動きがみられることである。1948年には世界人権宣言が，1966年には国際人権規約が国連総会で採択された。

> ★ 自由権と社会権を対比して「19世紀的人権」と「20世紀的人権」とよぶことがある。わが国においても，スローガン的に「自由権から社会権へ」といわれることがある。両者の関係はどのようにとらえられるべきか。第1節2(2)参照。
>
> ★★ 国際人権規約は，経済的，社会的及び文化的権利に関するA規約と市民的及び政治的権利に関するB規約の二本立てから成っている。なぜ二本立てなのか。また，救済手続等について両規約にどのような差異があるか。調べてみなさい。

(c) **大日本帝国憲法（明治憲法）と日本国憲法**　1889年に発布された大日本帝国憲法（明治憲法）において規定されていた「臣民の権利」は，前述のような生来の人権ではなく，天皇によって与えられたものであった。明治憲法の人権カタログの中にも，言論の自由等の自由権も規定されてはいたが，「法律の範囲内に於いて」という法律の留保の下にあった。さらに，非常時には天皇大権による権利の制限も可能であった。このようにみてくると，同じような権利カタログであっても，生来的な権利として人権を保障している現行憲法との差異はきわめて大きい。表現の自由を例にして両者の規定の仕方を実際にみてみよう。

> 大日本帝国憲法29条　日本臣民ハ法律ノ範囲内ニ於テ言論著作印行集会及結社ノ自由ヲ有ス
>
> 大日本帝国憲法31条　本章（第二章「臣民権利義務」）ニ掲ケタル条規ハ戦時又ハ国家事変ノ場合ニ於テ天皇大権ノ施行ヲ妨クルコトナシ
>
> 日本国憲法21条　① 集会，結社及び言論，出版その他一切の表現の自由は，これを保障する。
>
> ② 検閲は，これをしてはならない。通信の秘密は，これを侵してはならない。

> ★ 「法律の留保」については後述するが，法律の範囲内で人権を保障することが，どうして人権保障にとってマイナスになるのか。また，日本国憲法は法律による人権制約をチェックする制度を準備しているか。

(2) **憲法が人権を保障するということ——その意義と限界**

(a) **人権の観念とその根拠**　すでに述べたように，人権とは，人間が人間であるということ自体から当然に有する権利を意味する。人権は，①ただ人間であることによって当然に有する権利という意味で人間に固有の権利であり，②人種，性別，地位等とは無関係に認められる権利であるという意味で普遍性を有し，③さらに，不可侵な権利である（11条・97条）と観念されている。

こうした人権の観念は，一般的には「**人間の尊厳**」にその根拠が求められる。では，「人間の尊厳」とは何を意味するのか。他の動物とは異なり，人間は人間であることだけで，なぜ固有の尊厳が認められるのか。これは必ずしも自明ではない。この点についての回答の余裕も能力もないが，脳死の問題や，自己破壊の自由，自分らしく生きる権利（自己決定権）等を憲法論として論じようとするならば，避けては通れない問いかもしれない。

(b) 人権の憲法的保障　前述のように人権を観念するならば，憲法が人権を保障するということは，憲法以前に存在する権利――その意味で前国家的権利とよばれている自然権的権利――を実定的な法的権利として保障するということを意味する。ただし，今日では前述のような社会権規定も基本的人権としてとらえられており，必ずしも自然権＝憲法の保障する基本的人権ではない。

いずれにせよ人権が憲法で実定的に保障されるということは，前述のように全ての国家権力――立法権を含めて――は，人権規定によって拘束されるということを意味する。換言すれば，司法審査制度の導入によって――違憲立法審査権の行使によって――人権の保障が実効的になるのである。最高裁判所が「憲法の番人」とよばれる所以はここにある。

アメリカのように早くから司法審査制度が導入されていた国もあるが，市民革命期のフランスがそうであるように，裁判所ではなく，むしろ議会を人権擁護の担い手とする国も多かった。しかしファシズムの経験など議会による人権侵害に歯止めがかけられなかったことから，第二次世界大戦後，復活した自然権思想の影響も受け，司法審査制度が多くの国で導入された。

(c) 法律の留保　明治憲法下の「臣民の権利」保障が法律の留保の下にあったことはすでに述べた。法律の留保には二つの意味がある。第一には，前述のように議会が人権擁護の担い手として期待されていることの現れであり，行政が人権を制約する場合，法律の根拠なくしてはできないという意味で用いられる。この意味における法律の留保は，「法律による行政」，「法治主義」という原理と結びつく。第二には，明治憲法の法律の留保がそうであるように，法律の根拠さえあればいかなる人権侵害も可能であるという意味で用いられる。この意味における法律の留保は議会による人権侵害を正当化するものであり，日本国憲法のもとでは，第二の意味における法律の留保は認められない。

(d) 制度的保障　日本国憲法第三章に規定する人権カタログの中には，た

とえば20条3項(「国及びその機関は，宗教教育その他いかなる宗教的活動もしてはならない」)のように，人権の保障規定というより原則ないし制度に関する規定も存在する。このように，人権保障を全うするために一定の制度を設けたり禁止したりすることがある。これには，信教の自由と政教分離原則のように憲法が明示する制度と，学問の自由とそこから派生する大学の自治のように憲法が明示はしていないが，解釈上または伝統的に認められる制度とがある。これらの制度を「**制度的保障**」と呼ぶことがある。しかし何が「制度的保障」にあたるかは論者によって一様ではない。また，たしかに制度によって人権保障が強化される場合もあるが，制度さえ維持すれば人権そのものの侵害にはならないという論理を導く危険もある。「制度的保障」の理論の有益性，効果等については学説上議論のあるところでもある。

なお，引用した20条3項については，制度の規定ではなく人権規定と解する学説もある。

(e) 人権保障の限界　前述のように，人権は不可侵であるが，文字通り絶対無制約というわけではなく，他人の人権との相互調整のための制約には当然に服する。フランス人権宣言4条が「自由は，他人を害しないすべてをなし得ることに存する」と謳っているのはこの趣旨をいうものである。人間の共同社会生活を前提にすれば，人権は多かれ少なかれ他人との関わりにおいて行使される。そこに人権制約の必要性もあるのだが，問題は，いかなる程度で他人を害するといいうるかにある。そこで問題になるのが「**公共の福祉**」との関係である。日本国憲法13条は「すべて国民は，個人として尊重される。生命，自由及び幸福追求に対する国民の権利については，公共の福祉に反しない限り，立法その他国政の上で，最大の尊重を必要とする。」と規定している。しかし，「公共の福祉」を根拠として安易に人権制約を認めてしまうと明治憲法下の法律の留保による人権侵害と同じ結果を招く危険がある。また初期の判例はその傾向を示してもいた。この点について学説は2つに大別される。

まず，A説によれば，憲法22条・29条のように憲法が明示的に「公共の福祉」による制約を認めている場合のほかは，「公共の福祉」による制約は許されないと解する。ただしA説にあっても，人権は絶対無制約なのではなく内在的制約には服する。

他方，B説は「公共の福祉」を基本的人権の一般的制約原理としてとらえた

うえで、「公共の福祉」の内容として内在的制約原理と政策的制約原理の二側面のあることを承認する。このようにみてくると、A説とB説には実際上はそれほど大きな差異がないともいえる。ただし、A説が憲法13条を訓示規定とみるのに対して、B説によれば13条は単なる訓示規定ではなく人権制約の根拠規定であると同時に「新しい人権」の根拠規定でもあると解される。

(3) だれの人権が保障されるか——人権の享有主体

前述のように人権を観念すれば、人間は人間であることから当然に人権の享有主体たりうるが、憲法によって人権を保障する以上、「国民」が人権の享有主体であることは疑いえない。日本国憲法第3章の標題も「国民の権利及び義務」と記されている。では、「国民」にはどのようなものが含まれるか。通常、憲法の教科書では、**人権の享有主体**の項で(a)天皇、(b)法人、(c)外国人、(d)子ども等の問題が扱われる。

(a) 天皇　天皇については、憲法・皇室典範などで特殊な法的地位が規定されている。たとえば、天皇の地位は男系男子の世襲制である（憲2条、典1条）。また満18年が成年であり（典22条）、婚姻には皇室会議の議を経ることを要する（典10条）。

このような特殊な法的地位にある天皇について、人権享有主体性を承認するか否かで学説は分かれている。A説は天皇も人権の享有主体たる「国民」に含まれると解する。A説はこう解することによって天皇の特別扱いを避けようとするものである。これに対して、B説によれば、世襲制の天皇制自体が平等原則と整合しえず、天皇は人権享有主体たる「国民」には含まれない特殊な存在であると解される。

★　天皇は一般の国民とは異なる特殊な法的地位にある。憲法、皇室典範、皇室経済法などを参照して前述した例の他にどのような権利についてどのような特殊性があるか、調べなさい。

(b) 法人　前述のような人権の観念は元来自然人に関するものである。人権のなかには、性質上、自然人に対してしか適用されないものも多い。人身の自由（憲18条・33条・34条・36条など）や生存権（憲25条）は、法人には適用されない。

判例では、報道機関の報道の自由（博多駅フィルム事件・最大決昭和44年11月26日刑集23巻11号1490頁）や会社の政治献金をする自由（八幡製鉄事件・最大判昭和

45年6月24日民集24巻6号625頁）などの精神的自由は認められている。

また，経済的自由については，従業員に対して会社は契約締結の自由（**雇入れの自由**）を有する（三菱樹脂事件・最大判昭和48年12月12日民集27巻11号1536頁）。

(c) 外　国　人

> **判例❶　マクリーン事件**──最高裁判所（大法廷）昭和53年10月4日判決
> （民集32巻7号1223頁）
> ［事実の概要］
> 　上告人は昭和44年5月に1年の在留期間で入国し，翌年，在留期間の更新を申請したところ120日間の更新は認められたが，さらに1年間の更新申請については無届転職と政治活動を理由に拒否された。上告人は法務大臣の右更新申請許否処分の取消を求めて出訴した。
> ［裁判所の見解］
> 　1．外国人の人権保障　　憲法第三章の諸規定による基本的人権の保障は，権利の性質上日本国民のみをその対象としていると解されるものを除き，わが国に在留する外国人に対しても等しく及ぶものと解すべきであり，政治活動の自由についても，わが国の政治的意思決定又はその実施に影響を及ぼす活動等外国人の地位にかんがみこれを認めることが相当でないと解されるものを除き，その保障が及ぶものと解するのが，相当である。
> 　2．在留制度と人権保障　　外国人の在留の許否は国の裁量にゆだねられ……中略……，したがって，外国人に対する人権の保障は，右のような外国人在留制度のわく内で与えられているにすぎないものと解するのが相当であ〔る。〕

　外国人といえども，人間である以上，理論的には，人権の享有主体となりうる。憲法の国際協調主義からいっても，権利の性質上，適用可能な人権規定は外国人に対してもすべて適用されるべきである，という通説・判例の立場は「性質説」と呼ばれる。この考え方によれば，いかなる人権がどの程度外国人に適用されるべきかが個々具体的に判断されることを要する。

　① 参政権　　選挙権・被選挙権は，通常，外国人には認められないと解される（公選法9条・10条，地自18条）。ただし，永住資格を有する定住外国人については，別途考慮するという見解も有力である。判例も，生活に密着した地方自治体レベルの選挙権については定住外国人に法律で選挙権を付与することは

憲法で禁止されていないとする（最判平成7年2月28日民集49巻2号639頁）。国政に関する選挙権については消極的に解されている（最判平成5年2月26日判時1452号37頁）。

② 社会権　社会権は国籍国での保障が原則で、外国人には当然には認められない。ただし、緊急の場合、財政事情の許す場合などはこの限りではない。

③ 自由権　精神的自由権は外国人に対してもできる限り認めるべきである。マクリーン事件では、外国人の政治活動の自由は在留制度のわく内で保障されるべきであると解されており、実質的には法務大臣の広範な裁量によって制限されている。また経済的自由については各種の職業制限が設けられている。

(d) 子ども　子どもは当然に人権の享有主体である。ただし、その発達途上にある未成熟性ゆえに特別の保護が必要とされ、その結果行為能力をはじめ多くの権利・自由が制限されている。

★ 外国人登録法に基づく指紋押捺制度は憲法違反か。また外国人が公務員になることは禁止されるべきか。

(4) 人権保障の及ぶ範囲——私人間効力　近代法は、私人間の関係は基本的には「私的自治」に委ねられ、国家権力が介入すべきではない、と考えてきた。ところが、現代社会において、実際の人権侵害が、会社や学校などの私的団体で起こることも決して珍しくなく、これらの紛争を私的自治による契約自由の原則に任せていたのでは、一方当事者に著しく不利な状況を強いることも少なくない。そこで、私人間にあっても、憲法の人権規定の効力を及ぼさせる必要が生ずる。

> **判例❷　三菱樹脂事件**——最高裁判所（大法廷）昭和48年12月12日判決
> （民集27巻11号1536頁）
> ［事実の概要］
> 　被上告人は、三菱樹脂株式会社に管理職要員として採用されたが、三ヶ月の試用期間満了直前に、身上書の虚偽記載等を理由に、本採用を拒否された。本案の一審（東京地判昭和42年7月17日判時498号66頁）は、身上書の記載等に説明不十分な点はあったものの虚偽とはいえないとして会社側の本採用拒否は解雇権の濫用にあたると判断した。二審（東京高判昭和43年6月12日判時523号）は、一方が優越的な地位にあるような場合には人権規定（思想・信条の自由）の保障が及ぶとして本採用拒否を無効と判

断した。

　[裁判所の見解]
　1．人権規定の妥当範囲と私的自治
　憲法の右各規定は，同法三章のその他の自由権的基本権の保障規定と同じく，国または公共団体の統治行動に対して個人の基本的な自由と平等を保障する目的に出たもので，もっぱら国または公共団体と個人との関係を起立するものであり，私人相互の関係を直接規律することを予定するものではない。……中略……私人間の関係においては，各人の有する自由と平等の権利自体が具体的場合において相互に矛盾，対立する可能性があり，このような場合におけるその対立の調整は，近代自由社会においては，原則として私的自治に委ねられ，ただ，一方の他方に対する侵害の態様，程度が社会的に許容しうる一定の限界を超える場合にのみ，法がこれに介入しその間の調整を図るという建前がとられているのであ［る。］
　2．私人間関係における人権侵害の調整方法
　もっとも，私人間の関係においても相互の社会的力関係の相違から，一方が他方に優越し，事実上後者が前者の意思に服従せざるを得ない場合があり，このような場合に私的自治の名の下に優位者の支配力を無制限に認めるときは，劣位者の自由や平等を著しく侵害または制限することとなるおそれがあることは否み難いが，そのためにこのような場合に限り憲法の基本権保障規定の適用ないし類推適用を認めるべきであるとする見解もまた，採用することはできない。……中略……私的支配関係においては，個人の基本的自由や平等に対する対する具体的な侵害またはそのおそれがあり，その態様，程度が社会的に許容できる限度を超えるときは，これに対する立法措置によってその是正を図ることが可能であるし，また，場合によっては，私的自治に対する一般的制限規定である民法一条，九〇条や不法行為に関する諸規定の適切な運用によって，一面で私的自治の原則を尊重しながら，他面で社会的許容性の限度を超える新開に対し基本的な自由や平等の利益を保護し，その間の適切な調整を図る方途も存するのである。

　人権規定の私人間効力に関しては，三つの学説がある。
　①　無効力説　　私的自治の原則を重視して，憲法の人権規定は，私人間の法律関係には適用されない，という学説。立法による是正・調整は否定しない。
　②　直接適用説　　一定の人権は私人間においても直接効力を有するという学説。

③ **間接適用説** 憲法の趣旨を取り込んで，私法の一般条項を解釈・適用することによって，間接的に私人間の行為を規律しようとする学説。

間接適用説が通説・判例である。ただし，判例のなかには私人間効力を問題にせずに憲法から直接人権を導出しているように読めるものも少なくない（たとえば，前出の三菱樹脂事件における会社側の雇い入れの自由や，名誉毀損事件における報道機関の報道の自由など）。また，実際上は各説にそれほどの差はなく，どの説が妥当かということに固執するべきではないという主張もある。

★ 憲法の人権規定のなかには，私人間における直接適用を予定する規定と私人間適用を全く予定しない規定が混在している。具体的に例を挙げてみなさい。

★★ 直接適用説の問題点はどこにあるか。

2 法の下の平等

(1) 概 説

(a) **立法者拘束説と立法者非拘束説** 平等の要請が立法者をも拘束するか否かで学説は分かれている。立法者非拘束説によれば，平等原則とは法適用における平等のみを意味する。これに対し，立法者拘束説によれば，平等原則は法適用の平等のみならず立法者をも拘束し，法律の内容自体が平等でなければならないとする。今日では後者が通説である。

(b) **絶対的平等と相対的平等** **法の下の平等**は，すべての人間を法律上完全に同一に処遇する絶対的平等を意味するのではなく，各人の性別，能力，年齢等々の事実的・実質的差異を前提として等しいものは等しく，異なるものはその程度に応じて異なって取り扱うことを意味する。

(c) **平等と違憲審査基準** 相対的平等は異なる取扱を要請するが，具体的な事例において異なる取扱が合理的か不合理かを決定するのは容易ではない。学説によれば，「精神的自由ないしはそれと関連する問題（選挙権など）について平等原則違反が争われる場合には，原則として，立法目的が必要不可欠なものであるかどうか，立法目的達成手段が是非とも必要な最小限度のものかどうかを検討することが必要である。それ以外の問題，特に経済的自由の積極目的規制について平等原則違反が問題とされる場合には，国会に広い裁量が認められるので，立法目的が正当なものであること，目的と手段との間に合理的関連

性（事実上の実質的な関連性であることを要しない）が存すること，をもって足りるとする基準（合理的根拠の基準）でよいと解される。」（芦部信喜・憲法〈新版補訂版〉125頁）

★ 憲法14条1項後段の差別禁止事由についても厳格審査基準が妥当すると解する学説も有力である。

(2) 具体的事例の検討——尊属殺重罰規定と法の下の平等

判例❸　尊属殺事件——最高裁判所（大法廷）昭和48年4月4日判決（刑集27巻3号265頁）

［事実の概要］
　14歳から実父に夫婦同様の関係を強いられてきた被告人が正常な結婚を希望したところ実父に反対され脅迫虐待を受けたため実父を殺害し，自首した。被告人は刑法200条の尊属殺人罪で起訴されたが，一審（宇都宮地判昭和44年5月29日判タ237号262頁）は刑法200条は違憲であるとして，刑法199条の普通殺人罪を適用し過剰防衛の成立を認めて刑の適用を免除した。二審（東京高判昭和45年5月12日判時619号93頁）は刑法200条を適用し減刑を加え懲役3年6月の実刑を言い渡した。

《参照条文》
　旧刑法199条　　人ヲ殺シタル者ハ死刑又ハ無期若クハ三年以上ノ懲役ニ処ス
　旧刑法200条　　自己又ハ配偶者ノ直系尊属ヲ殺シタル者ハ死刑又ハ無期懲役ニ処ス

［裁判所の見解］
　1．刑法200条の立法目的
　刑法200条の立法目的は，尊属を卑属又はその配偶者が殺害することをもって一般に高度の社会的道義的非難に値するものとし，かかる所為を通常の殺人の場合より厳重に処罰し，もって特に強くこれを禁圧しようとするにあるものと解される。……中略……尊属に対する尊重報恩は，社会生活上の基本的道義というべく，このような自然的情愛ないし自己又は配偶者の直系尊属を殺害するがごとき行為はかかる結合の破壊であって，それ自体人倫の大本に反し，かかる行為をあえてした者の背倫理性は特に重い非難に値するということができる。
　このような点を考えれば，尊属の殺害は通常の殺人に比して一般に高度の社会的道義的非難を受けて然るべきであるとして，このこ

とをその処罰に反映させてもあながち不合理であるとはいえない。そこで，被害者が尊属であることを犯情のひとつとして具体的事件の量刑上重視することは許されるものであるのみならず，さらに進んでこのことを類型化し，法律上，刑の加重要件とする規定を設けても，かかる差別的取扱いをもってただちに合理的な根拠を欠くものと断ずることはできず，したがってまた，憲法14条1項に違反するということもできない。

2. 立法目的達成のための手段

普通殺のほかに尊属殺という特別の罪を設け，その刑を加重すること自体はただちに違憲であるとはいえないのであるが，しかしながら，刑罰加重の程度いかんによっては，かかる差別の合理性を否定すべき場合がないとはいえない。〔刑法200条は法定刑が死刑と無期懲役に限定されており，現行法上許される最大二回の減刑を加えても処断刑の下限は懲役三年六月を下らない。〕その結果として，いかに酌量すべき情状があろうとも法律上刑の執行を猶予することはできないのであり，普通殺の場合とは著しい対照をなすものといわなければならない。……中略……尊属殺の法定刑は，それが死刑または無期懲役刑に限られている点においてあまりにもきびしいものというべく，上記のごとき立法目的，すなわち，尊属に対する敬愛や報恩という自然的情愛ないし普遍的倫理の維持尊重の観点のみをもってしては，これにつき十分納得すべき説明がつきかねるところであり，合理的根拠に基づく差別的取扱として正当化することはとうていできない。

《裁判官田中二郎の意見》

刑法200条の尊属殺人に関する規定が設けられるに至った思想的背景には，封建時代の尊属殺人重罰の思想があるものと解されるのみならず，同条が卑属たる本人のほか，配偶者の尊属殺人をも同列に規定しているの点からみても，同条は，わが国において旧憲法時代に特に重視されたいわゆる「家族制度」と深い関連をもっていることを示している。……中略……尊属殺人に関する特別の規定を設けることは，一種の身分制道徳の見地に立つものというべきであり，前叙の旧家族制度的倫理観に立脚するものであって，個人の尊厳と人格価値の平等を基本的な立脚点とする民主主義の理念と抵触するものとの疑いがきわめて濃厚であるといわなければならない。

尊属重罰規定の合憲性に関するリーディング・ケースは，旧刑法205条②の合憲性が争われた最大判昭和25年10月11日（刑集4巻10号2037頁）である。同判決は「夫婦，親子，兄弟等の関係を支配する道徳は，人倫の大本，古今東西を問

わず承認せられている人類普遍の道徳原理，すなわち学説上所謂自然法に属するものといわなければならない」と述べて旧刑法205条2項の合憲性を承認した。旧刑法200条の合憲性については，最大判昭和25年10月25日がその趣旨を踏襲した。

その後最高裁の基本姿勢は変わらなかったが，48年判決においては，事案の異常性もあってか，14人の裁判官が違憲判断に回った。8人の裁判官からなる多数意見が手段違憲説の立場をとったのに対し，6人の裁判官は，理論に若干の差異はあるものの，立法目的そのものが違憲であるという目的違憲説の立場を採用した。

田中二郎裁判官の指摘するように，両説の差異は他の尊属重罰規定——旧刑法205条2項，218条2項，220条2項の合憲性についての判断が分かれよう。多数意見によれば，尊属重罰規定を設けること自体では違憲にならず，刑罰加重の程度が極端な場合に違憲となるのだから加重の程度が極端とはいえない場合には違憲とはならない。最判昭和49年9月25日は刑法205条②の合憲性を確認した（刑集28巻6号329頁）。

なお，平成7年の刑法改正により尊属重罰規定はすべて姿を消した。

★　仮に，尊属殺事件において，刑法199条の法定刑を死刑又は無期懲役というように刑法200条の法定刑に合わせて改正したならば，平等違反の問題は解消されたことになるのか。

★★　刑法244条（親族間の犯罪に関する特例）の規定は合憲か。

★★★　尊属のみを重罰にするのではなく，たとえば親子殺しのように親殺し子殺し双方を重罰にする場合も平等違反か。

3　精神的自由(1)——内心の自由

(1) 概　説

憲法の定めている人権の内容はさまざまであり，どう分類するかというのは実はかなり難しい問題である。第1節で示唆されているように，オーソドックスな分類としてはその性格に着目して，人権を**自由権**と**社会権**に分類するものがある。さらに，自由権は，その内容から精神的自由権，経済的自由権，人身の自由とに大別できる。

精神的自由権として日本国憲法が保障しているのは，思想・良心の自由（19

条），信教の自由（20条），集会・結社の自由その他の表現の自由（21条），および学問の自由(23条）などである。ここでは，まず，個人の内面的精神活動の自由（内心の自由）として(a)思想・良心の自由，(b)信教の自由，(c)学問自由を扱い，次項で表現の自由について概説する。

(a) 思想・良心の自由　通説・判例は「思想及び良心」を区別せず，広く世界観，人生観，個人の主張などを含むものと解している。思想良心の自由は内心にとどまる限り文字通り絶対的な自由として保障されなければならない。

判例では，判決で謝罪広告を強制できるか否かが争われた事件で，最高裁は「陳謝の意を表するに止まる程度」であれば，代替執行によって強制しても合憲であると判示した（最大判昭和31年7月4日民集10巻7号785頁）。学説では違憲説と合憲説とが対立している。

(b) 信教の自由　基本的人権の歴史は信教の自由獲得の歴史だったともいわれる。信教の自由は，①信仰の自由，②布教の自由，③宗教的結社の自由をその内容とする。

宗教的行為の規制について，判例では，平癒祈願のため加持祈祷を行い，人を死に至らしめて傷害致死罪に問われた事案につき，最高裁は，信教の自由の保障の限界を逸脱したものと判断した（最大判昭和38年5月15日刑集17巻4号302頁）が，牧師の牧会活動を信教の自由としてとらえ，正当業務行為として犯人蔵匿罪の成立を否定した例もある（神戸簡判昭和50年2月20日判時768号3頁）。

学校における信教の自由の保障の問題として，判例では，キリスト教の教会学校に出席したため日曜日の授業参観に出席できなかった児童に対する欠席扱いについて信教の自由を侵害しないと判断した（東京地判昭和61年3月20日判時1185号67頁）。「エホバの証人」である市立高専生がその信仰から剣道実技の履修を拒否したため，留年，退学となった事案につき，最高裁は，代替措置の要求を拒否した学校側に裁量の逸脱を認めた（最判平成8年3月8日民集50巻3号469頁）。

(c) 学問の自由　諸外国の憲法でとくに学問の自由を保障している例はそう多くはない。市民的自由の保障が十分でなかったドイツで学問の自由を特別に保障する必要があったのに対して，市民的自由の発展したアメリカなどでは表現の自由などの問題として扱われた。学問の自由の内容としては①研究の自由，②研究発表の自由，③教授の自由の三つがある。このうち教授の自由は，

従来は，大学における教授の自由と解されており，下級教育機関における教授の自由（教育の自由）も憲法23条が保障しているかについて消極的であったが，旭川学テ事件最高裁判決（最大判昭和51年5月21日刑集30巻5号615頁）は「一定の範囲における教授の自由」が憲法23条によって保障されるとした。

大学における学問の自由の保障は大学の自治を含むと解されている。大学の自治と警察権との関係が争われた事件として東大ポポロ事件が有名である。大学構内での警察情報収集活動にあたっていた私服警察官に学生らが暴行を加えた事件について，最高裁は本件集会は「実社会の政治的社会的活動」であるとして警察官の立入りは大学の自治を侵害しないと判断した。

(2) 具体的事例の検討――政教分離原則

> **判例❹―1　津地鎮祭合憲判決**――最高裁判所（大法廷）昭和52年7月13日判決（民集31巻4号533頁）
> ［事実の概要］
> 　津市が体育館を建築するにあたり地鎮祭が挙行された。その際津市長が挙式費用，供物料を公金から支出したため地方自治法に基づいて住民訴訟が提起された。
> ［裁判所の見解］
> 　元来，政教分離規定は，いわゆる制度的保障の規定であって，信教の自由そのものを直接保障するものではなく，国家と宗教の分離を制度として保障することにより，間接的に信教の自由の保障を確保しようとするものである。……中略……国家が社会生活に規制を加え，あるいは教育，福祉，文化などに関する助成，援助等の諸施策を実施するにあたって，宗教とのかかわり合いを生ずることを免れえないこととなる。現実の国家制度として，国家と宗教の完全な分離を実現することは，実際上不可能に近いものといわなければならない。更にまた，政教分離原則を完全に貫こうとすれば，かえって社会生活の各方面に不合理な事態を生ずることを免れないのであって……中略……政教分離規定の保障の対象となる国家と宗教との分離にもおのずから一定の限界があることを免れ〔ない〕。……中略……政教分離原則は国家が宗教的に中立であることを要求するものではあるが，国家が宗教とのかかわり合いをもつことを全く許さないとするものではなく，宗教とのかかわり合いをもたらす行為の目的及び効果にかんがみ，そのかかわり合いが右の諸条件に照らし相当とされる限度を超えるものと認められる場合にこれを許さないとするものであると解すべきである。〔相当

とされる限度を超える行為は〕当該行為の目的が宗教的意義をもち，その効果が，宗教に対する援助，助長，促進又は圧迫，干渉等になるような行為をいうものと解すべきである。

判例❹—2　愛媛玉串料違憲判決——最高裁判所（大法廷）平成9年4月2日判決（民集51巻4号1673頁）

［事実の概要］

靖国神社・護国神社が挙行した例大祭等に際して愛媛県知事が玉串料等を奉納したことが憲法20条，89条に違反するとして地方自治法に基づいて住民訴訟が提起された。

［裁判所の見解］

〔本件の公金支出は〕県が特定の宗教団体の挙行する重要な宗教上の祭祀にかかわり合いをもったことになり，慣習化した社会的儀礼とはいえず，また，そのかかわり合いは，一般人に対して県が特定の宗教団体を特別に支援しており，それらの宗教団体が特別のものとの印象を与え，特定の宗教への関心を呼び起こす。本件玉串料の奉納は，その目的が宗教的意義をもち，その効果が特定の宗教に対する援助，助長，促進になり，県と靖国神社等とのかかわり合いがわが国の社会的・文化的諸条件に照らして相当とされる限度を超えるものであって，〔憲法20条3項の〕禁止する宗教的活動に当たる。

　国家と宗教の間に一定のかかわり合いがあることを前提にして，国家と宗教のかかわり合いが政教分離原則に違反するか否かを判定する基準として目的効果基準がある。津地鎮祭事件で最高裁のたてたゆるやかな目的効果基準は学説から強く批判されていた。

　政教分離関係訴訟のなかには，目的効果基準を厳格に適用した下級審判決もいくつかある。箕面忠魂碑訴訟一審判決（大阪地判昭和57年3月24日行集33巻3号），愛媛玉串料訴訟（松山地判平成元年3月17日判時1305号判時1305頁），岩手靖国事件控訴審判決（仙台高判平成3年11月判時1370号判時3頁）などがそれにあたる。

4 精神的自由(2)——表現の自由
(1) 概　説
現代社会おいて，情報の受手の側が重視され，いわゆる知る権利が台頭するにつれて，情報を伝達，表現する行為のみならず，情報伝達過程そのものが表現の自由の保護の対象とされるようになってきた。

(a) 表現の自由の内容

① 報道の自由　「報道機関の報道は民主主義社会において，国民が国政に関与するにつき，重要な判断の資料を提供し国民の知る権利に奉仕する」（博多駅テレビフィルム提出命令事件・最大決昭和44年11月26日刑集23巻11号1490頁）と最高裁は述べて報道の自由も**表現の自由**に含まれることを明らかにした。

② 取材の自由　最高裁は同決定で「報道のための取材の自由も憲法21条の精神に照らして十分尊重に値する」とした。取材の自由については国家秘密との関係で限界がある（西山事件・最決昭和53年5月3日刑集32巻3号457頁）。

(b) 二重の基準　表現の自由を規制する立法の合憲性を審査する基準として，今日，最も広く学説上支持されているのが「二重の基準」(double standard)の理論である。この理論によれば，表現の自由を中心とする精神的自由を規制する立法の合憲性は，経済的自由を規制する立法よりも，厳しい基準によって審査されなければならない。二重の基準の理論はアメリカ判例法で発展してきた理論であり，その根拠についてはさまざまな説明がなされるが，主要なものとしては，①人間の精神活動をになう精神的自由は経済的自由に比して優越的地位を有する，②民主主義のプロセスを支える表現の自由が侵害される場合には裁判所が積極的に関与するが，他の自由（経済的自由）が侵害されている場合には，民主主義のプロセスを通してその是正を図る，③経済規制立法の専門的経済・社会政策について裁判所は十分な審査能力をもたないから立法府の裁量を尊重すべきである，等々が挙げられる。

(c) 事前抑制

① 検閲の禁止　憲法は明示的に検閲を禁止している（21条2項）。ただし，何が検閲にあたるかについては争いがある。一切の事前抑制が検閲にあたると解する学説もあるが（広義説），最高裁は，検閲を「行政権が主体となって，思想内容等の表現物を対象とし，その全部又は一部の発表の禁止を目的として，対象とされる一定の表現物につき網羅的一般的に，発表前にその内容を

審査した上，不適当と認められるものの発表を禁止することを，その特質として備えるもの」（税関検査事件・最大判昭和59年12月12日民集38巻12号1308頁）と定義した（狭義説）。

② 税関検査　最高裁は，右「検閲」の定義によりながら関税定率法21条1項3号の輸入禁制品に関する取扱いは検閲にはあたらないとした。

③ 教科書検定　最高裁は，教科書検定制度自体は検閲にあたらないとした（最判平成5年3月16日民集47巻5号3483頁）。

④ 裁判所による差止　最高裁は，北方ジャーナル事件（最大判昭和61年6月11日民集40巻4号872頁）において，名誉毀損を理由にして裁判所が雑誌の出版を差し止めたのは，検閲にはあたらないとした。その場合，検閲にあたらないとしても表現の自由の事前抑制であるか，厳格かつ明確な要件を必要とする。

(2)　具体的事例の検討——性表現

(a)　最高裁判例の変遷　わいせつ規制に関しては，最高裁は昭和30年代（チャタレイ判決），40年代（「悪徳の栄え」判決），50年代（「四畳半襖の下張」判決）とそれぞれ約10年ごとに重大な判決を下してきた。いずれも著名な文学作品が刑法175条の「わいせつ」にあたるとされたもので，前二つが大法廷判決で，最後の一つが小法廷判決である。

芸術か，わいせつかが正面から争われたのがチャタレイ事件（昭和32年3月13日）である。最高裁大法廷判決は，大審院判例を踏襲して「わいせつ文書」を，いわゆるわいせつ三要件を以て定義したうえで，わいせつに当たるか否かは，法解釈の問題であり，社会通念によって決せられるべきであるとした。さらに芸術性とわいせつ性は別異の次元の問題であり芸術であるということからわいせつ性は否定されないとして，いわゆる絶対的わいせつ概念を採用した。最高裁は，チャタレイ判決の約10年後の「悪徳の栄え」事件（昭和44年10月15日）で，再度大法廷を開いたが，基本的にはチャタレイ判決の考え方が踏襲された。同判決においては，社会を頽廃から救うという裁判所＝臨床医的役割論はさすがに影を潜めたが，わいせつの定義，判断方法については，基本的にチャタレイ判決を踏襲した。「悪徳の栄え」事件判決は，①芸術性・思想性がわいせつ性を減少・緩和させる可能性があることを承認したこと，②全体的考察方法の採用を示唆したこと，の二点において絶対的わいせつ概念を緩和したといえるが，①については，わいせつ性と芸術性との利益衡量は完全に否定されており，た

とえ芸術性が認められたとしても，わいせつ性が解消されるとは限らず，今なお処罰の対象とされる。②についても具体的な考察方法は示されおらず，むしろ全体として考察したうえで特定の章句のわいせつ性を判定することが示唆されており，部分わいせつの原則を完全に払拭するものではない。この意味では，実質的に全体的考察方法が採用されたのは，「悪徳の栄え」事件判決の約10年後の「四畳半襖の下張」最高裁判決においてである。同判決はわいせつ性の判断にあたって全体的に考察すべき事項を詳細に展開しており，その限りにおいては，チャタレイ判決の採用した絶対的わいせつ概念は事実上判例変更されたと見ることができる。

判例❺—1　チャタレイ事件——最高裁判所（大法廷）昭和32年3月13日（刑集11巻3号997頁）

《参照条文》
　旧刑法一七五条　猥褻ノ文書，図画其他ノ物ヲ頒布若シクハ販売シ又ハ公然之ヲ陳列シタル者ハ二年以下ノ懲役又ハ五千円以下ノ罰金若シクハ科料ニ処ス販売ノ目的ヲ以テ之ヲ所持シタル者亦同シ

［裁判所の見解］
　1．「わいせつ」の定義
　しからば刑法の前記法条〈175条〉の猥褻文書（および図画その他の物）とは如何なるものを意味するか。……（略）……最高裁の判決は「徒に性欲を興奮又は刺戟せしめ，且つ普通人の正常な性的羞恥心を害し，善良な性的道義観念に反するものをいう」としている（第一小法廷判決，最高裁刑事判例集5巻6号1026頁以下）。

　2．「わいせつ性」判定規準としての「社会通念」
　著作自体が刑法175条の猥褻文書にあたるかどうかの判断は，当該著作についてなされる事実認定の問題でなく，法解釈の問題である。……（略）……この故にこの著作が一般読者に与える興奮，刺戟や読者のいだく羞恥感情の程度といえども，裁判所が判断すべきものである。そして裁判所が右の判断をなす場合の規準は，一般社会において行われている良識すなわち社会通念である。この社会通念は「個々人の認識の集合又はその平均値ではなく，これを越えた集団意識であり，個々人がこれに反する認識を持つことによって否定するものではない」こと原判決が判示しているごとくである。かような社会通念が如何なるものであるかの判断は，現制度の下においては裁判官に委ねられているのである。……（略）……従って本著

作が猥褻文書にあたるかどうかの判断が一部国民の見解と一致しないことがあってもやむを得ないところである。この場合に裁判官が良識に従い社会通念が何であるかを決定しなければならぬことは，すべての法解釈の場合と異なるところがない。

3. 性行為非公然性の原則と裁判所＝臨床医的役割論

なお性一般に関する社会通念が時と所によって同一でなく社会においても変遷があることである。……（略）……しかし性に関するかような社会通念の変化が存在し，また現在かような変化が行われつつあるにかかわらず，超ゆべからざる限界としていずれの社会においても認められまた一般的に守られている規範が存在することも否定できない。それは前に述べた性行為非公然性の原則である。……（略）……かりに一歩譲って相当多数の国民の倫理的感覚が麻痺しており，真に猥褻なものを猥褻と認めないとしても，裁判所は良識をそなえた健全な人間の観念である社会通念の規範に従って，社会を道徳的頽廃から守らなければならない。けだし法と裁判とは社会的現実を必ずしも常に肯定するものではなく，病弊堕落に対して批判的な態度を以て臨み，臨床医的役割を演じなければならぬのである。

4. 芸術性とわいせつ性

本書が全体として芸術的，思想的作品であり，その故に英文学会において相当高い評価を受けていることは上述のごとくである。本書の芸術性はその全部についてばかりでなく，検察官が指摘した一二箇所に及ぶ性的描写の部分についても認め得られないではない。しかし芸術性とわいせつ性は別異の次元に属する概念であり，両立し得ないものではない。

5. わいせつ概念の相対性（消極）

わいせつ性の存否は純客観的に，つまり作品自体からして判断されなければならず，作者の主観的意図によって影響されるべきものではない。

判例❺―2 悪徳の栄え事件――最高裁判所（大法廷）昭和44年10月15日判決（刑集23巻10号1239頁）

前述のように，悪徳の栄え事件判決の多数意見は，①芸術性・思想性がわいせつ性を減少・緩和させる可能性があることを承認したこと，②全体的考察方法の採用を示唆したこと，の二点において絶対的わいせつ概念を緩和したといえるが，基本的にはチャタレイ判決を踏襲している。むしろ，同判決で注目すべきは，芸術作品までをも安易にわいせつにしてしまうのに何とか歯止めをかけようとした少数意見の方であろう。その代表的なものとして田中二郎裁判官の主張する相対的わいせつ概念があげられる。田

第2節　基本的人権　75

中反対意見はわいせつ概念の相対性を以下の三点にわたって承認している。
① 芸術性・思想性との関連における相対性
② 販売方法等による相対性（パンダリング論）
③ 受け手（＝読者）との関連における相対性

★　思想性・芸術性とわいせつ性を利益衡量する場合，裁判所は思想性・芸術性をどのようにして判定するのか。

> **判例❺—3　四畳半襖の下張事件**——最高裁判所（大法廷）昭和55年11月28日（刑集34巻6号433頁）
> ［裁判所の見解］
> 文書のわいせつ性の判断にあたっては，当該文書の性に関する露骨で詳細な描写叙述の程度とその手法，右描写叙述の文書全体に占める比重，文書に表現された思想等と右描写叙述との関連性，文書の構成や展開，さらには芸術性・思想性等による性的刺激の緩和の程度，これらの観点から該文書を全体としてみたときに，主として，読者の好色的興味に訴えるものと認められるか否かなどの諸点を検討することが必要であり，これらの事情を総合し，その時代の健全な社会通念に照らして，それが……〔わいせつ文書〕……といえるか否かを決すべきである。

★　チャタレイ判決によれば「わいせつ文書」とは「徒に性欲を興奮又は刺戟せしめ，且つ普通人の正常な性的羞恥心を害し，善良な性的道義観念に反するもの」をいうが，性欲，性的羞恥心などには個人差が大きいように思われるが，このような主観的概念を用いて「わいせつ文書」を定義することは妥当か。
★★　わいせつ性の判定規準として「社会通念」を用いることは妥当か。
★★★　芸術かわいせつかという二者択一の判断方法は妥当か。それとも最高裁のいうように芸術であると同時にわいせつであるということはありうるか。

(b)　下級審判決の動向　　わいせつ概念の限定化の第一の試みは相対的わいせつ概念である。他方で，下級審を中心にわいせつ性の判定基準を客観化・具体化しようという傾向がみられる。四畳半襖の下張事件控訴審判決（東京高判昭和54年4月20日判時918号17頁）は，わいせつ文書というためには，①「性器または性的行為の露骨かつ詳細な具体的描写叙述」と②「その描写叙述が情緒，感覚あるいは官能にうったえる手法でなされている」という二つの要件が最低限必要であり，さらにその文書の「支配的効果が好色的興味に訴えるものと評価され，かつその時代の社会通念上普通人の性欲を著しく刺激興奮させ性的羞恥

心を害するいやらしいものと評価されるものであることを要する」としたのである。この判決によれば「性的羞恥心」という主観的・心理的な要素の判断の前提には「性器または性的行為の露骨かつ詳細な具体的描写叙述」という外的事実の存在が前提とされなければならない。このことによってわいせつ性の判断を具体化，客観化するのである。

このような下級審のわいせつ概念の具体化，客観化の傾向に憲法的意義を与え，規制されるべき「わいせつ文書」をハード・コア・ポルノに限定しようとしたのがビニール本事件（最判昭和58年3月8日刑集37巻2号17頁）における伊藤裁判官の補足意見である。同裁判官は規制されるわいせつ文書をハード・コア・ポルノと準ハード・コア・ポルノに二分したうえで，前者については検閲禁止はなお妥当するとしても，事後処罰については憲法の保障外にあり，これに規制を加えても憲法問題は生じないとした。他方，後者については当該性表現のもたらす害悪と芸術性等の社会的価値との比較衡量が不可欠であるとした。この考え方は，一種の定義づけ衡量と理解することができよう。

　★　憲法の保障外におかれるハード・コア・ポルノとはどんなものだろうか。
　★★　刑法175条と青少年保護条例による規制とはどのような関係にあるのか。
　★★★　そもそも，なぜわいせつを規制する必要があるのか。必要性があるとしたなら，どのような規制手段によればその必要性を達成することができるか。

5　社会権

(1)　総説

近代市民階級は，それまで彼らに加えられていた経済的・政治的・社会的諸活動の制限と抑圧を除去するために，憲法を制定し，その中に自由と平等の権利を宣言した。市民階級が確立した自由主義経済は，市場における自由な交換と私的自治を基本として発展した。しかし，富めるものはますます富み，持たざるものはいっそう貧困にあえぐようになった。初めのうちは，貧困や病気に陥るのは個人の責任と考えられていたが，社会のあり方から生ずる弊害であることが認められるようになった。

20世紀に至るまで，基本的人権は，国家権力からの自由，いわゆる自由権が中心であった。しかし自由権の保障だけでは不十分であって，国家が積極的に個人の生活を配慮して，「人間らしく生きるに値する生活」を保障すべきである

と主張されるようになった。1919年に制定されたワイマール憲法は、「経済生活の秩序は、すべての者に人間たるに値する生活を保障する目的を持つ正義の原則に適合しなければならない。この限界内で、個人の経済的自由は確保されなければならない」(151条1項) と、国家による社会的弱者保護の規定をおいた。財産権が無制約でないこと、労働者が団結する権利等、各種の規定もおき、これらの規定の多くは、国家の不干渉を要求するのではなく、むしろ国家の方から社会的弱者のために積極的に行動すべきことを定めている。これらの権利は社会権とか社会的基本権と呼ばれ、20世紀の各国の憲法に採り入れられている。わが国の憲法でも、生存権 (25条)、教育を受ける権利 (26条)、勤労者の諸権利 (27条・28条) を規定している。

(2) 生存権

憲法25条は「すべて国民は、健康で文化的な最低限度の生活を営む権利を有する」(1項)、「国は、すべての生活部面について、社会福祉、社会保障及び公衆衛生の向上及び増進に努めなければならない」(2項) と規定している。健康で文化的な最低限度の生活を営む権利を国が保障し、福祉増進に努めることが国の責務であることを明らかにした。

健康で文化的な最低限度の生活とは、人間としての尊厳を保つことのできる生活、人間たるに値する生活ということであるが、抽象的な表現であるから実際にはどの程度の生活かということが問題になる。具体的には「生活保護法による保護の基準」(昭和38年厚生省告示第158号)によって定められている。この保護の基準が、健康で文化的な最低限度の生活を保障するものであるかどうかが争われた裁判に朝日訴訟がある。朝日訴訟では、憲法25条が、具体的意味での権利であるかどうかについても、裁判所の判断を明らかにしている。

> **判例❻ 朝日訴訟**──最高裁判所 (大法廷) 昭和42年5月24日判決 (民集21巻5号1043項)
>
> [事実の概要] 朝日茂 (原告) は、生活保護法に基づく医療扶助および生活扶助を受けていた。昭和31年7月に実兄がみつかり、津山市社会福祉事務所長は、この実兄から毎月1500円を朝日茂に仕送りするよう命じた。仕送り金月額1500円のうち600円を日用品費として朝日茂が消費にあて、残額の900円を医療費の一部自己負担額として負担させた。
>
> 福祉事務所長の保護変更決定に対し、朝日茂は同県知事に対して不服

申立を行ったが却下された。朝日茂は，更に厚生大臣に不服申立をしたが，厚生大臣も却下する裁決を下した。

そこで朝日茂は，昭和32年8月15日に東京地裁へ生活保護処分に関する裁決取消訴訟を提起した。第一審判決（東京地裁昭和35年10月19日）は，本件保護変更処分を違法として裁決を取り消した。しかし，第二審判決（東京高裁昭和38年11月4日）では，原告が敗訴した。その後上告されたが，上告人が死亡したため，本件訴訟の継承が争われることになった。

［裁判所の判決］

「生活保護の規定に基づき要保護者または被保護者が国から生活保護を受けるのは，……法的権利であって，保護受給権とも称すべきものと解すべきである。しかし，この権利は，……一身専属の権利である以上，相続の対象となり得ないものと解するのが相当である。」として上告人死亡と同時に訴訟は終了したとした。「(なお，念のために，本件生活扶助基準の適否に関する当裁判所の意見を付加する。

(一) 憲法25条1項は，……すべての国民が健康で文化的な最低限度の生活を営み得るように国政を運営すべきことを国の責務として宣言したにとどまり，直接個々の国民に対して具体的権利を賦与したものではない。……何が健康で文化的な最低限度の生活であるかの認定判断は，いちおう，厚生大臣の合目的的な裁量に委されており，その判断は，当不当の問題として政府の政治責任が問われることはあっても，直ちに違法の問題を生ずることはない。ただ，現実の生活条件を無視して著しく低い基準を設定する等憲法および生活保護法の趣旨・目的に反し，法律によって与えられた裁量権の限界をこえた場合または裁量権を濫用した場合には，違法な行為として司法審査の対象となることをまぬかれない……。

(二) ……原判決の確定した事実関係の下においては，本件生活扶助基準が入院入所患者の最低限度の日用品費を支弁するにたりるとした厚生大臣の認定判断は，与えられた裁量権の限界をこえまたは裁量権を濫用した違法があるものとはとうてい断定することができない。)」

(a) 生存権の性格　25条が具体的な意味での権利であるかどうか，すなわち国民が本条に基づいて，直接国に請求できるかについては，意見が分かれている。

① プログラム規定説　本条は裁判所に請求できる具体的権利を国民に保障したものでなく，国に対して具体化する政治的道義的義務を課したものであ

る。したがって国は法的義務は負わない。

② 抽象的権利説　生存権は法的な権利であり，国民は国に対して立法要求することができるが，立法が不存在であるときは，この権利が法的権利であっても，本条を根拠に具体的な請求をすることはできない。

③ 具体的権利説　本条は具体的な請求権を保障したものである。国に生存権保障のための立法を要求でき，立法が存在しない場合には，立法部の不作為の違憲を主張することができる。

本件最高裁判決は，プログラム説に立脚しているものと考えられる。その後，堀木訴訟（最大判昭和57年7月7日民集36巻7号1235項）においても，プログラム規定説の立場をとるかのように説きつつ，25条の規定の趣旨にこたえて具体的にはどのような立法措置を講ずるかの選択決定は，立法府の広い裁量にゆだねられていると判示した。現行の多数説は，抽象的権利説であると思われる。

(b) 生活扶助基準の適否　何が健康で文化的な最低限度の生活であるかの認定判断は，厚生大臣の裁量に委ねられており，裁量権を濫用した場合に，司法審査の対象となると最高裁は判示した。生活扶助基準を厚生大臣の裁量に属するとしたことには問題が残る。第一審判決では，生活扶助基準について，「特定の国における特定の時点においては一応客観的に決定すべきものであり，またしうるものである」といい，最高裁判決奥野補足意見は「時の政府の施政方針によって左右されることのない客観的な最低限度の生活水準なるものを想定」できるとしている。

(3) 教育を受ける権利

憲法26条1項は「すべて国民は，法律の定めるところにより，その能力に応じて，ひとしく教育を受ける権利を有する」と規定し，教育の機会均等と社会権としての教育を受ける権利を定めている。教育を受ける権利は，すべての国民が，国家に対して適切な教育の場を提供することを要求することのできる権利である。教育基本法は，教育の機会均等（3条1項），9年の義務教育制（4条1項）および男女共学制（5条）を定め，憲法26条2項は「義務教育は，これを無償とする」と規定している。

教育を受ける権利は，社会権としての意味のほかに，子どもの自由かつ独立の人格としての成長を妨げるような国家的な介入を排除するという自由権的側面も持つ。教育の自由については，意見が分かれている。

① 国家教育権説　　国家に教育内容の決定権能があるとする。
② 国民教育権説　　教育内容の決定権能は親を中心として国民全体にあるとする。家永教科書検定訴訟の第二次訴訟一審判決（東京地判昭和45年7月17日行裁例集21巻7号別冊1頁）いわゆる杉本判決は「国民の教育権」を支持し，第一次訴訟一審判決（東京地判昭和49年7月16日判時751号47頁），いわゆる高津判決，同一次訴訟控訴審判決（東京高判昭和61年3月19日判時1188号），いわゆる鈴木判決は「国家の教育権」を支持している。旭川学テ事件（最大判昭和51年5月21日刑集30巻5号615頁）では，「わが国の法制上子どもの教育の内容を決定する権能が誰に帰属するとされるかについては，二つの極端に対立する見解があり，……二つの見解はいずれも極端かつ一方的であり，そのいずれをも全面的に採用することはできないと考える。」としている。

(4)　労働者の権利

資本主義経済が進展するにつれて，自由な労働市場において，労働者と使用者と対等な力関係を持ち得ず，使用者はますます富み，労働者は生存が脅かされる事態が生ずるようになった。「自由な合意」という擬制のもとに，労働者は極度に生活を追いつめられ，人間らしい生活をふみにじられていった。現代憲法は労働者の人間らしい生存の権利を人権の一つとして規定するようになった。

憲法27条1項は，国民に勤労の権利を保障している。勤労の権利とは，労働の機会を要求する具体的権利を与えるものではなく，労働の機会が得られない場合に，労働の機会を提供する政治的義務ないし努力義務があることにとどまると解されている。そのための施策として，職業安定法，職業訓練法，雇用保険法等が制定されている。

自由な労働市場において弱い立場に立ちがちな労働者を保護するために，憲法27条2項は「賃金，就業時間，休息その他の勤労条件に関する基準は，法律でこれを定める」と規定し，労働基準法等によって定められている。

憲法28条は「勤労者の団結する権利及び団体交渉その他の団体行動をする権利は，これを保障する」と規定し，団結権，団体交渉権および団体行動権を保障している。労働市場における弱者たる労働者が団結して，使用者と交渉し，要求がいれられない場合は就労しない（ストライキ）といった団体行動に出て，労働者の生活維持向上をはかることができる。労働組合法1条では，労働者の地位を向上させること，労働者がその労働条件について交渉するために自ら代

表者を選出すること，団体行動を行うために自主的に労働組合を組織し団結することを擁護すること，使用者と労働者との関係を規律する労働協約を締結するための団体交渉をすることおよびその手続きを助成することを目的とすると定めている。労働三権について，公務員は，これらの権利の全部または一部が制限されている。公務の性質が許す限り，一般の労働者と同じ権利が認められることが望ましい。

第3節　統治機構と違憲立法審査制

1　はじめに——この節で学ぶこと

　この節のタイトルにある「統治機構」という言葉は，この本の読者にとって，これまであまり聞いたことのない言葉かもしれない。「統治」とは"統べおさめること""主権者が国土および人民を支配すること"，「機構」とは"官庁・会社・団体などの組織""活動単位としての組織"を意味する（『広辞苑（第5版）』CD-ROM版による）。すると，「統治機構」とは"国家をおさめていくための組織の仕組み"ということになる。「政治機構」と言い換えてもよさそうだが，狭い意味で「政治」といえば，裁判所がする裁判を必ずしも含めないのに対して，「統治」機構といえば——裁判所の裁判も，法の強制的な実現をはかるための国家権力の行使という意味で「統治」権の行使だから——裁判所制度もそこに含められることになる。

　したがって，「統治機構」という項目でふれられる話としては，次のような例が挙げられる。

　(i)　わが国では，憲法を改正するためには，国会での議決に加えて，最終的には，国民投票による承認が必要とされている。

　(ii)　わが国では，一般国民は，統治を受け持つ代表者を選挙する，という形で（間接的に）統治に関与する仕組みが基本とされている。一般国民がいっそう直接的な形で統治に関与するための仕組みとして現在の憲法が定めているのは，憲法改正の承認のほかには，最高裁判所の裁判官の任命について国民が事後にチェックする投票と，特定の都道府県・市町村だけに当てはまる（国の）法律に対してその地方の住民が同意を与えるための投票の制度だけである。

　(iii)　わが国の現行の法律には"いったん選挙で選ばれた国会議員を，任期の途中であっても，一般の有権者（選挙権を有する人々）の投票で辞めさせることができる"という制度を定めたものはない。

　(iv)　国会が作った立法であっても，裁判所は，それが日本国憲法に違反するものであると判断するならば，その立法を「法的効力のないもの」と見なすことができる。

第3節　統治機構と違憲立法審査制　83

　(ⅴ)　わが国では，総理大臣（正式名称は「内閣総理大臣」）は国会で選出される。総理大臣に選ばれる資格を持つのは，国会議員だけである。

　(ⅵ)　わが国では，総理大臣以外の大臣（正式名称は「国務大臣」）は総理大臣が任命し，総理大臣と他の大臣とで「内閣」が組織される。

　(ⅶ)　わが国の「国会」は，「衆議院」と「参議院」という，二つの「議院」から成り立っている。

　(ⅷ)　国会の二つの議院のうち，衆議院に関しては，そのメンバーである議員の本来の任期が満了する前に，議員全員の（議員としての）地位を一斉(いっせい)に失わせる（そうすることによって，衆議院の全議員を選び直すための選挙の時期を早める）ことができる，という制度がある。この「議員全員の地位を失わせる」決定が「解散」と呼ばれるものである。

　(ⅸ)　衆議院の解散をするかどうかを決める権限は，実質的には，内閣にある。

　(ⅹ)　衆議院で「いまの内閣はもう支持できない」という決定が多数決によって下されたときは，その決定から10日以内に，内閣は次の二つのどちらかの選択をしなくてはならない。すなわち，(少なくともいったんは)メンバー全員が一斉に辞めるか，さもなければ，衆議院を解散して選挙に臨むという反撃に出るか，という選択である。

　(ⅺ)　衆議院の全議員を選び直すための選挙（＝「総選挙」）が行われたときは，その選挙の日から30日以内に内閣の全メンバーは（少なくともいったんは）一斉に辞めなくてはならない。ただし，選挙の結果によっては，ふたたび同じ人物が（選挙後の新しい）国会で総理大臣として選出されることもある。

　(ⅻ)　国会が制定した法律の中で，ある制度が定められていても，役所がこの制度を実行に移すには，たいていの場合，経費がかかる。この経費（支出できる国費）の裏づけが「予算」であり，「予算」については，法律とは別に，各年度ごとに国会によって決定されることになっている。

　(xⅲ)　都道府県・市町村は，それぞれの地域独自の法的ルールとして，「条例」を制定することができる。

　(xⅳ)　都道府県の知事・市町村長，都道府県および市町村の議会の議員は，住民が直接に選挙することになっている。

　以上に挙げたことは，どれも常識に属すると思われる（「そんなことはちっと

も知らなかった」という人は，とりあえず深く反省しておこう。——なお，(i)〜(vii)に挙げたことがら〔(iii)は除く〕が，日本国憲法のどの条文で定められているといえるのか，各自確かめてみよう）。この節の前半では，こういった「統治機構」に関係する種々の問題の中でも，国民の代表者を選ぶことに関わる選挙制度にとくに焦点を当てて，説明していく（本節2）。

もう一つ，この節のタイトルには「違憲立法審査制」という用語を掲げた。こちらの方は聞き覚えのある言葉かも知れない。もう分かったこととは思うが，これは，さきの(iv)に挙げた，国会の作った立法が憲法違反のものでないかどうかを裁判所でチェックする制度のことである。これも「統治機構」の問題の一部に含まれるのであるが，とくに注目してもらいたいキーワードとして，「統治機構」と並べてタイトルに掲げておいた。この節の後半では，この「違憲立法審査制」を取り上げて解説していくことにする（本節3）。

2 選挙と代表

(1) 選挙に関する憲法上の原則

(a) 選挙制度の4原則　　現代の民主主義憲法においては，選挙制度の原則として，普通選挙・平等選挙・秘密選挙（秘密投票）・自由選挙という4原則が採用されている。それぞれの意味をまず簡単に説明しておこう。

① **普通選挙**とは，"特定の経済力の持ち主などに限らず，一定の年齢に達している国民には広く投票権を与えなければならない"という考え方（これに基づく選挙制度）である。

② **平等選挙**とは，"各人に与えられる投票権の価値は平等なものでなければならない"という理念（これに基づく選挙制度）である。

③ **秘密選挙（秘密投票）**とは，"1人1人の投票者が誰に投票したかは公表しない（秘密にする）"という考え方（これに基づく選挙制度）である（決して"選挙がひそかに実施される"という意味ではないから，間違えないように）。1人1人の投票者が誰に投票したかがわかってしまうような仕組みでは，社会的に弱い立場にある人にとっては，投票に際して，自分の意思に基づく率直な選択がしづらくなるだろう（後になってから"あれほど「○○候補をよろしく」と頼んでおいたのに，なぜ○○候補に投票しなかったんだ"と，責めたてられるかも知れない，という不安が伴う）。そこで，投票権を有する個々人の選択の自由を確保しよ

うという趣旨から，秘密選挙（秘密投票）の原則が採用されるのである。

④　**自由選挙**には，2通りの意味がある。第1の意味は，"候補者や一般市民には選挙運動を自由に行うことが保障されなければならない"という理念（これに基づく制度）である。第2の意味は，"投票するかしないかは，投票権を持つ個々人の自由な判断に委ねられるべきだ"という理念（これに基づく制度）である。

> 「自由選挙」の二つの意味　　上述した「自由選挙」の2通りの意味のうち，第1の意味での「自由選挙」（→選挙運動の自由）は，政治的な意見表明の自由（→憲法21条1項の保障する「表現の自由」の内容に含まれるものの一つ）とも重なることになる。ただ，現代の民主主義社会における選挙では，「選挙の公正」ということも守られるべき重要な理念であり，"選挙運動の自由が保障されるべきだ"とはいっても，買収行為が許されるわけではなく，候補者がお金の力にものをいわせて自分の宣伝をまったく好き放題にやってよいというわけでもない。こうして，選挙運動の自由の保障といっても，無制限の自由放任ではなく，しかるべき合理的な規制がされることになる。
> 　このように「選挙の公正」という観点から，わが国の法律では，選挙運動に関する種々の規制を定めている（そこで定められたルールに違反することがいわゆる「選挙違反」である）。その主な具体例としては，①事前運動の禁止（選挙運動期間を法律で決め，その期間以前の選挙運動を禁止する〔公職選挙法129条〕），②戸別訪問の禁止（候補者・選挙運動員が選挙運動のために1軒1軒を訪ねる行為の禁止〔公職選挙法138条〕），③選挙運動用の文書・図画の規制（選挙運動用に配布・掲示できる文書・図画について法律で詳しく定め，それ以外の文書・図画の配布・掲示を禁ずる〔公職選挙法142条～147条〕），といったものがある。ただ，わが国の法律が定めているこれらのルールの内容は，欧米の場合に比べるとかなり厳しい制限を選挙運動に課するものである，といわれる。そのため，"選挙運動の自由に対する行き過ぎた制限ではないか"，"憲法の保障する自由選挙の理念にそぐわないのではないか"といった批判も少なくない。
> 　一方，第2の意味の「自由選挙」（→投票するかしないかの自由）は，具体的には，"棄権した人にも制裁（罰金など）を課してはならない"という意味を持つ（＝棄権の自由の保障）。ただ，現代の民主主義国家においても，外国の例をみると，有権者（選挙権を有する者）が正当な理由もなく棄権をした場合にはこれに制裁を加える，ということを法的ルールとして

> 定めているところもある（オーストラリア，ベルギーなど）。

　日本国憲法もやはり，こうした普通・平等・秘密・自由という4原則をとっている。すなわち，日本国憲法15条は，3項で普通選挙制を定め，4項で投票に関する秘密・投票における選択の自由を保障している。また，選挙権の平等も，国会議員の選挙の場合については憲法44条但書で，さらにそれ以外の選挙についても憲法14条1項の定める法の下の平等という原則によって，保障されているのだ，と理解されている（これらの憲法の条文は各自確認してみよう）。以下では，普通選挙・平等選挙それぞれの意味について，もう少し詳しく説明しておこう。

　(b)　普通選挙制　　すでに述べたように，"一定の年齢に達している国民には広く投票権を与えなければならない"という考え方に基づく選挙制度が「普通選挙制」であるが，実は「普通選挙制」という用語にも2通りの意味（狭い意味と広い意味）がある。

　すなわち，狭い意味では，選挙権を持てる資格を財力（納税額・資産）で制限してはならない，とする制度を指す。それに対して広い意味では，選挙権を持てる資格を，財力だけでなく，性別・血筋・社会的地位などで制限してはならない，とする制度をいう（「男子普通選挙制」という用語があるが，この場合にいう「普通選挙」とは，もちろん狭い意味の方である。なお，わが国で「男子普通選挙制」が実現したのは，1925年〔大正14年〕の法改正によってである）。女子の選挙権が認められるようになったのは，欧米諸国でもようやく第1次世界大戦以降になってからであった（イギリス＝1918年＊，アメリカ＝1920年。なお，日本の場合はもっと遅れて，1945年暮れである）。そして，日本国憲法15条3項の規定にいう「普通選挙」とは，広い意味のそれである，というのが一般的理解である。

　　＊　ただし，1918年の時点では年齢資格の面で，男子21歳以上・女子30歳以上という不平等があった。イギリスで男女とも平等に21歳以上とされたのは1928年のことである。

　(c)　平等選挙制　　平等選挙制（"各人に与えられる投票権の価値は平等なものでなければならない"という理念に基づく選挙制度）と広い意味の普通選挙制とは，一見すると同じことのように思えるかもしれない。しかし，普通選挙が"個々の市民がそもそも投票権を与えられるかどうか"を問題とするものであるのに

対して，平等選挙は"各自に与えられる投票権の数・重みの平等"を問題とするものである，という点に両者の違いがある。

　つまり，一定年齢以上の国民について，財力・性別・身分を問わず誰もが少なくとも1票を投ずる資格を与えられていれば，それで普通選挙制だといえる。けれども，それだけではまだ平等選挙制とはいえない。次のような例では，《普通選挙制》がとられているとはいえても，《平等選挙制》がとられているとはいえないからである。

　まず第1に，一定年齢以上の全国民に最低1票分の投票権が与えられていても，特定の社会階層に属する人にはさらにもう1票を投ずる権利が与えられることがある（たとえばイギリスでは，男女普通選挙制の確立後も，大学卒業者にはさらに別枠でもう1票分の投票権を与える，という制度が1948年まで存在していた）。また第2に，成人の全国民に1票分の投票権を認めていたとしても，社会階層ごとに投票権の重みに差をつける，という制度も考えられる（たとえば，経済力に応じて有権者をランク分けして別々に投票させ，割り当てられる代表者の定員は，少数の高額所得者グループもその他大勢の庶民層も同数，というような制度。この種の制度の例が，19世紀のドイツの一部には見られた）。

　これら二つの例では，各自の投票権の数・重みが平等ではないから，平等選挙制とはいえない（別の言い方をすれば，これらは「**不平等選挙制**」である）。しかし，日本国憲法14条の平等原則は平等選挙制をも命じており，以上のような例も禁じている，と理解されている。

(2)　選挙権の平等と議員定数配分

(a)　問題の所在　　以上に述べたとおり，有権者を露骨にランク分けする制度が，平等選挙の原則に反するものとして，憲法によって禁じられていることは明らかである。しかし，露骨なランク分けでなくとも，やはり平等選挙の原則に反するようなケースもないだろうか。たとえば，A・Bという二つの選挙区で，Aの方がBよりも有権者の数（または人口）は多いのに，割り当てられている議員定数は少ない，というのもやはり不公平ではないのか。つまり，選挙区ごとの有権者数（または人口）と議員定数とのアンバランスも，平等選挙の原則に反するのではないだろうか。——今日の民主主義国家では，このような**議員定数配分の不均衡**という問題も指摘されるようになっており，戦後のわが国でも同様の問題が議論されるようになった。以下では，戦後のわが国における

この点をめぐる議論について，衆議院の問題に的を絞って，その経緯を説明しよう。

選挙制度については，**公職選挙法**という法律が定めている（以下では「公選法」という略称を用いることにする）。公選法は1950年（昭和25年）に制定されたが，それ以来1994年（平成6年）の大幅改正までの間，衆議院議員の選挙については，**中選挙区制**と呼ばれる仕組みを採用してきた。「中選挙区制」とは，各選挙区に割り当てられる議員（→選出される代表者）の定員を原則として3〜5人の範囲とし，投票をする個々の有権者は，候補者の中から，当選させたいと思う人物を1名だけ選んでこれに投票する，というものである*。そして，衆議院議員の選挙区の区割り・選挙区ごとの定数配分は，具体的には，公選法の「別表1」（およびこれと関連する公選法の諸規定）で定められてきたのであった。

* 本文に述べたのは，厳密にいえば，「中選挙区制」ではなく「中選挙区単記投票制」の説明である。「単記投票」とは，当選させたいと思う人物を1名だけ選んでこれに投票する，ということであり，これに対し，当選させたいと思う人物を複数選んで投票できる仕組みは「連記投票」制である。同じ「中選挙区制」でも，「中選挙区連記投票制」という選択肢も理論的には考えられるが，わが国で実際に採用されてきたのは，「中選挙区単記投票制」である。

1950年の法律制定当時には，"各選挙区への議員定数の割り振りは，本来，選挙区の人口にできるだけ比例させて行われるべきだ"という考え方が一応は出発点になっていた。ところが，実際には，その後14年間にわたって公選法別表1の改正は行われず，その間に，農村部から都市部への大幅な人口移動によって，人口の多さの割には配分されている議員定数が少なすぎる，という選挙区間のアンバランスが生まれてきた。ようやく1964年（昭和39年）には部分的な手直しが加えられたものの，その後も人口の変動は続いた。その一方で，10年余りにわたって（沖縄復帰に伴って沖縄県選挙区の分の定員が追加されたことを除けば）公選法別表1の再改正は行われず，またアンバランスが生じてしまったのであった。

以上の経緯は，"もともとは意図的に不平等な配分をしたわけではなかったが，その後放っておいたため，結果的に不平等な配分になってしまった"というものである。しかし，"それも不平等であることに変わりはない"，"改正せずに放っておいたこと自体が許されない怠慢だ"という批判が出てくるに至る。そ

第 3 節　統治機構と違憲立法審査制　89

して，こうした不平等状態は憲法違反だ，とする訴えが法廷に持ち込まれることになったのである。

(b)　最高裁昭和51年判決

①　事件と判決内容　　以下にみるのは，1972年（昭和47年）当時の衆議院の定数配分のアンバランスが裁判で争われたケースである。

72年12月10日に衆議院議員の総選挙が実施された。この選挙は，当時の公職選挙法に置かれていた議員定数配分規定に従って実施されたが，この選挙の時点における選挙区ごとの議員1人当たりの有権者数をみると，最も少なかったのが兵庫県第5区（議員定数3）の7万9172人，最も多かったのが大阪府第3区（議員定数4）の39万4950人であった。この両極端を比にすると，1対4.99の開きがあったことになる。そこで，ある選挙区の有権者が"このような定数配分の不均衡は，選挙区によって国民を不平等に扱うものであって平等原則に違反する"と主張して，選挙は違憲・無効であるとの訴え（公選法204条に基づく選挙無効訴訟）＊を起こしたのであった（なお，このケースで不利に扱われていたのは，大阪3区の有権者の方か，それとも兵庫5区の有権者の方なのか，各自考えてみよう）。

　　＊　といっても，公選法204条で定められているのは，各選挙区において実施された選挙の効力を争うための訴訟であり，本文で説明した訴訟における原告（裁判所に訴えた人）も，裁判ではあくまでも，自分の属している選挙区（千葉県第1区）で実施された選挙を無効とする判決を求めたのであって，全選挙区の選挙が無効だ，という訴えを起こしたわけではない。

以上の訴えに対して，第1審（東京高等裁判所）は，"この程度の不均衡であれば，なお容認できないとまではいえない"として，この有権者の主張をしりぞけたため，この有権者は，第1審の判決を不服として，最高裁判所の判断を求めた。そして，選挙後3年半近くを経て下された最高裁判所の判断は，"72年12月の総選挙当時の衆議院の議員定数配分のアンバランスは，もはや憲法の許容する限度を超えている"としながらも，"選挙の結果はくつがえさないことにする（すでに行われた選挙を無効とはしない）"というものだった。

判例❶　衆議院の議員定数不均衡と選挙権の平等——最高裁判所（大法廷）昭和51年4月14日判決（民集30巻3号223頁）

[裁判所の判断]　1．選挙権の平等と憲法の規定　「選挙権の内容，すなわち各選挙人〔＝各有権者〕の投票の価値の平等もまた，憲法の要求するところであると解するのが，相当である」〔要するに，"選挙区の間で，有権者数と配分される議員定数とのバランスがとれていなければならない"という意味でも，「投票の価値」＝投票権の重みが平等であることが要求される〕。

　2．投票価値の不均衡の合憲性判定に関する一般論　しかし，「投票の価値」は平等であるべきだとはいっても，それが「数字的に完全に同一であることまでをも要求するものと考えることはできない」。国会が衆議院議員の選挙制度・定数配分を決定する場合にも，それには「極めて多種多様で，複雑微妙な政策的及び技術的考慮要素」が関わってくる。こうした「政策的及び技術的考慮要素」としては，たとえば，選挙区の面積・住民構成・行政区画などの，有権者数以外の要素が挙げられる。国会は，選挙制度・定数配分の決定に際して，それらの要素を考慮しても構わないのだが，それでもなお正当化できないほどの定数配分の不均衡があれば，原則として憲法違反と判断されなくてはならない。

　3．本件選挙当時の不均衡の許容性　昭和47年12月10日の衆議院議員総選挙の当時における議員定数配分規定の下では，議員1人当たりの有権者数が最も多かった選挙区とそれが最も少なかった選挙区とを比べると，約5対1の開きがあったわけであるが，このような較差は，「一般的に合理性を有するものとはとうてい考えられない程度に達しているばかりでなく，これを更に超えるに至っているものというほかなく」，憲法に照らして正当化することができない。

　4．「合理的期間」論　ただ，投票価値の不均衡がもはや正当化しがたい程度に達しているとしても，そのことだけで直ちに，昭和47年総選挙の時点で公選法別表1が憲法違反だったと断定するわけにもいかない。こうした不平等が，法律の制定後に少しずつ事情が変化していったことによって発生したものである，ということを考慮しなければならないからである。つまり，「人口の変動の状態をも考慮して合理的期間内における是正が憲法上要求されていると考えられるのにそれが行われない場合に始めて憲法違反と断ぜられるべきものと解するのが相当である」〔要するに，国会には，不平等是正をはかる法改正のためのしかるべき猶予期間も認められる〕。

　けれども，投票価値の著しい不均衡は，昭和47年総選挙の「かなり以前から選挙権の平等の要求に反する程度に達していたと認められる」。また，

公選法自身のなかでも，別表1はその時点で最新の国勢調査の結果に照らしてできるだけ5年ごとに見直す，とされているのに，国会は，前回改正から本件選挙まで8年余りもそのまま放置してきた。これらの事情を考慮すると，「憲法上要求される合理的期間内における是正がされなかったものと認めざるをえない」。

結局，「本件議員定数配分規定は，本件選挙当時，憲法の選挙権の平等の要求に違反し，違憲と断ぜられるべきであったというべきである」。

5．本件選挙の効力　では，本件の議員定数配分規定が憲法に違反するもので，それゆえ，この規定に基づいて行われた本件選挙が憲法の要求に沿わないものであるからといって，そのことから直ちに本件選挙を無効と解してしまっても構わないだろうか。たしかに，憲法98条1項にも宣言されているように，「憲法に違反する法律は，原則としては当初から無効であり，また，これに基づいてされた行為の効力も否定されるべきものである」。しかし，このような原則を貫くと「かえって憲法上その他の関係において極めて不当な結果を生ずる場合」には，「おのずから別個の，総合的な視野に立つ合理的な解釈を施さざるをえないのである。」

そこで，本件の場合について考えてみると，本件の議員定数配分規定・これに基づく選挙を無効であると解した場合，「選挙無効の判決によって得られる結果は，当該選挙区の選出議員がいなくなるというだけであって，真に憲法に適合する選挙が実現するためには，公選法自体の改正にまたなければならないことに変わりはなく」，「しかも，右公選法の改正を含むその後の衆議院の活動が，選挙を無効とされた選挙区からの選出議員を得ることができないままの異常な状態の下で，行われざるをえないこととなるのであって，このような結果は，憲法上決して望ましい姿ではなく，また，その所期するところでもないというべきである。」

この点で参考になるのが，いわゆる「事情判決」の制度（行政事件訴訟法31条）である。行政処分の取消を求める訴えが裁判所に起こされた場合，処分が違法であれば，裁判所は原則としてその処分を取り消さなければならない。しかし，処分を取り消すとあまりにも大きな混乱が生ずるなどの特別の事情があるケースでは，例外的に処分を取り消さない（処分が違法であることの確認宣言だけを行う）ことができる，というのが，この「事情判決」の制度である。本件のようなケースでも，「事情判決」制度の基礎になっている「法の基本原則」を当てはめることによって，「本件選挙は憲法に違反する議員定数配分規定に基づいて行われた点において違法である旨を判示するにとどめ，選挙自体はこれを無効としないこととするの

が相当であり」,「選挙を無効とする旨の判決を求める請求を棄却するとともに,当該選挙が違法である旨を主文で宣言するのが,相当である。」

② **判決の論理的構造**　最高裁判所は,以上に見た昭和51年大法廷判決の中で,議員定数配分規定の違憲性・その規定が違憲だった場合の選挙の効力について,非常に慎重で複雑な論じ方をしている。このことは,この訴訟がそれだけ多くの難しい問題を含んでいた,ということを物語っている。とくに,"選挙は憲法違反の規定に従って行われたものだったけれども,その選挙の結果はくつがえさない"という結論が適切なものだったかどうかは,論争の的になった＊。ただ,以下の説明では,この問題には立ち入らずに,"ある選挙の時点で定数配分規定が違憲になっていたかどうか"を最高裁がどのように審査・判定したか,という点に的をしぼって,判決の論理的構造をもう一度確かめておくことにしよう。

> ＊　ちなみに,判例❶は,実は最高裁判所の裁判官全員(15名)一致の判決ではなく,15名中8名の多数意見だったのであり,この訴訟にどのような形で決着をつけるべきかをめぐっては,最高裁の内部でも見解の対立があった。
>
> この点,最高裁の中の少数意見を見ると,5名の裁判官が,"この訴えを起こした有権者が直接に問題としている選挙区(千葉県第1区)の選挙だけを切り離して考えればよく, 定数配分規定が違憲である以上,この選挙区の選挙に限って無効(→選挙のやり直し)とすべきだ"という見解を述べている。その一方で,"選挙を無効にしてやり直すといっても,同じ定数配分規定の下で再選挙をするのは無意味であり,結局は,国会が当の規定を改正しない限り問題の解決にはならないわけだから,定数配分規定の不平等を理由にして選挙無効訴訟を起こすこと自体が,そもそも的外れであって,法律論としては訴えを門前払いとするしかない"という少数意見を述べた裁判官(1名)もいたのである。

最高裁は上記の判決の中で,"ある選挙の時点で定数配分規定が違憲になっていたかどうか"を二段構えで審査していた。つまり,(ア)第1段階が**《最大較差**（選挙当時の定数配分規定の下で,各選挙区ごとの議員1人当たりの有権者数が最も多かった選挙区とそれが最も少なかった選挙区とを比較した場合の,数字の開き）**の程度》**のチェック,(イ)第2段階が**《是正のための「合理的期間」**（改正猶予期間）**内かどうか》**のチェックである。

まず,(ア)の段階で問題とされるのは,"定数配分のアンバランスの程度そのも

のが，憲法上本来許される範囲を超えているかどうか"という点である。51年判決は，この点について，問題の選挙当時の較差（約1対5）は憲法の許す範囲を超えた状態にある，としていた。

ところが，これだけではまだ，選挙当時に別表1が違憲だったとは決めつけられない，と最高裁はいう。つまり，第2段階として(ｲ)の点が審査されなくてはならない，とされる。ここで，"選挙の時点では改正猶予期間は済んでいた"といえるときに初めて違憲となる，と最高裁はいうのである。

最高裁も，ふつうのケースでは，内容の面で憲法に反する法律はそれで直ちに違憲だ，としている。いま述べたような2段階審査が行われるのは，あくまでも例外である。定数配分のケースがこうした例外とされたのは，以下のような理由による。すなわち，この場合は，問題となっている法律の規定が，制定された当初の時点では合憲（平等）だったかもしれないが，その後少しずつ現実が変化したため，結果的に違憲（不平等）のものになってしまった，というケースである。しかし，この種のケースでは，いつから違憲になったと見るべきか（→いつから国会の改正義務が生じたと見るべきなのか），その時点を厳密に特定するのが難しい，というのである。議員定数配分規定の不平等性が時間の経過の中で生じていったケースに即してそのことを具体的にいうと，(i)人口の不断の流動性，(ii)選挙制度を安定させる必要性（選挙のルールをあまりにも頻繁に変更することの不適切性）をも考慮するならば，どの時点で国会の改正義務が確定したといえるのか，正確には特定しにくい。そこで，ある程度の幅を持たせて，国会に一定の改正猶予期間を与えるべきだ，というわけである。――以上が「合理的期間」論の根拠である＊。そして，さきに見たケースに関しては，"かなり前から不平等が放置されていた"として，定数配分規定は選挙の時点で違憲になっていた，と最終的に断定されたのである。

＊　念のため断っておけば，この第2段階の「改正に要する合理的期間」が問題になるのは，第1段階の「最大較差の程度」が憲法の許容する範囲を超えているとされた場合のみである。そもそも第1段階で，較差が憲法の許す範囲内だとされれば，合理的期間内かどうかについてはもはや審査すべき必要性はない。

(c)　判例上の違憲性判定基準　　以上に見た51年判決は国会に大きなショックを与えた。もっとも，判決で違憲とされた定数配分は，実は，すでにその前年（昭和50年〔1975年〕）に改正されていたのであった（つまり，前記の判決は，

改正前の旧規定に基づく前回選挙の違憲無効を争点とするものだったのである）。昭和50年の定数再配分で定数較差はいったん縮まった。しかし，その後も人口の変動による較差は絶えず生じている。こうして，51年判決の後も，衆議院総選挙が行われるとその度に毎回，定数不平等を理由とする選挙無効訴訟が起こされるようになっている。それらの一連の訴訟に対する最高裁の判断は別に掲げた表〈**一連の定数訴訟における最高裁の判断**〉のとおりである。

　最高裁はこれらの判例で，そのケースでの較差が違憲か否か，そのケースが合理的期間内かどうか，といった点について，そのつど判断を示している。しかし，それは個々のケースごとに結論だけを示したにすぎず，実は，許される最大較差の限界・許される合理的期間の最大限のいずれについても，一般的基準を数字として明言したことはない（違憲と合憲の分かれ目となる数値を明らかにしたことがない）。しかし，表に示したこれらの判例の傾向からすると，最大較差の程度については，どのあたりを違憲─合憲の分かれ目となる一応の目安だと最高裁が考えているのか，そのおおよその数値的ラインを読み取ることは可

表〈一連の衆議院定数訴訟における最高裁の判断〉

判　決　日	係争選挙	最大較差	合理的期間内か？
昭51('76)・4・14	昭47・12・10	×（1：4.99）	×（法改正後8年余）
昭58('83)・11・7	昭55・6・22	×（1：3.94）	○（改正法公布後ほぼ5年・施行後約3年半）
昭60('85)・7・17	昭58・12・8	×（1：4.40）	×（改正法施行後約7年）
昭63('88)・10・21	昭61・7・6	○（1：2.92）	（不　問）
平5('93)・1・20	平2・2・18	×（1：3.18）	○（改正法施行後約3年7か月）
平7('95)・6・8	平5・7・18	○（1：2.82）	（不　問）

　＊　この表は，芦部信喜＝高橋和之（編）『憲法判例百選Ⅱ［第3版］』（別冊ジュリスト：有斐閣・1994年）324頁［執筆：安念潤司］に掲げられた表に，修正・追加を一部施したものである。
　　なお，(i)表の「係争選挙」とは，無効かどうかが裁判で争いの的になった選挙を指す。(ii)表の「最大較差」欄の数値は係争選挙の当時に選挙区間で生じていた議員1人当たりの有権者数の最大較差を示し，その各欄の○印は合憲と判定されたことを，×印は憲法の許容範囲を超えていると判定されたことを，それぞれ示す。(iii)昭和51年・昭和60年の両判決の結論は，ともにいわゆる「事情判決」である。

(d) 判例批判の紹介　以上のような最高裁の一連の判決に対しては，憲法学者の間から，"最高裁は国会に対して甘いのではないか"とする批判が出されてきた。

たとえば，定数較差の許容限度に関して考えてみよう。すでに見たように，衆議院の場合については，たとえば約1対2.92の較差であればなお合憲だ，というのが従来の最高裁の見解である。しかし，これに対して多くの学者は批判的である。その批判によると，"あくまで人口比例主義を基本とするのであれば，どのような場合であっても，ある選挙区の1人が，別の選挙区の2人分の重みに相当する投票権を持つことがあってはならないはずだ"というのである。このように，学界では，衆議院については較差1対2を許容限度とする見解が多くの支持を得ているといってよかろう。

(e) 衆議院の新しい選挙制度と今後の問題

① 衆議院の新選挙制度　さて，いままで取り上げてきた衆議院議員の定数不均衡の問題は，前述したとおり，中選挙区制という仕組みの下で生じたものであった（(a)参照）。しかし，衆議院に関しては，1994年（平成6年）の選挙制度の大改正によって，中選挙区制は廃止された（中選挙区制では，同じ政党の候補者どうしが同じ選挙区で議席獲得をめざして激しく争うため，党内の派閥対立・選挙運動費用の高額化を招く，ということが問題とされたからである）。代わって新たに採用されることになったのが，「小選挙区比例代表並立制」と呼ばれる仕組みである。また，この選挙制度の改正の際に，衆議院議員の総定数も変更された（改正前は511名→94年改正で，500名→2000年改正で480名）。

「小選挙区比例代表並立制」とは，全議員のうち，一部を「小選挙区制」という仕組みによって選出し，残りを「比例代表制」という別の仕組みによって選出する，というものである。その際，「小選挙区制」の方の選挙と「比例代表制」の方の選挙とは，それぞれ独立した別の選挙として行われるのであって*，個々の有権者には，「小選挙区制」の方の選挙で行使するための投票権と，「比例代表制」の方の選挙で行使するための投票権という，2票分の投票権が与えられる。そして，新制度では，衆議院総定数のうち，300名が「小選挙区制」によって選出され，残りが「比例代表制」によって選出されることになっている（公選法4条1項）。では，「小選挙区制」・「比例代表制」とは，どのような仕組

＊　といっても,「小選挙区制」の方の選挙に立候補した者が,「比例代表制」の方の選挙でも重複して候補者となるのは構わない, とされている。このため,「小選挙区制」の方の選挙で落選した人が「比例代表制」の方の選挙で"復活当選"する, ということも起きる（実際にも, 1996年の衆議院総選挙ではそのような例が多く見られた）。

　「小選挙区制」とは, 各選挙区に割り当てられる議員定数が1名だけで, 個々の有権者は, 投票に際しては, 当選させたいと思う候補者を1名だけ選ぶ, という仕組みである。前述のとおり, 新制度では300名が小選挙区制によって選出されることになったが, これは, 全国を300の選挙区に分割し, 各選挙区から1名ずつ議員を選ぶ, ということである。小選挙区の区割りは, 公選法の別表1で定められている。

　以前の「中選挙区制」（正確にいえば「中選挙区単記投票制」）の仕組みでは,「一番人気」の候補者だけでなく, 2位や3位（さらにその選挙区の定数によっては4位・5位）の候補者でも当選できた。それに対し, 小選挙区制では, 当選できるのは「一番人気」の候補者だけである＊。

　　＊　実は「小選挙区制」にもいろいろなタイプがある。日本の場合は, 1回の投票で「一番人気」を得た候補者が当選するという仕組み（1回投票制）であるが, "1回目の投票で過半数の票を得た候補者がいないときは, 第1回投票で上位の得票をした候補者の間でもう1回, 決選投票を行う"という仕組み（2回投票制）もある。また, 日本の場合は, 個々の有権者は, 当選させたいと思う候補者を1名だけ選んで記入する仕組み（単記投票制）であるが, "投票用紙にはその選挙区で立候補を届け出たすべての候補者名が記載されており, 個々の有権者は, その中で当選させたいと思う順に優先順位を付けていくものとされ, それを集計して当選者を決める"という仕組み（順位投票制）もある。

　他方,「比例代表制」とは, 候補者個人への投票ではなく, 政党（党派）というグループへの投票を基本とした制度である。この制度では, 有権者は, 選挙に加わった政党の中から好ましいと思う政党を選んでこれに投票し, 各政党には, その得票数（の割合）に応じて議席数が割り当てられることになる。この仕組みの基本的な考え方は, 非常に単純化していえば, 次のようなものである。たとえば, 選ばれるべき議員の総数が100名, 選挙での（有効な）投票総数が1000万票, A党という政党に投じられた票が100万票, と仮定する。この例で, A党

は(有効な)投票総数の10％に当たる票を得たことになるが、この場合、A党の得票率(有効投票総数に占めるA党の得票数の割合)が10％だから、それに"比例"させて、議員総数の10％に当たる議席数(＝10議席)をA党に与えることにしよう。——これが「比例代表制」と呼ばれる選挙制度の基本にある発想である。

　もちろん、現実に議員になるのは、生身の個々人であるから、各政党は、グループとしての候補者名簿を届け出ておき、しかも、誰がどの優先順位で議員になっていくかのランキングをその名簿にあらかじめ付けておくことになっている(**拘束名簿式**の比例代表制)。

　　＊　「比例代表制」にもいろいろなタイプがあり、「拘束名簿式」の場合は、政党の方で候補者の当選優先順位をあらかじめ決めてしまうのであるが、同じ「比例代表制」でも、たとえば、政党が提出した候補者リストの中からとくに当選させたいと思う個人の名前を有権者が選び、有権者からの支持が多かった順番に従って、具体的に誰が議員になるかが決められていく、という**非拘束名簿式**もありうる。

　すでに述べたとおり、「小選挙区制」の下では、当選できるのは「一番人気」の候補者だけであるが、それに対して、以上のような「比例代表制」の下では、少数派グループ(→これを支持する少数意見)の分布状況が選挙結果に反映されやすいといえる。その反面で、「小選挙区制」の場合は、個人候補者への投票が行われるのであるから、一人でも立候補できるが、「比例代表制」の場合は、投票は政党に対して行われるわけであるから、候補者になりたければ、既存の政党の所属候補者となるか、あるいは、何名かでグループになって新たな「政党」を結成する必要がある＊。このように、「小選挙区比例代表並立制」とは、かなり異質な二つの選挙制度を組み合わせたものなのである。

　　＊　衆議院の比例代表制の選挙に参加できる「政党」として認められるための資格条件については、公選法86条の2第1項が定めている。

　前述のように、新制度では一定の割合の議員が比例代表制によって選出されることになったが、具体的には、全国を11の地域に区分し、この各地域を選挙区として選挙が行われる。その際、選挙区の区割り・議員定数配分は公選法の別表2で定められている＊。各選挙区に配分される議員定数は人口の違いを反映して様々である＊＊。

　　＊　衆議院の新選挙制度を導入した1994年の改正前までは、公選法別表2は、

参議院の地方選挙区の選挙区割り・議員定数配分を定めた規定であったが，94年の法改正の際に，「別表2」は衆議院の比例代表選挙区に関する規定となり，参議院の地方選挙区に関する規定は「別表3」となった。

＊＊　11の選挙区・そのそれぞれに配分される議員定数の内訳（2002年改正後）は，北海道＝8，東北＝14，北関東＝20，南関東＝22，東京都＝17，北陸信越＝11，東海＝21，近畿＝29，中国＝11，四国＝6，九州（沖縄を含む）＝21，となっている。

比例代表制におけるドント式　比例代表制の基本的な発想は，前述したとおり，"各政党にはその得票率に応じた議席数を割り当てる"というものである。しかし，実際には，各政党に与えられる議席数の決定は，単純に"各政党の得票率を計算して議席総数にそれを掛ける"という計算によって行われているわけではない。このように単純明快な計算方法を用いるだけでは，小数点以下の端数（はすう）をどのように処理するか，という問題が残るからである（選ばれるべき議員の総数が100名で，A党の得票率が10.47％だったからといって，A党に割り当てられる議員の数が「10.47人」というわけにはいかない）。この点，たとえば四捨五入によって小数点以下を処理しようとしても，その結果，総定数を超えてしまったり，あるいは逆に，総定数に達しなくなってしまう，ということが生じる可能性もある。そこで，この小数点以下の端数を合理的に処理するための計算方法として，さまざまな方法が考案されてきたが，その一つが「**ドント式**」（ベルギーの数学者ドント博士によって考案されたもの）である。

　ドント式では，"ひとまず各政党の得票率を計算して議席総数にそれを掛け，そのうえで，端数の扱いをめぐる細かい問題の処理を考える"という計算の手順はとられず，それとはだいぶ違った計算手順が採用される。すなわち，比例代表制の実質的なねらいは，つまるところ"各政党が1議席を獲得するために必要とされる得票数を，できるだけ均等・公平にする"という点に求められるが，ドント式は，"端数が生ずる場合には，1議席あたりがなるべく多くの票（→有権者の意見）を反映するように，各政党に議席数を割り振っていくのが民主的だ"という考え方に立つ。そこから，たとえば，ある議席をA・Bという二つの政党のどちらに割り振るべきかを決めるには，《その議席をA党に割り振った場合に，A党の1議席あたりに反映されることとなる票数》と《その議席をB党に割り振った場合に，B党の1議席あたりに反映されることとなる票数》とを比べ，前者の数字の方が大きければ，その議席はA党に配分されなくてはならない，とされ

る。こうした考えに立って、ドント式では、"1議席目をどの政党に割り振れば、1議席あたりに反映されることとなる票数が最大になるか、次に2議席目はどの政党に割り振れば……"という計算が繰り返されていくことになるのである。

　こうして結局、ドント式が採用する計算手順とは、(i)各党の得票率を自然数で順に（つまり、1，2，3，……という順に）割っていく、(ii)それによって得られた商（＝得票数÷自然数）の大きい方から順位を付けていく、(iii)この順位に従って（定数がnだとすると、商の大きい順に第n位まで）各党に議席を割り与えていく、というものになる。こう説明されただけではどういうことか理解できない、という人のために、具体例を表〈**ドント式による計算の例**〉に掲げておいたので、参照されたい。

　わが国の比例代表制において、各政党に割り振られる議席数の計算方法として現在採用されているのも、以上のようなドント式の方法である（公職選挙法95条の2）。そして、各政党の得票率を計算して議席総数にそれを掛けた場合の計算結果と、ドント式によって各政党に割り当てられることになる議席数とは、実は必ずしも完全に一致するわけではない。面倒な話ではあるが、"各政党にはその得票率に比例した議席数が割り当てられるべきである"という比例代表制の理念上の原型と、比例代表制を現実に法制度化する場合に採用される計算技術とは、区別して考えなくてはならないのである。

　なお、ドント式に関する以上の説明については、西平重喜『統計でみた選挙のしくみ』（講談社ブルーバックス・1990年）49頁以下（とくに64頁以下）に負うところが大きい。

② **今後の問題の展望**　　衆議院の新しい選挙制度は以上のようなものであるが、この新制度の下でも、選挙区間の定数配分のアンバランスの問題は、やはり生じうる。たしかに、新制度の下では、小選挙区の区割りに際しては、選挙区間の人口の最大較差は1対2以内に抑えることを「基本」にしなければならない、という目標が掲げられるようになった（衆議院議員選挙区画定審議会設置法3条）。しかしながら、新制度の下での小選挙区の区割りの規定でも、この目標は完全には達成されていない*。中選挙区制の下で最高裁が下してきた判断の傾向からすると、いまのところ小選挙区間で生じている程度の人口較差であれば、"なお憲法の許容範囲内"とされそうであるが**、最高裁が判例を変更していままでより基準を厳しくしていく可能性もないとはいえず、今後の

表〈ドント式による計算の例〉

	A党	B党	C党	D党
得票数	800,000	600,000	190,000	12,000
得票数÷1	① 800,000	② 600,000	⑧ 190,000	12,000
得票数÷2	③ 400,000	④ 300,000	95,000	6,000
得票数÷3	⑤ 266,666…	⑥ 200,000	⋮	⋮
得票数÷4	⑦ 200,000	150,000	⋮	⋮
得票数÷5	160,000	⋮	⋮	⋮
配分議席	4	3	1	0

注）選出されるべき議員の定数が8名，有効投票総数が160万2000票であったと仮定した場合。①～⑧のマル付き数字は，（得票数÷自然数）の値の大きい順を表しており，この順に従って各党に議席が分与されていくことになる。

動向が注目されよう。

＊ 新制度下の最初の区割り規定（1994年11月成立）は，1990年国勢調査の結果による人口データを基礎にしたものであったが，このデータに照らすと，最大較差（人口比）は1対2.137であった（詳しくは，常本照樹「選挙区割法・腐敗防止法・政党法人格付与法」『法学教室』174号〔1995年〕22頁参照）。その後，較差が拡大し続け1対2.55にまで達したため，2002年7月に再度，選挙区割りの見直しがはかられた。この改正は2000年国勢調査の結果を基礎にしており，このデータに照らすと最大較差は1対2.06であったが，この改正の成立後まもなく明らかになった，より新しい人口統計（2002年3月末現在の「住民基本台帳人口」）に照らすと，最大較差は1対2.12になることも判明している。

＊＊ 新制度下の最初の総選挙（1996年10月）の時点での最大較差（人口比）1対2.31について，最高裁は"較差は許容範囲内"としている（最大判平成11年11月10日民集53巻8号1441頁）。ただし，最高裁はそこでも，許される較差の限度の数値を明示してはいない。

なお，以上の説明は衆議院の場合に関するものであって，参議院の定数不均衡については，最高裁は，衆議院の場合とは違った取り扱いをしている。以下，項目をあらためて参議院の選挙制度とこれをめぐる問題に触れておこう。

(3) 参議院とその選挙制度をめぐる問題

(a) 両院制とその仕組み

① **両院制の意味と趣旨**　立法機関である議会を，二つの会議体で構成することにし，その二つの会議体がそれぞれ独自に審議・議決を行う，という仕組みを「**両院制**」(または「**二院制**」)という。これとの対比で，議会を一つの会議体だけで構成する仕組みは「**一院制**」と呼ばれ，こちらの方が簡単明快な制度ではある(そのため，全世界的に見ればこれをとる国も多く，例として，スウェーデン・韓国などがある)。にもかかわらず，いわゆる先進民主主義諸国の例を見る限りでは，両院制を採用している例が多い。それは次のような趣旨によるといわれる。すなわち，(i)議会による審議・決定を慎重にするため，(ii)各会議体ごとに異なるタイプの代表者を議会に送るため，である。こうした趣旨から，両院制において議会を構成する二つの会議体――この会議体のそれぞれを「**議院**」*という――の間には，それぞれのメンバーの選出方法・議員資格・任期などの点で違いが設けられる。

　日本国憲法も，国の議会＝「国会」に関して，両院制を採用している(憲42条)。

> ＊　同じく「ギイン」と発音する語でも，「議院」と「議員」(＝会議体としての「議院」を構成する個々のメンバー)を取り違えないように注意しなくてはならない。

② **両院の権限の相互関係**　ところで，さきに，両院制の場合は"議会を構成する二つの会議体(＝議院)がそれぞれ独自に審議・議決を行う仕組みになっている"と述べた。二つの議院がそれぞれ独自に審議・議決を行う以上，一方の議院の意向と他方の議院のそれとが食い違う場合も当然ありうる。このような場合，結局，何が"議会全体"としての決定なのか，ということが問題となる。この問題に対する解決策としては，(ア)両方の議院の決定が一致しない限り，新たな決定は行えない(つまり，ある議案が一方の議院で可決されても，他方の議院で否決されれば，その議案は承認しない，というのが"議会全体"としての最終的な結論になる)，(イ)少なくとも特定のタイプの問題については，一方の議院が下した決定の方を(何らかの条件付きで)優先させる，という選択肢が考えられる。

　日本国憲法では，法律および予算の議決・条約の承認・総理大臣の指名(選

出)，といった問題について，衆議院と参議院の決定が食い違った場合は，(その後に一定の手続をふむことを条件として)衆議院の決定の方が優先するものとされる(この場合に，衆議院の決定が最終的に優先するための条件とされる，「一定の手続をふむこと」とは，具体的にどのようなことなのか，憲法の条文を見て各自確かめてみよう)。さらに，このうち，予算の議決・条約の承認については，先に衆議院で審議・可決してから一定の期間内に，参議院が何らの決定も下すに至っていない場合には，衆議院の決定の方が自動的に"国会全体"としての最終決定と見なされる，というルールもある。そのほかにも，内閣を辞職に追い込むことができるような法的効果をもつ決定を行えるのは衆議院だけだ(本節**1**の(x)・(xi)参照)，とされている。これらのルールは，日本国憲法の両院制における**「衆議院の優越」**という原則を表している，と説明される。このように，日本国憲法がさきに述べた問題の解決策として選んだのは，(イ)のやり方である。

③　両院の組織面での相違　さて，これも繰り返しになるが，両院制においては"その趣旨を反映して，それぞれの議院のメンバーの選出方法・議員資格・任期などの点で違いが設けられる"と述べた。では，日本国憲法の場合は，衆議院の議員と参議院のそれとの間に，選出方法・議員資格・任期の点でどのような違いがあるだろうか。

この点，衆議院については，(i)議員の任期は4年，(ii)その途中の「解散」の制度がある(以上の2点については憲45条)，(iii)「総選挙」という形で，全議員を一斉に選び直すための全国規模の選挙が行われる(憲54条1項・70条等を参照)，とされているのに対し，参議院の方については，(i)議員の任期は6年，(ii)解散制度なし，(iii)3年ごとの半数改選制という独自の仕組み(3年ごとに全国規模の定期的な参議院選挙を行うが，その際には，一度に参議院議員の全定員を選び直すのではなく，そのうちの半分だけを選び直すこととする)＊，ということになっている(憲46条)。ただ，各院の議員をどのような選出方法(選挙制度)で選ぶのか，各院の議員総定数は何名なのか，といった点については，憲法では具体的なことは決めていない。たしかに，両院とも「全国民を代表する選挙された議員」から成ることは，憲法のレヴェルで規定されている(憲43条1項)。しかし，憲法は，各院の議員総定数や，各院議員の選出方法(選挙制度)については，詳しいルールは(国会が制定する)「法律」で決める(憲43条2項・44条)，としている(ただし，その場合の法律の内容が普通選挙・平等選挙などの憲法上の原則に反

するものであってはならない，という条件が付くことは，いうまでもない）。これに基づいて，各院議員の選挙制度に関する詳しいルールが「公職選挙法」（公選法）という法律で規定されているわけであるが＊＊，そこで定められた衆議院の選挙制度の仕組みについては，すでに本節 2 (2)(6)の中で述べたとおりである。以下で取り上げるのは，参議院の選挙制度の仕組み・その問題点である。

　　＊　言い換えれば，3年ごとの定期選挙（法律上は「通常選挙」と呼ばれる）の際には，参議院議員のうちの半分は，まだ3年の任期が残っており，その「通常選挙」とは関係ない。半数の議員の任期終了時期と残り半数の議員のそれとは，3年ずれていなくてはならないのである。

　　　なお，参議院は日本国憲法の下で設置されたもので，旧憲法下では存在しなかったから，参議院のスタート時には，もちろん全議員が一度に選出された。しかし，この際に，各選挙区ごとに得票の多かった順に並べて，そのうち上位の半分までの議員の任期を6年，残りの議員の任期を3年としたのである。これは日本国憲法102条の規定を根拠として当時の法律によって定められたものである。

　＊＊　たとえば，議員に立候補できる資格（被選挙権）の面でも，衆議院議員の方は25歳以上の有権者とされているのに対し，参議院議員の方は30歳以上の有権者だ，という違いがあるが，これは，公職選挙法で規定されていることであって（公選法10条1項），憲法自体で決まっていることではない。

(b)　参議院の選挙制度

①　選挙制度の仕組みの概要　　参議院の場合，議員の総定数のうち，約4割を全国単位の選挙区（日本全国が一つの選挙区とされる）で選出し，残りの議員を各都道府県単位の選挙区で選出するものとし，個々の有権者には，全国単位の選挙の方で行使するための投票権と，各都道府県単位の方の選挙で行使するための投票権という，2票分の投票権が与えられる。以上が参議院の選挙制度の基本的な骨格であり，この大まかな骨格そのものは，参議院のスタート時から一貫して変わっていない。

ただ，全国単位の選挙区の方については，次のような変遷を経ている。当初は，この選挙区の名称は「全国区」とされ，個々の候補者（個人）に投票する制度となっていた。個々の有権者は，「全国区」に立候補した候補者の中から当選させたいと思う人物を1名だけ選んで，これに投票する，という仕組みだったのである。この「全国区」の定数は100名であったが，参議院の場合は半数改

選制であるから，一度に改選されるのはその半分の50名であり，3年ごとの定期改選の際は定員50名という「**大選挙区制**」*の下で，選挙戦が行われるわけである。しかし，全国単位の選挙区は，1982年（昭和57年）の法改正によって，候補者個人に投票する制度から政党に投票する制度（比例代表制〔そのうちでも拘束名簿式・ドント式〕）に変更され，それに伴って，選挙区の名称も「全国区」から「比例代表区」へと改められた**。この「比例代表区」の制度がその後さらに，2000年の法改正によって，「拘束名簿式」から「非拘束名簿式」に変更されている（翌年の参議院選から実施，「非拘束名簿式」については97頁*参照）。

　　*　厳密にいえば，「大選挙区制」というより「大選挙区単記投票制」である（「単記投票制」―「連記投票制」の区別については，87頁*を見よ）。

　　**　参議院「比例代表区」の選挙に参加できる「政党」の資格については，公選法86条の3第1項に定められている。

　他方，各都道府県単位の選挙区は，要するに，各都道府県がちょうどそのまま一つの選挙区というもので，こちらについては，当初から現在まで一貫して，候補者個人に投票する制度となっている（個々の有権者は，その選挙区の立候補者の中から1名だけを選んでこれに投票する）。各選挙区に配分される議員定数は，選挙区によって違い，2～8名（ただし偶数名）の範囲（半数改選制なので，3年ごとの選挙の際に各選挙区で改選される定数は，結局1～4名）となっている。その際，定数配分については，どの都道府県でも3年ごとの改選時には選挙が実施されるように，各選挙区にまず最低2名ずつを割り当てることにしたうえで，"それに加えて，選挙区の人口にできるだけ比例させて議員定数を上積みしていく"というのが，スタート時の考え方であった。

　②　参議院の定数不均衡問題　　参議院の場合，全国単位の選挙区に関しては，（かつての「全国区」の場合であれ，現在の「比例代表区」の場合であれ）日本全国が一つの選挙区とされるのであるから，これについて「選挙区間の定数配分の不均衡」の問題はそもそも生じない。しかし，都道府県別の選挙区の方については，定数不均衡の問題が生じ得る。

　すでに述べたように，参議院制度がスタートした当時，都道府県別の各選挙区の定数は，人口比率を考慮して配分された（いわゆる「最大較差」〔人口較差〕は1対2.6程度であった）。ところが，参議院のスタート以来，都道府県別の各選挙区の定数配分は，沖縄復帰に伴い沖縄県選挙区の定員2名が追加された以

外は,(1994年まで) まったく変更されなかった(ちなみに,衆議院の場合については,その時点で最新の国勢調査の結果に照らして5年ごとに議員定数配分規定を見直す,という目標が公選法の別表自身の中で掲げられているのに対して,参議院の場合に関してはこのような規定は置かれていない)。そのため,ここでも衆議院の場合と同様,定数配分のアンバランスが指摘されてきたのである。こうして,スタート以来30年間そのまま放置されてきた参議院の都道府県選挙区の定数配分の合憲性が裁判で争われたのが,次に挙げるケースである。

> **判例❷ 参議院の議員定数不均衡の合憲性(その1)**——最高裁判所(大法廷) 昭和58年4月27日判決(民集37巻3号345頁)
> [事件] 昭和52年(1977年)7月10日に参議院議員の通常選挙(定期改選)が実施された。この選挙は,当時の公職選挙法で定める議員定数配分規定に従って実施されたが,この選挙の時点における《選挙区ごとの議員1人当たりの有権者数》の最大較差は,約1対5.26(最多は神奈川県選挙区の222万6926人,最小は鳥取県選挙区の42万3014人)に達していた。そこで,ある選挙区(大阪府選挙区)の有権者が"参議院の地方選出議員の定数配分規定は,憲法14条1項等に違反して無効であり,本件選挙は無効である"と主張して,選挙無効訴訟(公選法204条)を提起した。〈原審は請求棄却,上告棄却〉
> [裁判所の判断] 公職選挙法の定める参議院議員の選挙の仕組みの趣旨・目的については,憲法による二院制の採用を踏まえて,「参議院議員については,衆議院議員とはその選出方法を異ならせることによってその代表の実質的内容ないし機能に独特の要素を持たせようとする意図の下に」,参議院議員を全国選出議員と地方選出議員とに分けたのであり,その際,「都道府県が歴史的にも政治的,経済的,社会的にも独自の意義と実体を有し一つの政治的まとまりを有する単位としてとらえうることに照らし」,「参議院地方選出議員の選挙の仕組みについて事実上都道府県代表的な意義ないし機能を有する要素を加味」しようとしたもの,と解される。このような選挙制度の仕組みを採用することも,「合理性を欠くものとはいえず」,憲法上は許される。そして,そうだとすれば,この「選挙制度の仕組みの下では,投票価値の平等の要求は,……一定の譲歩,後退を免れない」。
> さらに,「参議院議員の任期を6年としていわゆる半数改選制を採用し,

> また，参議院については解散を認めないものとするなど憲法の定める二院制の本旨にかんがみると，参議院地方選出議員については，選挙区割や議員定数の配分をより長期にわたって固定し，国民の利害や意見を安定的に国会に反映させる機能をそれに持たせることとすることも，立法政策*として許容されると解されるところである」。
> 　以上の点を考えると，本件の場合は，選挙当時に「到底看過することができないと認められる程度の投票価値の著しい不平等状態」が生じていたとまではいえず，「許容限度を超えて違憲の問題が生ずる程度」にまで至っていたということはできない。

　＊　ここでいう「立法政策」とは，国会が立法をつくる際の政策的方針（として採用しうる選択肢の一つ），といったような意味である。

　このケースは，較差の程度という点でも，改正されずに放置されていた期間の長さという点でも，衆議院に関する昭和51年の違憲判決（→判例❶）のケースを上回っていた。にもかかわらず，最高裁はこれを合憲としたのであった。その理由として，"両院制の趣旨からいって，参議院に特色を持たせるためには，定数配分に際して人口比例主義を後退させることも許される"，"地方選出の参議院議員には都道府県の地区代表的な性格が事実上認められる"という点が挙げられているわけである。

　しかし，最高裁はその後の判決で，参議院の場合に関しても，許される定数較差にはやはり限度がある，とするに至っている。次のケースがそれである。

> **判例❸　参議院の議員定数不均衡の合憲性（その2）**——最高裁判所（大法廷）平成8年9月11日判決（民集50巻8号2283頁）
> ［事件］平成4年（1992年）7月26日に実施された参議院議員の通常選挙（定期改選）について提起された選挙無効訴訟。当時の議員定数配分規定では，参議院の（都道府県別の）選挙区間における《選挙区ごとの議員1人当たりの有権者数》の最大較差は，この選挙の時点で，約1対6.59（最少は鳥取県選挙区，最多は神奈川県選挙区）に達していた（なお，この訴訟が起こされてから最高裁の判決が下るまでの間に，参議院の〔都道府県別の〕選挙区の定数配分の是正が初めて行われており〔1994年〕，最高裁の判決が出た時点では，この訴訟で問題とされた定数配分規定はすでに改正されていたが，この訴訟での争点はあくまでも，改正前の旧規定に基づく

前回選挙が違憲・無効であったかどうかである）。〈原審はいわゆる事情判決，破棄自判（請求棄却）〉

［裁判所の判断］　1．参議院の場合における投票価値の不均衡の合憲性判定に関する一般論　　参議院の（都道府県別の）選挙区選出議員の選挙制度の下では，「投票価値の平等の要求は，……一定の譲歩を免れないと解さざるを得ない」。ただし，(ア)「到底看過することができないと認められる程度の著しい不平等状態」が生じていること，さらにそれに加えて，(イ)「それが相当期間継続して，このような不平等状態を是正する何らの措置も講じないことが，……国会の裁量的権限……の許される限界を超えると判断される場合」に該当すること〔つまり，不平等を是正する法改正のために国会に認められる，しかるべき猶予期間を過ぎてしまっていること〕，以上の2条件が充たされるときにかぎり，参議院の選挙区選出議員の定数配分規定も，憲法違反となることがある。「以上は，昭和58年大法廷判決〔＝判例❷〕の趣旨とするところでもある。」

　2．本件選挙当時の不均衡の許容性　　そこで，まず(ア)の点について検討すると，本件選挙当時，選挙区間における議員1人当たりの有権者数の最大較差は1対6.59に達していたというのであり，この「較差が示す選挙区間における投票価値の不平等は，極めて大きなものといわざるを得ない」。たしかに，「参議院（選挙区選出）議員の全体の定数を増減しないまま選挙区間における議員1人当たりの選挙人数〔＝有権者数〕の較差の是正を図ることには技術的な限界がある」が，しかしながら，現に，本件選挙後に行われた公職選挙法の改正（平成6年）では，総定数を変えることなく選挙区間の定数を配分し直したことによって，議員1人当たりの有権者数の最大較差は1対5を切るところまで緩和されている〔つまり，較差の是正がまったく不可能というわけではない〕。

　そうすると，「参議院（選挙区選出）議員の選挙制度の仕組み，是正の技術的限界，参議院議員のうち比例代表選出議員の選挙については各選挙人の投票価値に何らの差異もないこと等を考慮しても」，本件選挙当時の投票価値の不平等は，「もはや到底看過することができないと認められる程度」の「著しい不平等状態」に達していたといわざるを得ない。

　3．「相当期間」論　　しかしながら，これだけでは，本件選挙当時に本件の議員定数配分規定が違憲になっていた，とは断言できない。そのようにいうには，さきの(イ)の条件も充たされていることが必要である。

　そこで(イ)の点について検討すると，次の点を指摘できる。(i)参議院の議員の任期の長さ・半数改選制・解散制度の不存在といった点から考えて，

> 「参議院（選挙区選出）議員については，議員定数の配分をより長期にわたって固定」するのも，「立法政策として合理性を有する」こと。(ⅱ)投票価値の不平等が「到底看過することができないと認められる程度」に達していたかどうかの判定は，そもそも困難なものであること。(ⅲ)投票価値の不平等を是正しようとする場合にも，法律をどのような形で改正すべきかについて，種々の議論が必要となること。(ⅳ)本件選挙の時点までには，参議院議員の定数配分規定について，投票価値の不平等がもはや許容限度を超えている，という判断を最高裁が示したことはなかったこと。
>
> 　以上の(ⅰ)～(ⅳ)の点を考慮すれば，(イ)の条件が充たされていたとはいえない。結局，「本件選挙当時において本件定数配分規定が憲法に違反するに至っていたものと断ずることはできない」。

　ここでも最高裁は，衆議院の問題を扱った場合と同様に，議員定数配分規定の合憲性について，〈投票価値の最大較差〉―〈法改正のためのしかるべき猶予期間〉という二段構えの審査手順を用いている。同時に最高裁は，参議院の場合についても，許容される最大較差に関するはっきりした数値的基準を示してはいない。最高裁の一連の判決からすると，参議院に関しては，どうやら1対6くらいが目安とされているのではないか，という推測も成り立ちうるように見えるが*，定かではない。

　　*　判例❷以降，最高裁は，参議院の定数不均衡の最大較差（有権者数の較差）が1対5.37であった（1980年選挙当時の）ケース，1対5.56であった（1983年選挙当時の）ケース，1対5.85であった（1986年選挙当時の）ケースのいずれについても，較差は憲法の許容範囲内だ，としている。また，判例❸より後の判決でも，1対4.97（1995年選挙当時）・1対4.98（1998年選挙当時）の各ケースについて，最高裁は，許容範囲内の較差だとしている。

　なお，判例❸の中でもふれられていたように，参議院の定数配分についても，ようやく1994年（平成6年）になって部分的な改正が行われ，翌95年7月の参議院選挙では，最大較差（有権者数の較差）は1対4.97にまで縮まった。さらに2000年にも部分的改正がはかられたが，その後また較差は少し広がっており，2002年9月2日現在のデータでは，最大較差（有権者数の較差）は1対5.10になっている。

3　違憲立法審査制

"議会の可決を経て成立した立法が憲法に違反する（したがって，法的効力を持たない）かどうかについて審査・判定する権限を，独立した裁判所（またはこれに準ずる独立の機関）に与える"――この節のはじめにもふれたように，こうした制度を「**違憲立法審査制**」というのであった。以下では，この制度について説明していく。

（**1**）　歴史的展開

（a）　ヨーロッパにおける一般的展開　　まず，違憲立法審査制の（近代以降における）歴史的展開を簡単にみておこう。

近代に入ってから19世紀の終わりまでは，ヨーロッパの多くの国が違憲立法審査制を持ってはいなかった。18世紀末以来，ヨーロッパでは，議会こそが権利保障の担い手だ，と見なされる傾向にあった。すなわちそこでは，"選挙された議会こそが民意の代表者として，市民に自由と平等をもたらす存在なのだ"と考えられた。こうして，"国民の権利・自由に対する制限は，議会の可決した法律によらない限り許されないが，同時に，議会の立法によりさえすれば可能なのだ"という考え方が強い影響力をもっていたのである。

これに対し，第1次世界大戦後になると，ヨーロッパにも違憲立法審査制を採用する国がいくつか登場してくるが，この制度がヨーロッパにおいて本格的に普及し確立するようになったのは，第2次世界大戦後のことである。その背景は国によっても違うが，主な理由としては，法と裁判を通じて政治権力への歯止めを強化するため，また，憲法の定める権力分立制・少数派保護制度などをより確実なものにするため，政治的に中立の「憲法の番人」が必要だと考えられるようになった，という事情が挙げられよう。とくに，第2次大戦前のイタリア・ドイツでは議会・国民投票が独裁政権に承認を与えた，という経緯があり，"政治権力による人権無視を防ぐには，議会あるいは選挙・投票の力だけでは不十分だ"ということが認識されるようになった。こうして，現在ではヨーロッパの多くの国が違憲立法審査制をとっているのである。

（b）　異なる展開パターン　　ヨーロッパにおいて違憲立法審査制がどのような歴史的展開をたどってきたか，その一般的な構図を大まかに描けば上述のようになる。しかし，これとは異なる歴史的展開を見せている国もある。

①　イギリス　　まず，その重要な例としてイギリスが挙げられる。という

のも，現在では，ヨーロッパの多くの国が違憲立法審査制をとっているのに対し，主要な欧米諸国のうちでも，この制度を今日なお採用していないのがイギリスなのである。イギリスでは，ふつうの法律（議会立法）よりも上位に立つ法典としての《憲法》がそもそも制定されていない（この国では多くの面で不文律が憲法の役割を果たしている）。それに加えて，この国では"主権は議会にある"とされてきたので，主権者である議会の決定を裁判所が覆すことはできない，と考えられてきたのである。

② アメリカ　他方，ヨーロッパからアメリカへと目を転じてみると，アメリカ合衆国における違憲立法審査制の展開は，ヨーロッパにおける一般的なそれとは異なっている。

違憲立法審査制が採用されたのは，ヨーロッパの多くの国では比較的最近のことであるのに対して，アメリカ合衆国では早くも19世紀初頭のことであった（合衆国憲法には裁判所の違憲立法審査権を明示的に定めた条文はないが，裁判所自身が憲法の解釈を通じて自らの違憲立法審査権を確立させるに至った）。このようにアメリカで早くから違憲立法審査制が発達した背景にも，様々な事情がある。まず第1に，もともとアメリカでは，"裁判所の宣言する法こそ議会制定法に優る高次の法である"という考え方が大きな影響力をもっていた。第2に，そのことに加えて，連邦制国家としての特質を指摘できる。すなわち，アメリカ合衆国は連邦制国家（そこでは，全体としての「連邦」を構成する一つ一つの「州」が独自の統治権を持つ）であり，州の管轄権を確実なものにするため，憲法で連邦の管轄権に制限を加えている。それでも，連邦議会の制定した法律が（憲法上の）連邦の管轄範囲内といえるかどうか，憲法の解釈が分かれることもある。そのことに伴う紛争を裁くシステムとして，違憲立法審査制が必要とされたのだ，といえよう。

(2) 基本類型とその比較

こうして今日では，欧米をはじめとしてかなりの数の国々で違憲立法審査制が採用されるに至っている（この制度は欧米以外の諸国にも広まっている）。しかし，ひとくちに違憲立法審査制といっても，制度の具体的な仕組みは国によって違っている。この点，諸外国の例をみると，大きく分ければ二つのタイプに区別できよう。すなわち，**司法裁判所型**（アメリカなど）と**憲法裁判所型**（ドイツ・オーストリアなど）である。以下では，この両者を3点にわたって対比して

みよう*。

> * 以下の説明は，あくまでも基本モデルに関するものであって，実際には，二つの基本モデルの中間的な形態ともいうべき制度の仕組みをとる国も，もちろんある。しかし，ここではその点には立ち入らない。

① **審査権の主体**　まず審査権の主体(担い手)という点からみると，司法裁判所型が，司法権を持つ裁判所のすべてに審査権を与えているシステムであるのに対して，憲法裁判所型は，特別に設置された憲法裁判所に審査権を集中・独占させているシステムである。その意味で，司法裁判所型は「**非集中型**」，憲法裁判所型は「**集中型**」と呼ばれる。

② **審査の方式**　審査の方式に関しては，司法裁判所型が付随的審査の方式であるのに対して，憲法裁判所型は抽象的審査の方式をとり入れている，という違いがある。

「**付随的審査**」とは，(i)《訴訟当事者（裁判所における裁判手続の当事者）自身の明確な具体的利害（当人の権利・利益）に関わる紛争・事件》の裁判に際して，(ii)そのケースの裁判の結論を決める前提としての必要に応じて，(iii)当の紛争・事件に適用されるべき立法の合憲性（憲法適合性）を審査する，という方式である（個々の具体的ケースの解決に付随して行われる審査であるところから「付随的」審査と呼ばれる）。

これに対し「**抽象的審査**」とは，"（前述のような意味での）個々の具体的な紛争・事件とは無関係に，立法の合憲性をそれ自体として直接に審査の対象とする"という方式である（具体的ケースの解決とは無関係に——その意味で抽象的に——行われる審査であるため，「抽象的」審査と呼ぶわけである）。

すなわち，付随的審査の方式では，(前述のような意味での) 具体的な紛争・事件が前提になっていなければ，裁判所は審査権を発動できないことになる。別の言い方をすれば，ある問題について具体的な個人的利害関係のない者には，その件に関して裁判所の違憲審査を求める権利はない。それに対し，抽象的審査の方式では，一定の国家機関には（具体的な紛争・事件とは無関係に）法律の合憲性の審査を求める申し立て権が認められるのである（その例としてドイツの例を〈**参考条文**〉に挙げておく）。

〈**参考条文**〉　ドイツ連邦共和国基本法93条（抄）　①　連邦憲法裁判所は，次の場合に裁判する。

2　連邦法もしくは州法とこの基本法との形式上および内容上の適合性，または州法とその他の連邦法との適合性に関する見解の相違もしくは疑義が存する場合で，連邦政府，州政府または連邦議会議員の3分の1の申し立てがあったとき。

③　**違憲判決の効力**　さらに，裁判所がある法律の規定を違憲と判定した場合，その違憲判決の効力という点でも，司法裁判所型と憲法裁判所型との間には違いがある。すなわち，司法裁判所型では，問題の規定はその具体的ケースには適用されないことになるが，違憲判決が下されたからといって，その法律の規定そのものが正式に廃止されるわけではない（個々のケースごとにその法律の適用が除外されるにとどまる）。それに対して憲法裁判所型では，違憲判決は，その法律の規定自体を廃止する効力を持つのである（その規定自体が一般的に無効となる）。このため，違憲判決の効力について，司法裁判所型の場合は個別的効力，憲法裁判所型の場合は一般的効力と言われる。

(3)　**わが国の違憲立法審査権の性格**

(a)　**問題の所在**　旧憲法には違憲立法審査制に関する規定はなかったし，実際の運用上も違憲立法審査制は行われなかった。これに対し，日本国憲法81条は明文で最高裁判所に違憲立法審査権を与えている（条文は各自確認してみよう）。けれども，この条文はあまり詳しい規定とはいえない。これは一見，憲法裁判所型の抽象的審査を認めているようにも読めないことはないが，審査の方式を必ずしも明確に規定しているわけではない。この点，憲法制定の過程で政府側は，81条は抽象的審査を定める趣旨ではない，と説明していた。そして実際上も，憲法施行後においては，司法裁判所型の制度としてスタートしたのである。

(b)　**警察予備隊違憲訴訟**　そのようななかで，日本国憲法における違憲立法審査制の性格を真正面から問題としたのが，警察予備隊違憲訴訟である。

判例❹　警察予備隊違憲訴訟——最高裁判所（大法廷）昭和27年10月8日判決（民集6巻9号783頁）

［事件］　1950年6月に朝鮮戦争が発生した。当時日本はまだ連合国の占領を受けていたが，この戦争をきっかけとして，連合国軍最高司令官マッカーサーは，警察予備隊の設置を日本政府に指示した。これは，在日米軍の朝鮮半島出動に伴う日本国内の軍事力・治安維持能力の空白を穴埋めさ

せることをねらいとしていた。これに従って，同年8月に警察予備隊が設置されたが，予備隊は「警察力を補うため」のものとされていたものの，実態からいうと部隊の性格・規模はむしろ軍事力に近いものであった*。そこで，予備隊は憲法9条の禁ずる「戦力」に当たる，という立場から，日本社会党（当時）を代表して同党委員長の鈴木茂三郎(もさぶろう)衆議院議員が原告（訴訟を起こす人）となり，国を被告（裁判所に訴えられる側）として，国が昭和26（1952）年4月1日以降になした警察予備隊の設置・維持に関する一切の行為が無効であることの確認を求める訴えを，最高裁に直接提起した。

［裁判における争点］ 本件では，予備隊の合憲性という問題の以前に，そもそも次のことが問題になる。つまり本件では，予備隊の設置・維持によって，原告が個人として明確な具体的実害を受けた，というのではない。よって，憲法81条の定める違憲立法審査制がかりに司法裁判所型のそれであるとすれば，本件は（前述のような意味での）具体的紛争には当たらないのであるから，原告には違憲審査を求める権利はないことになる。それに対して，原告は，"憲法81条では憲法裁判所型の抽象的審査を認めており，具体的な訴訟・事件においてでなくとも，違憲の法令・処分の効力を直接争えるのだ"という解釈を主張して，訴訟を起こしたわけである。

［裁判所の判断］「わが裁判所が現行の制度上与えられているのは司法権を行う権限であり，そして司法権が発動するためには具体的な争訟(そうしょう)事件が提起されることを必要とする。我が裁判所は具体的な争訟事件が提起されないのに将来を予想して憲法及びその他の法律命令等の解釈に対し存在する疑義論争に関し抽象的な判断を下すごとき権限を行い得るものではない。けだし最高裁判所は法律命令等に関し違憲審査権を有するが，この権限は司法権の範囲内において行使されるものであり，この点においては最高裁判所と下級裁判所との間に異るところはない。」「わが現行制度の下においては，特定の者の具体的な法律関係**につき紛争の存する場合においてのみ裁判所にその判断を求めることができるのであり，裁判所がかような具体的事件を離れて抽象的に法律命令等の合憲性を判断する権限を有するとの見解には，憲法上及び法令上何等(なんら)の根拠も存しない。」

＊ なお，対日講和条約の発効（1952年4月28日）をもって，連合国による日本占領は終了したが，その後，警察予備隊は「保安隊」に改組（1952年10月），さらに保安隊は「自衛隊」として再編成された（1954年7月）。

＊＊　「法律関係」とは，法的な権利・義務という点からみた（人と人との間の）関係を意味する。

　この判決が述べていることのポイントは，2点ある。すなわち第1に，審査の方式として認められているのは，抽象的審査ではなく付随的審査だけだ，とした点である。最高裁は，まずもって「違憲立法審査権は司法権の範囲内に限定される」という立場をとったうえで，伝統的な理解からいって，司法とは，具体的な紛争・事件の裁判のことにほかならない，というのである。第2に，下級裁判所にも違憲立法審査権はある，として，非集中型の制度であることを明らかにした点である。以上のように，本判決は，わが国の違憲立法審査制が司法裁判所型のそれであることを明確にしたのである。こうして最高裁は結局，本件では審査権発動の条件がそもそも充たされていないとして，予備隊の設置・維持が合憲か違憲かの判定には一切立ち入らず，いわゆる「門前払い」としたのであった。

　(c)　判例の趣旨と学界の反応　　いまみたような最高裁の判断の基礎になっている考え方は，単純化していえば，次のように説明できよう。

　すなわち，"憲法裁判所型の抽象的審査方式を認めると，数多くの違憲立法審査の申し立てが最高裁に直接持ち込まれやすくなる。その場合，最高裁に権力が集中することとなろう。このように考えると，抽象的審査権は重大な権限であり，これを最高裁に認めるかどうかは大きな違いである。それだけに，抽象的審査の方式は，もし採用するのであれば，憲法の明文の規定で定めてしかるべきものであり，現に，憲法裁判所型の制度をとる国では，この審査方式について，憲法の規定自体で詳しく定めている。ところが，それほど重要なはずの制度について，日本国憲法にははっきりした規定が見当たらない以上，単なる解釈によってそれを認めるわけにはいかない。"

　そして，憲法学界においても，多数の学者が，やはりほぼ同様の理由から，違憲立法審査権の性格については，この最高裁の判決の立場を支持してきた。こうして，わが国の違憲立法審査制は司法裁判所型に当たるものとして運用されてきているのである。

　(4)　違憲審査の対象と統治行為
　(a)　問題の所在　　今日における《法に基づく統治》の原則の下では，政府による決定の合法性が裁判所で審査される余地がなくてはならない。しかし，

欧米の国々では，裁判所自身が判例を通じて，この原則に対する例外をも認めてきた（例，アメリカ・フランス）。つまり，特定のタイプの政府決定については，例外的に，そもそも裁判所の審査の対象外だ，とされてきたのである。その例外とは，たとえば，国家の安全・存立にかかわるような政治的決定，外交関係上の政治的決定，などである。このように，"国家統治上の高度に政治的な決定行為で，裁判所の審査権の及ばないもの"を，学者はまとめて「**統治行為**」という用語で呼んできた。

「統治行為」には裁判所の審査権は及ばないとする理論（＝「統治行為の理論」）は，次のような発想に基づいている。すなわち，「統治行為」のような政治的決定の合法性があとから裁判で否定されると，重大な混乱を招く。また，これらの決定は，内外の複雑な情勢への対処として下されるもので，その評価も，総合的な政治判断を抜きにしては論じられない。さらに，このようなタイプの決定についてまで，裁判所で最終的に白黒を着けるべきものとするのでは，裁判官の権力はあまりにも強大なものになる。以上のような理由から，高度に政治的な決定については，かりに問題点があったとしても，裁判でチェックするのではなく，むしろ政治的展開のなかで解決していくべきだ，とされるのである。

さて，わが国については，憲法81条が明文で違憲立法審査制を定めている（条文は各自もう一度確かめてみよう）。そして，一般的理解によれば，81条の趣旨は，違憲審査の対象を幅広く認めようとするもので，同条の挙げている対象も厳格に狭くとらえるべきではない，とされている。しかし，同時にその反面では，さきにふれたような外国の判例を参考としながら，"「統治行為」については暗黙の例外とみなすべきではないのか"ということも，憲法制定の当初から議論されてきたのであった。

(b) 判例の展開　　そのようななかで，最高裁の判例にも，「統治行為の理論」の実質的な採用（あるいはその強い影響）をうかがわせるものが現れる。以下ではそれをみていこう。

① 日米安全保障条約の締結と砂川事件　　さきにもふれたように，「統治行為」の代表例とされるのは，「国家の安全・存立にかかわるような政治的決定」や「外交関係上の政治的決定」であるが，判例上まず問題となったのも，日米安全保障条約に裁判所の審査権が及ぶか，という点であった。

判例❺　砂川事件判決——最高裁判所（大法廷）昭和34年12月16日判決（刑集13巻13号3225頁）

［事件］1958年（昭和32年）当時，日米安全保障条約（およびこれに基づく日米行政協定）に基づいてわが国に駐留していたアメリカ空軍は，東京都砂川町（当時）所在の立川飛行場を使用していたが，わが国の政府の機関（東京調達局）は同年7月8日，この飛行場の米軍使用スペースを拡張するために土地の測量を開始した。その際，これに反対するデモ隊の一部が，立入禁止の境界柵を破壊したうえ，約1時間にわたり，立入禁止の米軍使用区域に4～5メートルほど立ち入ったため，この行為が，いわゆる刑事特別法第2条（後掲〈関連条文〉）の罪に該当するとして，起訴された*。

これに対して被告人となったデモ隊員らの側は，"日米安保条約は米軍駐留を許しているが，これは「戦力の保持」を禁ずる憲法9条に反する"，"安保条約が違憲である以上，それを前提として定められた刑事特別法も無効だ"，"刑事特別法が無効である以上，自分たちは無罪だ"と主張した。
〈1審無罪，跳躍上告→破棄差戻〉

《関連条文》日本国とアメリカ合衆国との間の安全保障条約第3条に基づく行政協定に伴う刑事特別法第2条（抄）　正当な理由がないのに，合衆国軍隊が使用する施設又は区域……であって入ることを禁じた場所に入り，又は要求を受けてその場所から退去しない者は，1年以下の懲役又は2千円以下の罰金若しくは科料に処する。

［裁判所の判断］　1．安保条約と裁判所の審査権　「本件安全保障条約は，……主権国としてのわが国の存立の基礎に極めて重大な関係をもつ高度の政治性を有するものというべきであって，その内容が違憲なりや否やの法的判断は，その条約を締結した内閣およびこれを承認した国会の高度の政治的ないし自由裁量的**判断と表裏をなす点がすくなくない。それゆえ，右違憲なりや否やの法的判断は，純司法的機能をその使命とする司法裁判所の審査には，原則としてなじまない性質のものであり，従って，一見極めて明白に違憲無効と認められない限りは，裁判所の司法審査権の範囲外のものであって，それは第一次的には，右条約の締結権を有する内閣およびこれに対して承認権を有する国会の判断に従うべく，終局的には，主権を有する国民の政治的批判に委ねらるべきものであると解するを相当とする。」

2．安保条約は一見明白に違憲か　そこで，安保条約・これを根拠と

> する日米行政協定に基づく米軍の駐留が「一見極めて明白に違憲無効」と
> いえるかどうかを検討すると、駐留米軍は、「外国軍隊であって、わが国自
> 体の戦力でないことはもちろん、これに対する指揮権、管理権は、すべて
> アメリカ合衆国に存し、わが国がその主体となってあだかも自国の軍隊に
> 対すると同様の指揮権、管理権を有するものでないことが明らかである。」
> さらに、駐留米軍は、「同条約の前文に示された趣旨において駐留するもの
> で」、同条約の趣旨・目的は、「専らわが国およびわが国を含めた極東の平
> 和と安全を維持し、再び戦争の惨禍が起らないようにすることに存し、わ
> が国がその駐留を許容したのは、わが国の防衛力の不足を、平和を愛好す
> る諸国民の公正と信義に信頼して補おうとしたものに外ならない。」「果た
> してしからば、かようなアメリカ合衆国軍隊の駐留は、憲法9条、98条2
> 項および前文の趣旨に適合こそすれ、これらの条章に反して違憲無効であ
> ることが一見極めて明白であるとは、到底認められない。」よって、裁判
> 所としては、米軍の駐留が憲法違反であるとの前提に立つことはできず、
> そうである以上、そのような前提に立って本件刑事特別法を違憲無効とす
> る判断をすることもできない。

* 日米安全保障条約は1960年（昭和35年）に改定されている。ここで取り上げた事件は条約改定前のものであり、〈関連条文〉として引用した刑事特別法も旧安保条約下のもので、現行法とは異なる。
** 「自由裁量」とは、政策・決定を具体化する際に認められる自由な評価（ないし選択）の余地、といった意味である。

このように最高裁によれば、日米安保条約には、司法審査権（裁判所の審査権）はおよばない、というのである。ここでは、「統治行為」という用語は使われていないものの、実質的には「統治行為の理論」的な発想の強い影響がうかがわれるだろう。ただ、この判決では一般論として、"高度に政治的な決定でも「一見極めて明白に違憲無効」だといえるのであれば、例外的に、裁判所の審査権が及ぶ"としており（そのうえで、結論的には、安保条約が「一見極めて明白に違憲無効」とは断定できない、とされたのだが）、"高度に政治的な決定であるかぎり、裁判所の審査権はそれには一切およばない"という、徹底した「統治行為の理論」とはいえない面がある。

② 衆議院解散と苫米地事件　さらにまた、国会‐政府の関係・その後の政治過程の行方を大きく左右するような政治的決定も、「統治行為」に当たると

されることがある。衆議院解散の決定(「解散」については本節1の(viii)～(x)参照)がその例である。

> **判例❻ 苫米地事件判決**——最高裁判所(大法廷)昭和35年6月8日判決(民集14巻7号1206頁)
>
> [事件] 昭和27(1952)年8月,第3次吉田茂内閣の決定によって衆議院の解散が行われた。この解散によって衆議院議員としての地位を失った,野党(民主党)所属の苫米地義三は,この解散の違憲・無効を主張し,国を被告として,議員としての地位の確認と任期満了までの歳費(議員としての年俸)の支払いを求めて出訴した。原告の主張は,(ア)憲法上,解散を行えるのは憲法69条所定の場合に限られると解されるにもかかわらず,本件解散はその場合に該当しない,(イ)天皇の解散行為には,内閣全員一致の閣議決定に基づく内閣の助言と承認(憲法3条・7条参照)が必要であると解されるにもかかわらず,本件では,天皇に助言するための全閣僚一致の閣議決定が事前に行われたとはいえない(内閣のメンバーのうちに決定を事前に知らされていなかった者もいた)——というものであった。〈1審＝請求認容,2審＝請求棄却,上告棄却〉
>
> [裁判所の判断] 「直接国家統治の基本に関する高度に政治性のある国家行為のごときは……裁判所の審査の外にあり,その判断は主権者たる国民に対して政治的責任を負うところの政府,国会等の政治部門の判断に委され,最終的には国民の政治判断に委ねられているものと解すべきである。この司法権に対する制約は,結局,三権分立の原理に由来し,……特定の明文による規定はないけれども,司法権の憲法上の本質に内在する制約と理解すべきである。」「衆議院の解散は,極めて政治性の高い国家統治の基本に関する行為であって,かくのごとき行為について,その法律上の有効無効を審査することは司法裁判所の権限の外」にあると解すべきである。

この判決にも「統治行為」の用語は登場しないが,実質的には「統治行為の理論」の考え方を採用したものと見てよかろう。なお,砂川事件判決では,高度に政治的な決定について,"原則としては裁判所による審査の対象にはならないが,「一見明白に違憲無効」の場合には例外的に審査が容認されうる"としていたのに対して,本判決では,なぜか,そのような例外の余地を認めている部分はない。

(c) 学界の反応　以上が判例であるが,それに対して最近の憲法学界では,

第3節　統治機構と違憲立法審査制　119

次のような見解が主流であるといえよう。すなわち，"一般論としては，「統治行為の理論」という考え方は認める。しかし，憲法問題の多くはそれなりに「政治性の高い」問題だから，「高度に政治的な決定」だというだけで安易に「統治行為」とみなしてしまうと，違憲立法審査制が空洞化してしまう。だから，「統治行為」の範囲は狭く限定する必要がある。たとえば，基本的人権に対する重大な侵害の疑い（過度に厳しい刑罰など）が問題となっている事件では，高度に政治的な決定についても，司法審査を行って人権の救済を行うべきである。"──こういう主張が学者の間では主流になってきているのである。

なお，自衛隊の設置・維持については，最高裁は今日に至るまで，違憲か合憲かの判断を下していないだけでなく，統治行為だともしておらず，自衛隊の憲法適合性は判例では未決着のままだ，ということも付け加えておく。

(5)　憲法判断回避の準則

(a)　準則の内容　　すでに説明したとおり，わが国の違憲立法審査制は司法裁判所型の制度で，そこでは審査の方式としては，付随的審査の制度がとられているのであった。そして，付随的審査制とは，あくまでも具体的なケースについて，そのケースの裁判の結論を決める前提としての必要に応じて行われる審査なのであった（参照，本節3(2)・(3)）。

そこでたとえば，ある法律の規定が合憲かどうかが裁判で争われる場合に，その規定が合憲・違憲のどちらであると仮定しても，そのケースの裁判の結論には変わりがないのであれば，その規定が合憲かどうかの判断（憲法判断）をあえて下す必要はない，ということになる。このルールが「**憲法判断回避の準則**」と呼ばれるものである（念のため断わっておけば，「憲法判断」とは違憲判断・合憲判断の両方を含む用語である）。このルールは，"裁判所がいったん「憲法の内容はこうだ」と判定すれば，その影響は大きい。そこで，違憲立法審査権は重大な権限だから，できるだけ慎重に行使すべきだ"という考え方に基づくものといえよう。

(b)　判例　　そこで次に，この準則が問題になった裁判例をみておこう。その代表例は恵庭事件判決（札幌地方裁判所の判決）である。

　　判例❼　恵庭事件判決──札幌地方裁判所昭和42年3月29日判決（下刑集9巻3号359頁）

[事件] 北海道恵庭町（当時）にある陸上自衛隊島松演習場の付近で酪農を営むY₁・Y₂らは，爆音等によって損害（乳牛の早流産・乳量の減少等）を受けていたが，これについて"牧場との境界線付近での射撃に際しては自衛隊から付近住民に事前連絡をする"という申し合わせが成立した。ところが，1962（昭和37）年12月11日，付近農民には何の連絡もなしに砲撃訓練が開始されたため，Y₁・Y₂は現場に行って抗議したが，なおも射撃が続行されたので，射撃命令伝達等の連絡用の通信線（野外電話線）をペンチで切断した。このため，Y₁・Y₂の両名は自衛隊法第121条の罪を問われて起訴された。これに対し，被告人となったY₁・Y₂は，"自衛隊そのものが憲法9条に違反する存在であり，自衛隊法全般が違憲・無効であるから，自分たちは無罪だ"と主張した。

《関連条文》 自衛隊法第121条 　自衛隊の所有し，又は使用する武器，弾薬，航空機その他の防衛の用に供する物を損壊し，又は傷害した者は，5年以下の懲役又は5万円以下の罰金に処する。

[裁判所の判断] 　刑罰法規の解釈に当たっては，刑罰権の濫用を厳しく警戒することが必要であるから，本件の罰則にある「その他の防衛の用に供する物」という，抽象的・多義的な文言は制限的に解釈されなければならない。

そうすると，自衛隊法121条が，まず「武器，弾薬，航空機」を「防衛の用に供する物」の具体例として挙げていることとの関係から考えて，同条にいう「その他の防衛の用に供する物」とは，「これら例示物件とのあいだで，法的に，ほとんどこれと同列に評価しうる程度の密接かつ高度な類似性の認められる物件」のみを指しているものと解すべきである。具体的には，(ア)「自衛隊の対外的武力活動に直接かつ高度の必要性と重要な意義をもつ機能的属性を有する」，(イ)「自衛隊の物的組織の一環を構成するうえで不可欠にちかいだけの枢要性をそなえている」，(ウ)「規模・構造等の点で損壊行為により深刻な影響のもたらされる危険が大きい」，といった一連の特色をそなえている物件のみを指すものと解すべきである。しかし，被告人らが切断した電話通信線が，(ア)〜(ウ)のような特色をそなえているかどうかについては，「多くの実質的疑問が存し，かつ，このように……実質的な疑問をさしはさむ理由があるばあいには，……『その他の防衛の用に供する物』に該当しないものというのが相当である。」

ところで，「弁護人らは，……自衛隊法全般ないし自衛隊等の違憲性を強く主張しているが，およそ，裁判所が一定の立法なりその他の国家行為について違憲審査権を行使しうるのは，具体的な法律上の争訟の裁判にお

> いてのみであるとともに，具体的争訟の裁判に必要な限度にかぎられることはいうまでもない。このことを，本件のごとき刑事事件にそくしていうならば，当該(とうがい)事件の裁判の主文の判断に直接かつ絶対に必要なばあいにだけ，立法その他の国家行為の憲法適否に関する審査決定をなすべきことを意味する。」
>
> そうだとすれば，本件では，「被告人両名の行為について，自衛隊法121条の構成要件〔＝犯罪行為類型〕に該当しないとの結論に達した以上，もはや弁護人ら指摘の憲法問題に関し，なんらの判断をおこなう必要がないのみならず，これをおこなうべきでもないのである。」

　この判決が述べているのは，"Y₁・Y₂の側は自衛隊法全体が違憲だと主張しているが，本件と直接関係があるのは同法121条の罰則だけである。そして，この121条が違憲だとすれば，被告人らはもちろん無罪ということになるが，たとえこの規定が合憲だと仮定しても，本件に関しては，やはり無罪の結論になることには変わりがない。よって，このケースでは，裁判の結論を決めるに当たって，憲法判断に踏み込む必要は一切ない"ということである（なお，この第1審判決に対して検察側は上訴(じょうそ)〔上位の裁判所への不服の申立て〕を見送り，結局第1審で無罪が確定した。そのため，本件に関する最高裁の判断は下されるに至らなかった）。

　なお，恵庭事件に関する札幌地裁の判決は，"裁判所が憲法判断できるのは裁判の結論を決めるのに「絶対必要」なときだけに限る"としているが，憲法学界では，「憲法判断回避の準則」を原則として肯定したうえで，"裁判の結論を決めるのに絶対不可欠とはいえないときでも，事件の重大性・問題となっている権利の性質などに照らして，憲法判断に踏み込むことが許される場合もある"というように，この準則に対する一定の例外を認める見解が有力である。

第3章 民 法

第1節 市民法の原理

はじめに

私法領域の核となり，私たちの社会生活を規律している民法という法律の中心思想（指導原理）である「自由・平等と公共の福祉」，およびその具体的な三原則（**市民法の原理**）である私的自治の原則（**契約自由の原則**），私有財産の絶対，過失責任の原則（**自己責任の原則**）と，公共の福祉によるそれらの修正を理解する。

1 民法の指導原理

民法という語句は，最初に開成学校の津田真道博士がオランダ語の「ヴュルゲルリーク・レグト」を，その後，箕作麟祥博士がフランス語の「**コード・シヴィル**」を，それぞれ「民法」と翻訳したことによる。これらは共にローマ法に由来し「市民の法」の意味を持つものである。この翻訳の由来から「民法」とは，すなわち「市民法」のことである。

(1) 民法の指導原理

民法の指導原理とは，実質的意義の民法という法領域が有する法運用上の目標の敷衍原理のことで，公共の福祉という理念によって浄化（修正）される関係で「自由・平等と公共の福祉」であるといえる。これは公法が「命令と服従」を指導原理にすることに対するものである。

換言すれば，民法上の権利は，公共の福祉を斟酌し，信義則に則り，濫用することなく行使しなければならない（民1条）。しかも，民法は個人の尊厳と両性の本質的平等とを旨としてこれを解釈すべし（民1条ノ2）として，公共の福祉を斟酌しなければならないが，個人の行動は原則的に自由で，その権利行使は平等であることを民法典上に具体的に明記していることから「自由平等と公

共の福祉」以外のなにものでもないのである。

自由・平等とは換言すれば個人尊重の原理であり、民法の身分法分野に強い影響を与え、公共の福祉は民法の財産法の分野に強い影響を与えている。公共の福祉は本来公法上の指導原理であるが、個人尊重の原理を抑制し、自由・平等との調和のために民法に取り入れられたものである。

これらは、これまでに認められていた私的自治の原則（個人尊重の原理の発現）と公序良俗の原則（公共の福祉の発現）の上に、昭和22年の民法改正で、民主主義思想を法律に反映した憲法12条（自由と権利の保障、その濫用禁止）、同13条（個人の尊重、公共の福祉に反しない生命・自由・幸福追求権の尊重）、同14条（法の下の平等）、同22条（公共の福祉に反しない居住・移転・職業選択の自由、国籍離脱の自由）、同24条（両性の合意に基づく婚姻、家族生活での個人の尊厳）、同25条（国民の生存権）、同29条（財産権の不可侵、私有財産の正当な補償による公共への転用）等を受け、「自由平等」思想の一層の充実のために付加されたものである。

(2) 民法指導原理の具体的な原則（市民法の原理）

自由主義国家またはその近代市民社会での民法（市民法）の特徴は、個人を封建制度から解放し、一個の平等な天賦人権を有する人格者にしたことと、経済活動を原則として個人の自由にしたことである。この市民社会生活における民法の具体的な指導原理は次の三原則で表される。したがって、これを市民法の原理（または個人主義法則の三原則）ともいう。

(a) 私的自治の原則（契約自由の原則または法律行為自由の原則）　この原則の意味は、近代民主主義国家では、公序良俗に反しない限り、本来、個人は、国家という公権力に干渉されることなく、自由に意思を決定し、行動し、責任を取ることができるという意味である。したがって、経済活動においても、原則として個人が自由に行えるから、各人はそれぞれ平等に権利と義務を持ち、各人は所有物を自由に支配し、処分できるのである。

具体的に例示すれば、他人との契約は原則として自由であり（契約自由の原則）、経済活動を含め総ての法律行為を国家が特別に制限していない限り原則として自由に行うことができる（**法律行為自由の原則**）。その他、遺言自由の原則や社団設立自由の原則等がある。

しかし、前記したごとく、すべてが自由に行えるのではなく、わが国の公の秩序と善良な風俗（公序良俗）に反することはできない。また、瑕疵ある（不完

全な）意思表示にはその法的効果に制限がある。

(b) 私有財産絶対の原則（所有権の絶対）　わが国では，大化改新以後の徴税のための開墾政策の帰結である743年制定の墾田永世私財法以後，1643年から明治維新まで続いた田畑永代売買禁止令があるものの，土地私有の絶対化が認められてきた。所有権の最も重要な対象物であり，生産収益の基盤である土地の所有はわが国では絶対的に保証されてきた。そればかりか明治維新以後，ヨーロッパの近代法導入の影響により，わが国の民法に私有財産絶対の原則（所有権の絶対）の思想は定着した（民206条その他）。

所有権とは，所有権利者が自己の物を他人の干渉を排除して支配できる権利である。これは財産権の最も基本的なもので憲法上も保障されている（憲29条）。しかし，所有権の絶対には，権利行使者間の利益衡量と公共の福祉との観点から，法律上多くの制限がある。たとえば，土地所有権の制限としての相隣関係（民209条以下），建築基準法や都市計画法上の制限等がある。その他，公共の福祉や権利濫用の観点から土地収用法上の制限がある。

(c) 過失責任の原則（自己責任の原則）　自らの行為に故意または過失がなければ，損害が発生していても，法律上の責任はないという考えのことである。つまり，個人の活動の自由を間接的に保障することから自己責任の原則ともいう。契約上の責任発生も不法行為上の責任発生も，故意または過失が要件となっており，過失責任の原則の上に成り立っている。

故意または過失の証明に関して，不法行為の場合には，賠償を請求する被害者が加害者の故意過失を証明しなければならない。また，債務不履行の場合には，賠償を請求された債務者が自らのほうに故意過失がないことを証明しなければ免責にならない。

高度な文明社会になると，不法行為の損害賠償請求に関して，被害者が加害者の過失を立証するのは大変困難な様相を呈してくる。したがって，過失責任の原則には限界がある。とくに，最近は，経済活動の自由原則を奇貨として，利益至上主義に走り，危険物や有害物の除去をしないで，利益を上げている企業や個人が多く見受けられる。これらの者に対する被害者の立証のための経済的な負担を考えると，加害者の過失を証明することなく損害の発生だけで加害者の責任を問うことのできる無過失責任の原則の重要性が増している。

(3) 民法指導原理の具体的な原則（市民法の原理）の修正

民法の指導原理とその具体的な三原則は、個人を封建制度から解放し、資本主義経済の発展と近代国家社会の発展に大きく貢献した。しかし、その反面、国民の貧富の差と国家や社会に対する不満の増大をもたらした。

民意を反映した国家は、これらを看過できず、その解消のために「社会的公平」という観点からこの三原則の再検討をせざるを得なくなった。すなわち、この三原則の理念は「身分から契約へ（メーン）」そして「契約から社会へ」と変化したのである。したがって、この三原則の修正理念は、「公共の福祉の充実」にある。

資本主義社会では、経済的弱者の救済は社会正義の実現であり、自由な取引の安全の確保と信用の保証は社会や国家秩序の安定である。したがって、経済的弱者の救済や自由取引の制限、無過失責任の原則の導入等は、社会の利益の追求であり、公共の福祉の充実である。

公共の福祉は、本来公法上の原理であったが主として民法の財産法上の原理に応用されてきた。そして、民法における公共の福祉を具体的に実現する原理として、権利行使の際の信義誠実の原則と権利の濫用の禁止という形で規定された。その後、社会利益の追求のために一層の公共の福祉が叫ばれるようになっている。このように公共の福祉が修正拡大されてくると、公共の福祉に反する権利行使は認められないので、法の運用にあたり、民法の指導原理である自由と平等（個人の尊重）と「公共の福祉」との調和を常に考えなければならない。

2　信義誠実の原則と権利の濫用禁止の原則

(1) 信義誠実の原則——公共の福祉の実現理念（民1条2項）

(a) **意義**　これは、法律行為を行うに際して、相互に社会の一員として相手方の信頼を裏切らないように行動すべきであるという倫理観を法律に規定したものである（民1条2項）。

現在の法律関係は権利と義務の関係から成り立つが、複雑・多岐にわたる人間関係をすべて権利義務という条文上の形式関係だけで処理できるものではない。しかも、権利行使や義務の履行に関する具体的な内容は、社会生活によって変化するので、その時々の社会通念（常識）に頼る部分があるものの、これも問題解決にとり完全ではない。この不足部分を補充するのが人の心に期待する

信義誠実の原則である。これは，公共の福祉の実現のための1つの理念(行動基準)であり，「公序良俗」と共に道徳を法律に注入するための理念である。

　この**信義則**はローマ法の債権関係領域を起源に，フランス法やドイツ法は固より，近代社会の総ての法体系の殆どの領域に認められている原則である。わが国においては，大正時代の末期から昭和の初期にかけて多くの議論がなされ，学説・判例ともに認め，戦後の日本国憲法の制定に伴う民法改正により，権利義務全体についての行動基準として昭和22年に導入規定された。

　(b)　信義誠実の原則の具体的な利用類型　　①　抽象的な法規範を具体化するときに利用される。たとえば民法493条における弁済提供の有無の判断についての「債務の本旨」を決める時の基準になる。このことから，債務者が目的物を持参したが債権者が来ない場合には弁済提供はあったとする。債権者の指定日以外に債務者が持参しても受け取らなくてよく，弁済提供はないとする。金銭は面前で提示しなくてもよい。債権者が認めれば債務者は期限前でも支払いできる。一部の提供は債務の本旨に従ってなす現実の提供とはならない。つまり，元本と利息(または費用)がある場合，全額を提供しないと債務の本旨に従った提供とはいえない。その他，同時履行の抗弁（民533条）や履行遅滞（民412条・415条・541条・542条）等多数。

　②　当事者の反論理的行為を正すために利用される。ある行動をとっていた者が突然他人とは異なった行動をとる結果，それを信じて行動した者が不利益を受けるので，その利害を調整するために利用される。たとえば，**エストッペルの法則**や**権利外観理論**（故意や過失により事実に反する外観を作出した者は，その外観を信頼した善意の第三者に対してその無効を主張できず，外観通りの責任を負わなければならない）も同じことである。わが国では，表見代理責任（民109条・110条・112条，商42条・262条）等がある。

　③　利害対立の調整に利用される。判例（最判昭和51年11月5日判時842号75頁）は，土地所有権に基づく登記請求権は時効消滅しないとするが，農地法3条の（土地譲受人が譲渡人に対する）土地所有権移転許可申請協力請求権は10年の消滅時効にかかるとする。しかし，所有権移転許可申請協力を求めなかった場合でも，調停の結果による，土地譲受人の20数年間による現実の耕作と母子間の権利関係や子女の扶養と婚姻諸費用の負担等相当の事情があれば，「権利の上に眠る者に該当しない」として，当該請求権は時効にかからない（当該請求権

に消滅時効を援用することは信義則に反する）と判示している。

④　既存の制定法の修正に利用される。地代等や建物の借り賃が，租税公課の増減や経済変動により近傍類似のそれらと比較し不相当になった時は，契約の条件にかかわらず当事者は将来に向かって増減を請求することができる（借地借家11条・32条）。事情変更の原則の一側面でもある。

⑤　新たな法規範の創造のために利用される。当事者の責めに帰することのできない理由が発生した場合，当事者が予想することのできなかった理由が発生した場合，著しい変更原因が発生し信義公平の観点から常識的に変更することが当然と考えられる場合等においては本原則が意味を持つことになる。

(2)　権利の濫用禁止の原則（民1条3項）

(a)　意義　形式的には権利行使の外形を有するが，実質的に見て，その権利行使の法的効果が社会性（信義則や公序良俗）に反するような権利行使の仕方を**権利の濫用**という。

わが国の私的権利の行使は，市民法の原理で認められるごとく，原則的には，絶対的な排他性を持つものである。しかし，資本主義社会においては個人の権利（利益）と公共の権利（福祉・利益）は，しばしば対立関係に立つことから，個人尊重のあまり私的権利の行使を保障しすぎると公共の利益が害されることになる。したがって，私的権利の行使は制限されざるを得ないのである。つまり，双方の最終利益調整の方法として権利の濫用が認められるのである。他方，公法上の職務権限の濫用も広義の権利濫用の一形態であるがここでは扱わない。

(b)　要件　①当該法理が容認された初期の段階では，主観的要件説が主流であった。つまり，権利者には権利行使による利益がないのに，相手を害する目的だけで権利行使をする場合（これを die Schikane といい，悪意のある妨害または詭弁の意味である。シカーネの法則とは他人に損害を与えるためだけの権利行使は認められないとする意味）である。その後，②権利行使を社会の客観的基準である信義則や公序良俗に違反するか否かで判断する客観的要件説が主流になった。現在は，通説・判例ともに客観的要件説を採っている。

(c)　効果　権利の濫用が認められるとその権利の法的効果の一部または全部が発生しなくなる。その作用類型はいくつかある。①所有権に基づく物権的請求権の濫用は形式的な他人の侵害を排除できない。たとえば，富山県の宇奈月温泉木管除去請求事件（大判昭和10年10月5日民集14巻1965頁）がある。他に利

用できない峡谷の断崖絶壁の土地所有者が自己の絶壁土地への温泉引湯管敷設者に対して除去または土地の買取りを請求した事例であるが，土地所有者の権利の濫用となった。②損害賠償責任が発生する。たとえば，信玄公旗懸松（笠懸松）事件（大判大正8年3月3日民録25輯356頁）がある。中央線の日野春駅付近にあった松は，武田信玄が陣笠を懸けた松として大切にされていたが，旧国鉄の機関車の煤煙により枯死した。そこで松の所有者が国鉄に損害賠償請求をし，それが認容された。③権利の濫用が著しい時には，その権利は剥奪される。たとえば，親権行使の濫用がある（民834条）。④建築基準法違反の建築物には自己の排水設備のための他人の土地の使用は認められない。たとえば，公共下水道を利用するために，隣地に私的下水管を敷設しなければならない場合，建物が建築基準法に違反し除去命令の対象である時は，建物が今後も存続しうる事情を明確にしない限り，建物の所有者が隣地所有者に工事の承諾と工事の妨害禁止を請求することは権利の濫用にあたる（最判平成5年9月24日金融商事952号12頁）。その他多くの類型が考えられる。

3　権利の主体

(1)　私　　権

私権とは，われわれが国家から支配されたり国家に要求するための公権に対する言葉で，財産や身分等に関して認められた権利である。これらは大別すると以下のようになる。

(a)　権利者として受ける権利内容により，以下に分類できる。

① 人格権……生命，身体(貞操)，氏名，肖像，自由(思想・宗教はやや問題あり)，名誉，プライバシー等の人格的利益を目的にした権利で，権利者と分離できない権利である。米国では環境権や自己決定権も認められている。

② 身分権……夫婦，親子，親族等の身分的地位に伴う利益を目的にした権利で，一身専属的な色彩が強い権利である。婚姻取消権(民743条以下)，親権（民818条以下），相続権（民882条以下）その他多数ある。

③ 財産権……物権，準物権（鉱業・採石・漁業・入漁権等），債権，知的財産権等のように経済的な価値があり，取引の対象になる権利である。

④ 社員権……組合や会社等の団体の構成員になることのできる権利である。

(b)　権利者として行使する権利内容により，以下に分類できる。

① 支配権……物権や身分権中の親権のように，権利者の意思だけによって法律で決められた内容が実現される権利である。
② 請求権……債権，物権的請求権，扶養請求権等のように，権利者の意思だけでなく，他人の行為がなければ，請求内容を実現できない権利である。
③ 形成権……認知権（民779条以下），取消権（民120条），解除権（民540条），相殺権（民506条），買戻し権（民579条以下）等のように，特定人の一方的意思表示によって法律関係を形成することができる権利である。これに対して，債権者取消権（民424条）や裁判上の離婚（民770条）等のように，裁判によらなければ法律関係を形成できないものを裁判上の形成権という。

(2) 自 然 人

(a) 権利能力　権利の主体となることのできる地位または資格（人格）を**権利能力**という。現行法制下では奴隷のように義務だけを負担する者は認められないので，権利を有する者は常に義務を有するから，権利能力は義務能力であるといえる。自然人の権利能力は，自由平等思想に基づくもので，天賦人権または基本的人権として，憲法上保障されている（憲11条）。自然人の権利能力の始期は，出生である（民1条ノ3）。したがって，損害賠償（民721条）や相続（民886条）等の請求を除き，原則として胎児には権利能力がない。しかも，この民法1条ノ3の規定は，単に権利能力の取得時期を規定しただけでなく，人が皆平等の権利能力を取得することを規定したのである。

(b) 行為能力と意思能力　法定代理人の力を借りることなく，有効な法律行為を一人ですることのできる能力を行為能力という。他方，自分の行為の善悪を判断することのできる能力を意思能力という。

行為能力は権利能力の存在が前提であるが，権利能力者が常に行為能力者とは限らない。つまり，権利能力者がその権利義務を変動させるためには意思すなわち**意思能力**をも必要とする。しかし，社会には意思無能力者の行為も多数存在する。その場合，不完全な意思能力者の行為を能力者の行為と同一には扱えないし，その意思能力の有無の証明は大変困難である。そこで，意思能力の不完全な者を保護するために考えられたのが行為能力である。

(c) 制限能力者とその保護　制限能力者制度は，不完全な意思能力者の財産を保護するためのもの（財産行為）であるから，身分行為にはない。たとえば，制限能力者である未成年者の婚姻（民731条・737条）は「父母の同意がな

い」からといって取消事由にはならない（参照，民4条2項）。これは，婚姻届を受理できないだけである（民740条）。また，以下で述べる成年被後見人が婚姻をする場合でも，成年後見人の同意は不要である（民738条）。万一誤って受理された婚姻届があってもその取消は，不適法婚や不適齢婚等特別に規定されている場合だけである（民743条）。

　次に，具体的な民法上の判断能力の不十分な人々について述べる。

① 未成年者　未成年者とは，満20歳に満たない者で，その行為は特別な場合を除いて（民4条1項但書・5条・6条），法定代理人の同意を要する。未成年者の法定代理人は，親権者または後見人である。法定代理人の同意のない行為は取消の対象になる（民4条2項・120条）。

② 成年被後見人　精神上の障害により事理を弁識する能力を欠く常況にある者で家庭裁判所から後見開始の審判を受けた者をいう（民7条・8条）。成年被後見人は原則として財産行為を行えない。これは法定代理人の同意を得ても行えない。例外として，日用品の購入その他日常生活に関する行為のみ行うことができる（民9条但書）。したがって，通常の財産行為については，原則として法定代理人である成年後見人（民8条）に代わって行ってもらうしかない（民859条1項）。成年被後見人の行為は取消の対象である（民9条）。身分法上の行為については，本人の真意を尊重すべきであるから，意思能力がある限り有効に行うことができる。

③ 被保佐人　精神上の障害により事理を弁識する能力が著しく不十分な者で，かつ，保佐開始の審判を受けた者は，法定代理人ではない保佐人の同意を得ることにより，民法12条が列挙している重要な財産の変動を目的とした法律行為を行うことができる（民12条）。保佐人の同意または同意に代わる裁判所の許可がない場合には，取消の対象になる（民12条4項）。

④ 被補助人　被補助人とは，精神上の障害により事理を弁識する能力が不十分な者で補助開始の審判を受けた者をいう（民14条）。被補助人が，預金管理や重要な財産の処分，介護契約等の特定な法律行為を行うには，家庭裁判所の審判を得た補助人の同得が必要である（民15条・16条）。なお，被補助人のための特定な法律行為の実行について補助人に代理権を付与する旨の審判をすることができる（民876条の9）。

(d) 失踪宣告　生死不明の状態が永続した場合，死亡したものとして身分

上または財産上の権利関係を確定したほうが，周囲の利害関係人に都合がよいのでこの制度が設けられた。**失踪宣告**は，不在者(本人の住所や居所に容易に帰らない者)の生死が7年間または戦地，船舶，航空機等による危難がなくなってから1年間経過した時，利害関係人から，家庭裁判所に請求する（民30条）。生死不明者が失踪宣告を受けると，失踪期間満了時に死亡したものとみなされる（民31条）。これは死亡の擬制（従来の住所地での法律関係の消滅）だけであり，生死不明者の権利能力の剥奪ではないので，宣告された者が他所での権利義務関係を生じていればそれは有効である。したがって，生存が確認されれば，宣告の取消により，死亡の効果は遡及的に消滅する。身分関係は復活し，財産関係は本人に返還される（民32条）。ただし，宣告後その取消前に善意で行われた行為については変更ない（民32条1項但書）。悪意者には民法704条が類推適用できる。

(3) 法　　人

自然人は自由平等思想に基づき権利能力が認められる。これに対して，現在，自然人以外の団体に社会的経済的活動主体として権利能力が認められる。これが**法人**で，その権利能力の内容，性質等その他多くの点で自然人と異なる。

(a) 法人本質論　　法人に権利能力（法人格）を認めるための「法人の本質は何か」を追求した理論がある。法人実在説の社会的作用説が現在の通説である。

① 法人擬制説　　サヴィニーの考え方で，自然人にしか権利能力を認めないから，法人は自然人に擬制して権利能力を認められているだけであるとする。したがって，法人の意思能力や行為能力は否定され，代理人による活動をしなければならない。法によって擬制されることから，法人設立の特許主義や許可主義の理論的根拠となった。

② 法人否認説　　社会的実体としての法人を否定し，法人とは一定の目的のための財産である（ブリンツの目的財産説）または法人の本質はその利益を受ける人である（イェーリングの享有者主体説）等の考え方がある。

③ 法人実在説　　一定の要件を備えた団体を社会的実在体（法人）として認める考え方であり，法人設立の準則主義の根拠である。これには，ギールケの有機体説やサレイユの組織体説があるが，現在わが国では社会的作用説が通説である。つまり，法人は自然人と同様社会的な作用を担当するために存在するから，権利能力，意思能力，行為能力および不法行為能力まで持つとする。定款に記載されていない政治献金をした取締役は，会社に

対し損害賠償責任があるとして株主から訴えられた事件で，会社は社会的実在であるから，定款に記載していないことでも，社会通念上期待ないし要請されるものであれば一定の条件の下で，認められるとした判例がある（最判昭和45年6月24日民集24巻6号625頁）。

(b) 法人の種類

① 目的による分類として，民法や商法等に基づく公益法人と営利法人があり，その中間的なものを中間法人という。中間法人は公益も営利も目的にせず，かつ準則主義により法人格が取得できる法人で，平成13年の中間法人法（法律第49号）により認められた。かつては，「権利能力なき社団」と称されていたPTA，後援会，同窓会，町内会，特定職域の福利厚生や相互扶助を目的にした団体等がその対象になる。しかし，各種の協同組合や特定非営利活動促進法に基づく団体（NPO）等は中間法人ではない。中間法人の要件は，社員に共通する利益を図ることを目的にすることと，剰余金を社員に分配することを目的にしないことである。

② 内部組織による分類として，社団法人（構成員である社員が要素となる，設立行為は合同行為，社員総会がある）と財団法人（社員はいない，設立行為は単独行為，総会はない）がある。社団法人の根本規則は「定款」と呼ばれ，財団法人のそれは「寄附行為」と呼ばれる。日本育英会は公益財団法人，日本赤十字社は公益社団法人，株式会社等の会社は営利社団法人である。

③ その他，公共目的のための独立採算制による特殊法人として帝都高速度交通営団，住宅公団，住宅金融公庫，日本銀行等がある。

④ 公の事務を目的にしている国または公共団体等の公法人がある。都道府県や市町村を普通地方公共団体といい，特別市（政令指定都市）や特別区（東京23区），土地改良区や水害予防組合等の公共組合と公の財団法人としての住宅都市整備公団や道路公団等がある。

(c) 法人の能力　法人は，準則主義や許可主義によって，権利能力を取得する（民34条・71条，商57条）。したがって，原則として，意思能力も行為能力も不法行為能力も有する。しかし，自然人と異なった実在体であるが故にその権利能力は以下の制約を受ける。①自然人のような肉体を基礎にした権利は認められない。②法人は一定の目的のために設立が認められるものであるから，その目的の範囲内で権利能力を有する。③商法，独占禁止法，農地法等設立活動

上制限を受ける。

4 法律行為

(1) 総論

(a) 法律行為とその自由の制限　**法律行為**とは，人間がその意思により実現する結果を法律によって認めてもらうこと，すなわち法律の効果を発生させる行為である。社会には法律以外の社会規範により規律されることも多数ある。

われわれの社会生活関係は元来自由であり，人は相互の関係を自由に決めることができる。これを私的自治の原則というが，現代社会は法治国家であり，究極の利害対立事項の多くが法律の支配を受けることから，これを法律行為自由の原則ともいう。

この原則は，最初から全くの自由ということではなく，社会に必要とされる倫理観ないし道徳観などの公序良俗が最初から存在した。しかし，現在では法律行為の自由を制限する根拠は，公序良俗と公共の福祉である。これは資本主義が自由な経済活動を保障した結果，富のアンバランスを是正する必要が生じ，弱者救済の観念が当然視されるようになったからである。

(b) 法律行為と意思表示　法律行為とは，法律効果を求めるための当事者の意思を必要要素とする法律要件そのものである。換言すれば，当事者の意思表示ある法律行為によって希望する法的効果が実現するからである。

意思表示とは，人の心裡過程で，自ら欲する一定の法的効果（効果意思または内心の効果意思）を決定し，これを表そうとする意思（表示意思）を有し，この表示意思を有効に実現する行為（表示行為）とからなるものであるが，当事者の利益調整の観点から見ると，効果意思と表示行為がその中心となる。

効果意思とは，親子や夫婦間の些細なことや単純な儀礼上・宗教上の約束事等を除き，当事者が期待する価値ある事実で，法律的な効果として認められているものをいう。表示行為とは，意思に基づくあらゆる行為行動である。

法律効果は効果意思と表示行為が一体の法律行為に与えられるので，双方に不一致があれば意思と表示の不一致としてその調整を図らなければならない。

(c) 法律行為の成立と効力発生　法律行為の成立要件は，①当事者，②その目的，③効果意思と表示行為の3つであり，すべてが揃った時に法律行為の成立が認められる。法律行為が成立した時に，効力の発生がある。当然ながら，

第 1 節　市民法の原理　135

効力の発生の前提として，当事者に権利能力があること，成就不能な内容でないこと，公序良俗等に反しないこと等の条件が満たされていなければならない。

(2)　法律行為の分類

法律行為には，(a)意思表示の態様による分類として，①申込みと承諾といった相対立する複数の意思表示等により成立する契約（双務契約→売買・交換・賃貸借・雇用・請負・組合・和解，**片務契約**→贈与・使用貸借《貸主の用益許容義務と借主の目的物返還義務との間には双方が対価的に牽連依存した意味の債務を持たないので双務契約にならない》，**消費貸借**《物の引渡を契約の成立要件とするから契約の効果として物を引き渡した貸主に債務がないので有償契約であっても双務契約にならない》）と，②一方的な一個（単独）の意思表示によってなされる単独行為（特定の相手方への同意・追認・取消・解除・相殺・債務免除，不特定多数への寄付行為・遺言等がある）と，③同一方向への複数の意思表示である合同行為等がある。

(b)　意思表示の形式による分類として，書面の作成を必要とする要式行為と，それを必要としない不要式行為とがある。法律行為は，契約自由の原則によるから不要式行為を基本とするが，最近は契約の重要性の観点から明瞭性と厳格性を追求し要式行為を要求されるものが多くなっている。

(c)　発生する効果の種類による分類として，①債権を発生させる債権行為がある。契約の多くはここに属し，債権の発生だけでなく履行によって法律行為の目的が達成される。②物権の発生・変動・消滅を生ずる行為。③債権譲渡や債務免除のように物権以外の権利の最終的な変動で，履行を必要としない準物権行為（処分行為）等がある。

(d)　法律行為の効力発生がその原因と不可分であるか否かによる分類として，売買契約のように「物の給付」と「金銭支払い」の双方の存在が不可分である有因行為と，そうでない手形行為（手形の発行や交付）のように流通性を重視する結果「振出原因」と「手形上の権利」との関係が切断される無因行為とがある。その他，財産の給付に対価を必要とする有償行為とそうでない無償行為とがある。

(3)　意思と表示の不一致

法律行為の効果は当事者がその目的に対する効果意思を持ちそれに沿う表示行為をした時に発生する。しかし，この効果意思に沿う表示行為がない場合には，取引の安全に反しない範囲内で表意者を保護しなければ，意思に従って客

観的に規律している法律行為制度に反する。

(a) 心裡留保（民93条）　表示意思と内心の効果意思（真意）との不一致の場合を**心裡留保**という。表示意思を有効に実現する表示行為がない場合である。つまり，内心の効果意思と表示意思の不一致を，表意者が知っている場合である。この場合，その意思表示は有効である。表意者はその不一致を知っているのであるから，誤りの表示行為であっても，その責任を負わなければならない。

しかし，表意者の真意と表示意思の不一致を表意者が知らない場合で，相手方が，表意者の真意を（単純に）知りまたは一般人の通常の注意でそれを知ることができるような場合には，その意思表示は無効である。表示行為の誤りを知らない表意者を保護し，通常の注意力を有し誤りに気づいている相手方を保護しないほうが理に適うからである。

心裡留保の但書による無効は，表意者の保護よりも一般第三者の保護を優先するほうが取引の安全に適うことから，善意の第三者には対抗できないと解する。

さらに，相手方がいない意思表示にも適用でき常に有効となる。また，婚姻などは真意に基づくことが前提になるので，表意者の真意がない場合には，本条の但書によることなく当然無効である。会社設立における株式申込みについては，事務が繁雑でありかつ迅速性を要することから，株式引受人の意思変更を認めないほうが取引の安全になるので，例外的に民法93条但書を適用しない（商175条5項）。

(b) 虚偽表示（民94条）　相手方と通じて行う真意でない意思表示であることから，**通謀虚偽表示**ともいう。相手方と通じて嘘の意思表示をする点で心裡留保と異なる。これは相手方と通じてなした嘘の意思表示であるから無効である（民94条1項）。しかし，この表示行為の外形を信頼した第三者の利益を保護する必要があるから，善意の第三者に対して虚偽表示の無効を主張できない。虚偽表示の撤回（虚偽の契約行為を撤回するが契約書はそのままにする）は，その撤回を知らない第三者が不利益を受けるので本条2項の適用があり，撤回行為者は善意の第三者に無効を主張できないと解する。

(c) 錯誤（民95条）　表示意思と内心の効果意思（真意）とが一致していない場合で，表意者がそれを知らないことをいう。表意者が知らない点で民法93条や94条と異なる。**錯誤**による意思表示は真意が伝わっていない法律行為であ

るから，表意者を保護する必要がある。これには次の態様がある。
① 表示上の錯誤　　言い間違い，誤記など。
② 表示行為の意味内容に関する錯誤　　米ドルとカナダドルを同価値と誤解するような場合，単位の誤解等の場合で「内容の錯誤」ともいう。
③ 動機の錯誤（縁由の錯誤）　　表示意思に対応する内心の効果意思は存在する（故に意思の欠缺ではない）が，内心の意思決定に誤った認識と判断があった法律行為の完成が不正常な場合をいう。通説・判例は，動機の錯誤に本条の適用はないとする。しかし，最近の有力説は，取引の安全のために本条を適用し，法律行為の完成が不正常な動機の錯誤を無効と解すべきとする。

法律行為の要素に錯誤がある時その意思表示は無効となる（民95条）。要素の錯誤の類型には，(ア)人違い，人の身分や資産に関する錯誤　(イ)物の同一性や形状，数量価格に関する錯誤　(ウ)法律行為の結果の錯誤等がある。

表意者に重大な過失がある場合，表意者自らは無効を主張できない（民95条但書）。そして，表意者が無効を主張できない結果その法律行為が有効となった場合，その有効は相手方や特定の承継人だけでなく，善意の第三者にも及ぶと解する。

　(4)　瑕疵ある意思表示（民96条）

詐欺または強迫による意思表示は，内心の効果意思（真意）に至る意思決定が本人の完全な自由意思によらないため，意思表示の形式が整っていても本人を保護する必要がある。したがって，民法は詐欺や強迫を不法行為とし，それによる意思表示の取消と損害賠償の請求を認め，被害者を保護している（民96条1項・709条）。

刑法は脅迫（刑222条）という語句を使用し，相手に畏怖心（恐れおののく心）を抱かせる害悪の告知を加罰行為とし脅迫の除去を目的にしているのに対して，民法は強迫による自由な意思決定の妨害から法律行為者の利益保護を目的にしている。

　(a)　詐欺　　**詐欺**とは違法性のある行為について人を欺罔（沈黙，嘘を言ったり真実を隠）して錯誤に陥れる行為をいう。この場合，(ア)相手を欺罔（騙）し錯誤におとす故意と，(イ)錯誤による意思表示をさせる故意とが必要である。新聞雑誌の誇張・捏造記事は(ア)があっても(イ)がないのでその会社は詐欺にならない

が，この記事で何かを募集する行為をすれば(イ)があるので記事の発信者は詐欺になる。さらに，(イ)錯誤による意思表示で，錯誤と意思表示との因果関係は行為者の主観に存すればよく一般第三者を基準にする必要はない。

　詐欺は内心の効果意思の決定（動機）に錯誤を有するだけであるのに対して，民法95条の錯誤の場合は意思表示の内容に錯誤がある点で，双方は異なる。もっとも，内容上の錯誤も動機の錯誤も表意者を保護するのが目的であるから，証明しやすいほうの条文によればよい。

　(b)　強迫　　強迫とは，少なくとも信義則や公序良俗に反する違法性を持って相手に故意に畏怖を感じさせ，この畏怖によって意思表示をさせる行為をいう。畏怖行為の類型態様に制限がなく，強迫により相手が違法に畏怖を感じ，それにより意思表示をすればよい。畏怖心と意思表示の因果関係は，表意者の主観によればよい。

　表意者は強迫による意思表示を取り消すことができる（民96条1項）。取り消した場合には，善意の第三者にもその取消を主張できる（民96条3項）。さらに，第三者が強迫をした行為についても，取り消すことができる（民96条2項）。

5　代　　理

(1)　序　　論

　(a)　意義と本質　　①　意義　　**代理**とは，本人Aに代わり，代理人BがB自身の独立した意思表示により，Aのために法律行為をし，その効果が直接Aに帰属する法律制度をいう。しかし，古代ローマ法では他人の行為によって本人の法律関係の変動を認めるべきではないとのことから，代理制度は認められていない（我妻・新訂民法総則323頁）。その後，社会の発展とともに私的自治の原則が確立し，複雑多岐にわたる法律経済社会において，本人の活動領域の拡大とその能力の補充のために代理制度は認められてきた。

　②　本質　　代理行為の本質は本人に対して一定の義務を負担することであるから，代理は本人と代理人との委任関係である（民643条）と考えられている。しかし，雇用や請負や組合（民623条・632条・667条）のように委任関係でない代理や，仲立営業（たとえば仲買人）や問屋（商543条・551条）のように委任関係はあっても代理関係がないものもある。このように代理イコール委任ではない。

(b) 種類　① 法定代理と任意代理　**法定代理**とは，本人の意思（委託）によることなく，代理権が発生するものをいう。例としては以下のものがある。これは未成年者や成年被後見人を保護したり（民8条・824条），裁判所が選任する場合（民25条・26条・918条・840条），未成年者の指定後見人の指定のように本人以外の私人の指定（民839条）等である。他方，**任意代理**とは原則的には委任による代理であり，本人の活動領域の拡大と能力の補充や拡充のために利用される。しかし，前記した雇用や請負や組合契約は，契約自体から一定の法律行為をする権限と義務が発生し，必ずしも委任を必要としない場合がある。したがって，これらは委任代理といわずに任意代理という。法定代理と任意代理の区別の実益は，代理人の復任権（民104条・106条）や代理権の消滅（民111条）等にある。

② 能働代理と受働代理　能働代理とは，代理人Bが，本人Aに代わって，相手方C（Aから見ればCは第三者）と法律行為をすることをいい，積極代理ともいう（民99条1項）。これに対して，受働代理とは第三者Cが代理人Bに意思表示をする場合をいい，消極代理ともいう（民99条2項）。ただ，受働代理は意思の受領であってBは何も意思表示をしないので「受領代理」との見解もある。

③ 有権代理と無権代理　本人から形式上も実質上も代理権を授与されているのが狭義の有権代理で，そうでないものが無権代理である。無権代理には，実質上または形式上，本人と無権代理人との関係において何らかの関係がある場合を表見代理として，狭義の意味の無権代理と区別している。

(c) 代理の範囲　民法上の代理は意思表示についてだけ認められる（民99条1項）。しかし，本人の意思を絶対的に必要とする身分法上の行為には，原則として，認められない（例外：民791条3項・797条2項・811条2項等の法定代理人の行為）。その他，自分のためにする内心の意思だけで物を所持する占有（民180条），所有の意思で無主物を占有する**先占**（民239条），事務管理等のように外部に表示しない内心の意思（対外的意思表示がない行為）で，一定の事実を行う事実行為および不法行為等についても，民法上の代理は認められない。

(d) 代理の要件と効果　代理の要件は，代理人が権利能力のある本人から代理権を授与され，かつ，その代理権を本人のために行使することである。その効果は，代理人の行為であるが，本人に直接帰属する。したがって，外国人の場合，日本の国家から認められていない権利については，権利能力がないた

めに日本人の代理人を通じても取得できない（参考：憲25条・26条・27条等）。

　(e)　代理の形式　　①　顕名主義　　代理は「本人ノ為メニスルコトヲ示シテ」行わなければならない（民99条1項）。このことを**顕名主義**という。この場合，客観的に代理行為であることがわかる程度の明示ないし黙示が必要である。具体的には，肩書きや役職等の表示は判断の重要な要素となる。これに対して，本人の表示をすることなく代理人が代理行為をすれば，それは原則的には代理人の行為であるが，代理人の相手方が「代理人は代理行為を本人のためにしている」と知っているかまたは知ることができる場合には，その代理行為は本人の行為となる（民100条）。この規定は，代理人が不利な場合に錯誤を主張してその代理行為の無効を主張することがないようにし，もって相手方の利益を保護する目的のためである。

　②　商行為による顕名主義の例外　　商行為の代理の場合には商取引の迅速性・反復性・継続性等により非顕名主義が認められている（商504条）。しかし，手形行為は絶対的商行為ではあるが(商501条4号)，流通における権利関係の明確性が要求され，代理関係は証券上に明示されなければならないので，商法504条は適用されず，民法同様に顕名主義が採られる。さらに，手形行為の代理については，代理関係が手形上に明示されるので，民法100条但書の規定は適用されない。ただし，手形行為の原因関係には適用され，代理人は相手方が悪意（代理人が本人名を明示していないが本人のために手形行為をしていると知っている）の場合，これを人的抗弁として，相手方の主張を拒否できる。

　③　受働代理について　　受働代理とは，表意者である代理人の相手方（本人から見れば第三者）が代理人に対して「本人への意思表示である」ことを示して行為することである。したがって，代理人が「本人の為にすることを表示して」意思表示を受けることではない。

　(f)　代理に類似した行為

① 　間接代理　　他人の計算をもって自己の名で行う行為(問屋←商551条)をいう。これは代理人の意思や計算によらないから代理ではない。

② 　使者　　本人の意思の伝達をする者（使者の意思ではないから代理ではない）。

③ 　代表　　法人の機関は法人の意思を表すから，法人の代表機関の行為は法人の行為となる。

④　代理占有　　代理人が占有している物を，以後本人のために占有する意思表示をした場合，本人がその占有権を取得する。この占有改定を代理占有というが(民183条・181条)，占有は意思表示ではないから本来の代理行為ではない。

(2)　代　理　権

(a)　代理権の発生　　本人Aが，代理人Bに，Aが目的としている法律行為を授権し，第三者Cにその意思表示をしてもらうことである。

この場合，Aから授権されたBの持つ権利を代理権という。そして，Bの意思による行為の効果がAに帰属するのが代理の特色である。このことから，代理権とはBのAから授与された資格ともいえる。したがって，AとBの実質的な権利義務関係は，基本契約ないしは内部関係と呼ばれ，代理関係とは区別される。

次に，任意代理権はAの意思に基づきBに授与されるものである。この代理権授与契約は当初委任契約によってのみ与えられると考えられていた（民104条・111条2項）。現在は，代理権授与契約は内部関係とは別の授権行為でそれは**無名契約**(法律で決めていない契約をいい，不典型契約ともいう。通常はほとんどが有名契約である)であるとの説や，本人の単独行為であるとの説があるが，いずれも大差はない。法定代理権は，本人の委託によることなく法律の各規定によって発生する。㈦代理人が規定されている場合として未成年者の財産管理人は親権者がなる場合（民824条）や夫婦の一方が成年後見人または補助人となった場合には，他方がその後見人にもっともなりやすい（民843条4項・876条ノ7）場合がある。㈦裁判所が選任する場合として不在者や相続財産の管理人の選任（民25条以下・918条）がある。㈣本人以外の私人を指定する場合として未成年者の指定後見人を遺言で指定する場合がある（民839条）。

(b)　代理権の範囲　　任意代理の場合には代理権授与契約によるが，現実には不明朗な代理権の授与範囲の場合が多い。この場合には本人と代理人間の内部関係の意思解釈の問題として解決するしかない。法定代理の場合には各規定により範囲は決まっているが，不明な部分については規定の解釈に委ねられる。

(c)　代理権の制限　　代理権はその行使類型によって制限される。

①　共同代理　　共同代理とは，代理人が複数いる場合に，代理権授与契約により代理行為を共同して行わないとその効果を生じないとする代理形式をい

う。共同してとは，意思決定につき全員一致があることを意味するが，能働代理の場合には，代理人が全員意思表示に関与すればよく，全員揃って意思表示をするということではない。他方，受働代理では，意思の受領だけであるから権利濫用の問題は殆どないと考えられるので，複数のうちの一人に意思表示をすればよい。なお，共同代理では，代理人の一人が単独で能働代理をすれば，権限踰越の問題となる（民110条）。とくに，婚姻中の父母の共同親権行使の違反は判例上（最判昭和42年9月29日判時497号59頁）無効とされる。また，共同代理人の一人に要素の錯誤があれば共同代理全体が無効になる（民101条）。

② 自己契約と双方代理の禁止（民108条）　自己契約とは，1つの法律行為において，同一人が一方の代理人になると同時に他方の当事者になる場合をいう。たとえば，Aの家屋の売却を依頼された代理人Bが，自らその家屋の買い主になるような場合である。さらに，上記の具体例で，代理人Bが，売り主Aだけでなく，買い主Cの代理人としてこの契約を締結するような場合を双方代理という。これが禁止されるのは，当該代理行為における本人の利益を保護するためである。ただし，債務の履行や本人が予め承諾している場合には，その弊害がないので例外的に認められる。

(3) 無 権 代 理

(a) 無権代理の意味　代理人が法律行為の代理権を有さない場合を**無権代理**といい，原則として代理の法律効果は発生しない。しかし，本人と代理人との間に特殊な事情（内部関係に問題）があるような場合には，取引の安全のために，それを知らずに代理人と取引をした相手方を保護する必要がある。このような場合を表見代理といい，法律は相手方を保護するために特別な規定を設けている。したがって，無権代理といった場合，ここでは表見代理を除いた無権代理を意味する。

(b) 無権代理の効果　代理権がない行為であるから，当然には法律効果は生じない。

① 無権代理人が契約行為をした場合　代理権を有しない者Bが，Aの代理人として，Cと契約したらAが追認をしない限り，その無権代理の効果は生じない（民113条1項）。

(ア) 追認権の付与　無権代理行為であっても，Aのために行うことがあるので，このような場合には契約全体を無効としないでAに追認権を与え，

取引の保護を図っている。相手方に対して追認（相手方が同意）すれば，第三者の権利を侵害しない範囲で，その代理行為は最初から有効であったことになる（民116条）。反対に，追認を拒絶すれば無効が確定する。ただし，追認権は判例上相続の対象となり（最判昭和33年6月5日民集12巻9号1296頁），無権代理人である子が本人である親を相続したような場合には，追認を拒絶できない。

　(イ)　相手方の催告権（民114条）　　相手方は期間を定めて本人に，追認するか否かを催告できる。しかも，本人Aの追認前なら相手方Cは取り消すことができる。ただし，契約当時CがBに代理権がないことを知っていたような時は取り消せない（民115条）。

　(ウ)　無権代理人の責任　　自称無権代理人がその代理権を証明できない時，かつ，本人の追認が得られない時は，相手方は無権代理人にその契約の履行または損害賠償を請求できる。ただし，無権代理人Bが契約能力を有しなかったり，相手方Cが行為当時にBの無権代理であることを知っていたか過失により知らなかった場合には，無権代理人Bの責任を追及できない（民117条）。

②　自称無権代理人の単独行為　　解除や取消あるいは債務の免除のように相手方がいる単独行為の場合，たとえば自称無権代理人Bの相手方Cが「Bに代理権がなく単独行為を行うにつき同意した場合か，その代理権を争わない（異議を唱えない）場合」には前記①の契約の場合と同じ効果となる（民118条）。その他，遺言や寄付行為，その他所有権の放棄等のように相手方がいない単独行為をした場合には完全に無効である。追認もない。

(4)　表 見 代 理

表見代理も無権代理の一種であるが，本人と代理人との間に特殊な事情があり，取引の相手方が，無権代理人を真の代理人と誤信し，その誤信に無理からぬ事情がある場合がある。この場合，取引の相手方を保護しないと，取引の安全は損なわれ，ひいては代理制度そのものの社会的信頼を失うことになる。そこで，民法は以下の三種類を**表見代理**としている。

(a)　代理権授与の表示による表見代理（民109条）　　本人Aが（Aから見て）他人Bに代理権を与えた（Bは代理人になる）旨を（Aから見て）第三者Cに表示したが，何らかの事情で，Bに代理権がない場合でも，Aは授与したと表示

した代理権の範囲内で，ＢＣ間の行為について責任を負わなければならない。

① この表示は観念の通知　　この代理権の授与表示は，授与の意思表示ではなく，授権があったという外形的な表示で，法律行為ではない**準法律行為**の「観念の通知」，すなわち単なる事実の通知（総会招集通知や債権譲渡通知等と同様）といわれるものである。この表示は，必ずしも代理人という語句を使用していなくてもよく，外形的に代理権授与の事実が客観的に判断できるなら，書面でも口頭でもなしうる。さらに，代理行為の直前まで，この表示の撤回ができる。

② 相手方の誤信に善意無過失が必要　　本条が適用されるためには，Ａの表示に従いＢが代理行為をしたことについて，「Ｂが真の代理人である」とＣが誤信したことに善意無過失が要求される。反対に，Ａが責任を回避するためには，Ｃに悪意や過失があるとの主張をしなければならない。

判例や通説は，本条は法定代理に適用がないとする。しかし，表見代理制度の趣旨から，取引の安全保護の充実上，問題ありとの少数説がある。

なお，商法には表見支配人（商42条）や表見代表取締役（商262条）の規定がある。

(b) 権限踰越による表見代理（民110条）　　これは本人Ａが代理人Ｂに代理権を与えて，第三者Ｃと取引をした時，Ｂが権限外の行為をした場合，ＣがＢに代理権限があると信ずべき正当な理由があれば，Ａに責任があるとするものである。本条が適用されるためには以下の要件が必要である。

① 現実になされた代理行為部分が無権限であっても，他の部分については代理権があること。すなわち，判例・通説は前者と後者の関係につき異種異質のものでも本条の適用を認めている。つまり，Ｂの権限が法律行為をするための代理権だけでなくてもよいと解される。たとえば，Ａの使者（Ｂではない）が越権行為をして「代理人として」行為をした場合にも，本条を適用し善意の相手方を保護する必要がある（幾代・民法総則（第二版）381頁）。

② 越権部分の無権代理行為にＣの誤信があり，誤信につき正当な理由があること。つまり，正当な理由とは，Ｂの代理権不存在につきＣが善意無過失でなければならないということである。たとえば，一般の社会生活で認められている職業や地位ないし肩書には社会通念上その職務遂行に必要な代理権はあるとされる。

(c) 代理権消滅後の表見代理（民112条）　本人Aが，代理人Bに与えた代理権が消滅したにもかかわらずBが代理人として法律行為をした場合に，善意無過失の第三者Cに，Aは責任を負わなければならない。ただし，Cが過失により代理権の消滅を知らない場合には，Aは無責任となる。本条が適用されるためには，以下の要件を満たさなければならない。
① 行為当時に，以前の授与代理権が消滅していること。
② Cが，代理権の消滅について，善意無過失であること。判例・通説によると，この立証責任はAにある。したがって，AがCの悪意または過失あることを証明した時，当該表見代理は成立しないので，Aは無責任となる。

(5) 復　代　理

(a) 意義と効果　復代理とは，代理人BによりBの名前で選任された者（**復代理人**）が，本人Aを代理して，その授与権限の範囲内で法律行為をすることをいう。つまり，復代理人は，代理人BがBの名前で選任するが，本人Aの代理人になるのである（民107条1項）。したがって，Bの代理人でないばかりか，その使者や補助者ではない。実務の例としては，支配人が商人のために支配人の名で自己より下位の商業使用人（番頭や手代）を選任する場合がある（商43条）。他方，本人Aの名前で選任すれば，代理人Bと同格の通常の代理関係になるので，復代理とはいわない。代理人が復代理人を選任する権限を復任権という。復任権の行使後も，代理人は代理人としての地位と権限を有する。

(b) 任意代理人の復任権　任意代理人は，本人の許諾を得た時または已むを得ない事由がある時に限り，復代理人を選任できる（民104条）。これは任意代理人に辞任の自由が認められており，復代理人を原則的に必要としないことに由来する。ただし，商法上の支配人や船長等について，これらの者は任意代理人であるが，商人活動の拡大のために，民法104条を適用することなく，復代理人を選任できる（商38条2項・713条2項）。

(c) 法定代理人の復任権　法定代理人はいつでも復任権を有する（民106条）。法定代理人の代理権が広範に及ぶことと，任意代理人のように完全には辞任の自由が認められていないことによる。

(d) 復代理人による本人の損害　本人に損害が発生すれば，任意代理人は復代理人の選任および監督につき，本人に責任を負う（民105条1項）。本人の氏名によって復代理人を選任したが，その復代理人が不適任または不誠実な場合

には，本人に通知するかまたは解任しなければ，代理人は過失ありとして本人に対して責任を負わなければならない（民105条2項）。法定代理人の場合には，原則として本人に対し全責任を負うが，やむを得ず復代理人を選任した場合にだけ，任意代理人の場合と同じ責任を負う（民106条但書）。

6 時 効

(1) 意 義

時効とは，一定の事実状態が長期間にわたり，真実の権利関係と異なったままで継続した場合，その事実状態を権利関係として認める制度である。時効には，あたかも真実の権利者のように占有行為をした結果，権利取得の効果を認められる**取得時効**と，権利不行使という事実状態が継続した結果，権利消滅の効果をもたらす**消滅時効**とがある。

(a) 時効の根拠　時効制度が認められるのは，社会秩序の維持と裁判官の立証の困難性の克服および「権利の上に眠る者を保護しない」等の理由による。社会では，秩序維持のために権利関係が重視されなければならないが，一定の事実状態から社会関係が成り立つのも事実である。すなわち，社会の変動や時の経過等によっては，権利関係が曖昧となり，紛争処理での事実の証明が困難なものとなる（たとえば，長期間に亘る事実状態の下では，真実の権利を証明する証拠物の散逸や消滅がある）。つまり，事実状態は権利関係を覆い隠し，真実の権利関係の証明に限界をもたらすのである。これらのことから，権利関係だけでは社会秩序の維持ができないし，権利の上に眠る者を保護する必要はないし，一定の事実状態を真実の権利関係とみなすほうが公益に適うとの結論に至るのである。

(b) 短所と批判　時効による権利の得喪は，自己の意思による法律行為ではないから，それを原則とする市民法の原理に反すると考えられる。とくに，短期消滅時効では，真実の権利関係よりも短期の事実状態が優先されるので，正当で真実の権利関係には不利となり，正当性を追求する法の趣旨に反する。

(2) 取 得 時 効

取得時効とは，法定の長期間，他人の物を占有した者が，その所有権またはその他の財産権を取得する制度である。

(a) 所有権の取得時効　この時効の要件は，(ア)20年間または10年間，(イ)所

有の意思をもって，(ウ)平穏かつ公然に，(エ)他人の物を占有することである（民162条・163条）。

① 占有継続期間　　占有者が，その物の占有開始時に「それは自己の所有物ではない」と，知っていた場合（悪意）または過失があってそれを知らなかった場合（善意有過失）の時は，動産・不動産を問わず20年である。他方，善意無過失の時は動産・不動産を問わず10年である。民法162条の2項は，善意無過失の取得時効を不動産の場合だけと規定している。しかし，動産の即時取得（民192条）は，占有が承継取得の場合だけであるから，占有が原始取得の（他人の隣地の立木を自己の立木と誤信して伐採した）場合には即時取得は適用できない。動産占有の原始取得では民法162条1項の20年間の時効期間しかなく，承継取得に比較して不利益である。したがって，通説は民法162条2項（他人の不動産）の場合に動産も含むと解している（参考，立木法上，樹木の集団で所有権保存登記をした立木は「不動産」となる）。

② 所有の意思による占有　　「自己ノ為メニスル意思ヲ以テ物ヲ所持スル」ことである（民180条）。これは所有権利者としての意思で，物を事実的支配下に置く状態をいう（自主占有）。他人の所有権物を占有している他主占有の場合には，占有者は自分に占有させた者に対して自分に所有の意思があることを表示し，または売買や贈与等の新権原がない限り，自主占有とはならない（民185条）。

③ 平穏かつ公然に　　平穏とは，占有の取得または保持につき，暴行強迫等の違法強暴がないことであり（最判昭和41年4月15日民集20巻4号676頁），単なる抗議や諸請求を受けただけでは，平穏な占有といえる。公然とは，隠秘の反対語で，占有者が利害関係者に対し隠秘しない場合をいう。したがって，不動産に対する隠秘の占有はあり得ないので，占有の公然性は動産についてのみ問題となる。また，占有の平穏かつ公然性は推定を受けるので，それを争う者がその否定を主張立証しなければならない（民186条）。

④ 他人の物の占有　　時効取得制度は自己の所有物に適用する必要がないことから「他人の物の占有」に対して適用される。しかし，占有者に対する権利の創設であるから，占有の客体が誰の所有に帰属するかを立証する必要はない。

ただ，一部の占有について時効取得があるかについては，不動産については

一筆の土地か否か占有者には不明であり，その一部の占有もあり得る。しかし，動産についての一部の時効取得はあり得ないと解する。

さらに，通説・判例は，道路その他の公共物についても時効取得を認める。

(b) 所有権以外の財産権の取得時効　① 地上権，地役権，永小作権，質権，その他賃借権等のように，占有を要素とする所有権以外の財産権についても，所有権の場合と同様，取得時効は認められる（民163条）。したがって，その物の権利者として占有をすればよい。

② 債権や知的所有権については，形式上所有者以外の者が占有することはあり得ないが，実質上権利者以外の者がそれらを支配することはある。たとえば，預貯金その他の金銭債権や知的所有権等に関して，真実の権利者でなくても，事実上の権利を印鑑や証書，虚偽の登録等で支配していれば，前記の所有権以外の財産権の場合と同じ「占有」状態にあるといえる。このように，占有を認められない財産権の事実上の支配の場合を，準占有といい，債権や知的所有権等の財産権の取得時効については，準占有を必要とする。その他の要件と効果については，所有権の場合と同じである。

(3) 消滅時効

債権や所有権以外の財産権等は，一定の期間その権利を行使しないと消滅する（民166条）。

(a) 債権の消滅時効　法律上権利を行使することができる時から時効期間は進行する（民166条1項）。ただし，停止条件付の権利の場合には期限未到来または条件未成就の間は権利を行使できない。

① 債権の消滅時効は原則として10年間である（民167条1項）。例外として，これより短い時効債権もある。たとえば，医師の治療代等や請負工事代金等は3年の短期消滅時効である（民170条）。弁護士や公証人の仕事に関する債権および，売却商品の代金，職人の仕事代金，授業料等の代金は2年の短期消滅時効である（民172条・173条）。その他，1カ月以内の雇い人の給料，宿泊飲食料等，動産の貸し賃等は1年の短期消滅時効である（民174条）。その他，商事債権の消滅時効は5年である（商522条）。

② 時効の起算点は以下の通りである。確定期限のついた債権は期限到来の時，不確定期限のもの（出世払い）については客観的な期限が到来した時である。期限の定めのない債権は，いつでも請求できることから，債権発生の時が

消滅時効の起算点となる。不当利得返還請求権に関して，判例はその権利の発生と同時に消滅時効の進行を認めている（大判昭和12年9月17日民集1435頁）。

一回でも弁済をしなかったら全額を即時に請求されても異議をいわないといった期限の利益を失った契約による支払については，判例は当事者の意思解釈によるとするが，期限の定めのない債権と同視すべきとの有力説がある。

(b) 債権以外の権利の消滅時効　① 債権または所有権以外の財産権は20年で消滅時効にかかる（民167条2項）。所有権は，市民法の原理にある（私有財産絶対または所有権の絶対）ように，消滅時効にかかることはない。したがって，所有権に基づく（返還，妨害排除，妨害予防請求権等の）物権的請求権も消滅時効にかからない。ただし，無主になった物の所有権の処理として，無主の動産は取得時効の対象になるし，無主の不動産は国庫に帰属する（民239条）。さらに，所有権の取得時効の完成により，所有権が移転（原所有者にとっては消滅）する場合があるが，これは所有権の消滅ではない。具体例としては，地上権，地役権，永小作権，抵当権等のような所有権以外の財産権は消滅時効にかかる（民167条2項・396条）。ただし，抵当権は被担保債権と運命を共にするから，抵当権だけが消滅時効にかかることはない。

② 取消権，解除権，買戻権等の形成権は時効によって消滅する（民126条・426条）。形成権は権利者の意思表示だけで法律効果を生ずるから，最近は消滅時効でなく除斥期間であるとの見解が有力である。

(c) 確定判決および裁判上の和解，調停その他確定判決と同一の効力を有するものによって確定した権利の消滅時効は，本来10年より短い消滅時効期間の規定があっても，10年となる（民174条ノ2）。

(4) 時効の通則

(a) 時効の効果　① 取得時効の完成は所有権の主張および登記請求権を生ずる。反対に，消滅時効の完成は債権その他の一定の権利の消滅を意味する。

② 時効により権利を取得した場合，その法的性質は権利の原始取得である（通説）。

③ 時効の効力はその起算日に遡及する（民144条）。したがって，権利の得喪の主張は時効期間の満了時以降であるが，権利の得喪の効果は時効期間開始の時（起算日）である。

(b) 時効の中断　**時効の中断**とは，一定の中断事由の発生により，今まで

の時効の経過が無効となり，中断事由の消滅により将来に向かって新たに時効期間が進行する制度である。中断には，民法147条以下の法定中断と，下記の㈹の自然中断がある。自然中断の効果が何人に対しても及ぶのに比し，法定中断の効果は当事者とその承継人間においてだけ及ぶ（民148条）。中断事由には，以下のものがある。

① 請求（民147条1号）　㈠ 裁判上の請求（民149条）　民事裁判として提訴することにより自己の権利を主張することである（中断の効力発生は提訴の時で訴状が相手方に到達した時ではない）。したがって，国家機関や行政関係を相手に公法ないし行政法上の裁判をしても裁判上の請求とはいえない（通説）。なお，訴えの却下，棄却，取下げ等の場合には，時効中断の効力は生じない（民149条）。

㈡ 支払督促（民訴382条以下）は請求の概念に含まれ，（民訴384条）原則として時効中断の事由となる。ただし，債務者からの適法（督促送達日から2週間以内にする。民訴391条1項）の異議申立がない場合に，債権者が仮執行宣言の申立を（30日以内にする。民訴392条）しない時，支払督促は効力を失い時効中断の効力もなくなる（民150条）。

㈢ 和解や調停の申立，そのための呼出，任意出頭等は時効中断の事由となるので，提訴しない限り，これに応じない場合には中断の効力はない。

㈣ 破産債権の届出は破産手続き参加として時効中断の事由になる（民152条）。

㈹ 民法164・165条（取得時効は占有者が任意に占有を中止し，または他人のためにこれを奪われた時）による時効の中断がある。これは自然中断といい，誰に対しても中断の効果を主張できる。

㈥ 催告（民153条）による時効の中断　つまり，裁判外で請求をするが，これらを6カ月以内に裁判上の請求に変更する場合である。民法79条はこれに含まれる。

② 差押，仮差押または仮処分（民147条2号）　差押とは確定判決やその他の債務名義を根拠にして行う強制執行である（民執22条・45条・122条等）。仮差押または仮処分とは強制執行を保全するための手段である（民保全20条以下）。

③ 承認（民147条3号）　承認とは，時効によって利益を受ける当事者（含，代理人）が，時効完成前に，時効により権利を失う者に対して，時効の客体と

なっている権利の存在を肯定（承認）させる，またはすること。この承認の法的性質は観念の通知で，法律上の意思表示ではないが，**準法律行為**（催告や拒絶等の「意思の通知」および招集通知や債務の承認等の「観念の通知」は当事者の法律行為の目的の有無に無関係の点で法律行為の「意思表示」とは異なる）として，意思表示に関する規定を類推適用される。時効の中断事由になる承認をする能力や権限について，民法156条は，中断される相手（たとえば被保佐人）の権利を仮に自分が持っていた場合，これを処分する権限や能力を持たない者（たとえば被保佐人が保佐人の同意を得ていない場合）の承認でも，中断の効力を生ずるとした。この承認は，単に権利の存在を認めるだけで，承認者の効果意思を問題にしていないからである。承認の方法には，形式はなく，権利の存在を認識していることを表示しさえすればよい。

(c) 時効の停止　　権利者が，時効の完成前に，一定の事情の下に時効の中断をすることができない場合（停止事由），その事情が消滅し一定期間が経過するまで，時効の完成を延期する制度である。したがって，中断のようにこれまでの時効期間の経過を無効にはしない。停止事由としては，以下のものがある。

① 法定代理人がいない未成年者または成年被後見人の保護（民158条）
　　時効期間が満了する6カ月前に，未成年者の親権者や成年被後見人の後見人等が不在になった時，時効は停止する。しかも，これらの者を保護するために，未成年者が能力者になりまたは成年被後見人に法定代理人が就職した時から6カ月間，時効は停止する。

② 未成年者または成年被後見人が財産管理人に対して有する権利の保護（民159条）　　未成年者の父・母，または成年被後見人の後見人がそれらの財産管理人になっている場合，その財産管理人に対する権利は，成年になったりまたは後任の法定代理人が就職した後，6カ月間は時効にかからない。

③ 婚姻解消に際しての夫婦間の権利の保護（民159条ノ2）　　離婚，婚姻の取消，夫婦の一方の死亡等の場合婚姻は解消する（民743条・764条・770条）が，その際，時効の中断手続をとることは困難であるから，一方が他方に有する権利は6カ月間時効にかからないとして，その権利を保護している。

④ 相続財産に関する保護（民160条）　　相続財産の保護が目的であるからこれに属する権利は総て包含する。相続人の確定，管理人の選任，破産の宣告等があった時から6カ月間は時効は完成しない。

⑤ 時効期間満了直前に，天災その他の事変により，時効の中断ができない時は，その妨害がなくなったときから2週間，時効は完成しない（民161条）。この場合，権利者の主観的な事情である疾病や不在は理由にならない。

(5) 除 斥 期 間

除斥期間とは，法律が予定する，一定の権利の存続期間をいう。短期の消滅時効も同様な趣旨であるが，時効は継続した事実状態の尊重理念を有するのに対して，除斥期間にはそのような理念はない。

しかし，共に権利関係の速やかな確定を目的とする。したがって，除斥期間には以下の特徴がある。①時効のように中断はない。②除斥期間においても天災その他の事変があった場合には，時効の停止（民161条）を準用すべきである。③除斥期間は，時効と異なり，当事者の援用がなくても当然に効力を生ずる。④除斥期間は権利行使に着手するまでの期間であるから，この期間内に訴訟を提起すればその権利は有効に存続する。⑤除斥期間が経過した債権は，消滅時効にかかった債権に準じて（民508条），相殺の自働債権（相殺する側の債権を自働債権といい，される側の債権を受働債権という）にできる。

7　条件または期限，期間

(1) 条　　件

法律行為をした時すぐに効果を発生させるのではなく，法律行為者の意思により，一定の事実が発生した時に，法律効果を，発生または消滅する行為がある。この一定の事実を**条件**または**期限**という。条件と期限は，法律行為より生ずる効果を特別に制限することから，法律行為に付加された特別な約束事（約款）という意味で，**付款**（ふかん）といわれている。

(a) 条件の意義　条件とは，将来の不確定な事実の実現により，法律行為の効果が発生または消滅する法律行為において，将来の不確定な事実をいう。したがって，期限との相違点は，将来必ず実現または到来する事実か否かによる（実現や到来に些かでも不確実性があれば条件となる）。たとえば，「成功したら払う」といった出世払いについて，成功しない時は払わない（成功することに少しでも疑いがある場合の）意味ならば，この文は「請求権自体の存在が成功という事実の具体化にかかっている」ことであるから条件となる。これに対して，支払うが（支払の実現が可能な程度の）成功までその支払いを猶予する意味なら

ば，請求権の有無ではなく履行の時期の問題であるから，この文は期限となる。次に，条件は法律行為の内容であるから原則として当事者が自由に決められる。

　しかし，法律行為の効果が即座に発効することを要求される行為――手形小切手，婚姻等の身分法上の行為，相続等――には，条件を付けることが社会の秩序を乱すので，条件を付けられないと解されている。

　(b)　条件の類型　　①　停止条件　　法律効果の発生が，将来の不確定な事実の発生まで，停止しているものをいい，この不確定な事実を（停止）条件という。たとえば，「試験に合格すれば車を買ってあげる」の契約においては，合格することが条件であり，合格するまで車の購入という法律の効果は停止している。法律行為の効力の発生は，停止条件成就の時を原則とするが，特約により遡及効も認められる（民127条1項・3項）。

　②　解除条件　既存の法律効果が，将来の不確定な事実の発生により，解消するものをいい，この不確定な事実を（解除）条件という。たとえば，「合格したら，その問題集を返してくれ」の契約においては，貸している問題集（既存の法律効果）が合格という条件の成就により，解消するような場合をいう。法律行為の効力の発生は，停止条件の場合と同じである。

　③　不法条件　　条件を付けることによって，法律行為全体が違法性を帯びるようなものを不法条件といい，無効である（民132条）。条件自体が不法な場合だけでなく，不法行為をしないことを条件とする場合も同じ無効である。

　④　不能条件　　法律上または事実上，条件の成就が不可能な場合である。不能条件を停止条件とする法律行為は，条件成就がなく契約の実現期待がないことから，無効である（民133条1項）。また，不能条件を解除条件にすることは，実現し得ないことにより，現在の法律行為を解除するということであるから，条件がないことと同じである（民133条2項）。したがって，この場合には不能な解除条件だけが無効になる。

　⑤　随意条件　　債務者の意思だけに条件の成就がかかっているものをいう。つまり，債務者の自由にしてよい（気が向けば支払いする）というものである。逆に，気が向かなければ支払わなくてもよいのであるから，この場合には請求権は成立しないことになる。したがって，随意条件を停止条件とする法律行為は，当事者に拘束力の意思がないと考えられるので，法律行為全体が無効となる（民134条）。

⑥ 法定条件　法律が法律要件として規定している事実を法定条件という。たとえば，履行遅滞による契約の解除については，先ず催告をして，相当の催告期間内に履行がない場合に解除をすることができる（民541条）。この場合，相当の催告期間内の不履行が解除権発生の要件である。これが，法定条件といわれるものである。しかし，これはいわゆる条件とはいえないものである。

(2)　期　　限

(a)　期限の意義　法律行為の効果の発生または消滅を，将来確実に発生する事実（日時）の到来に，因らせるものをいう。法律行為に期限をつけることは私的自治の原則から，原則として自由であるが，期限になじまない行為もある。たとえば，法律行為の効果が即座に発生しなければならない婚姻や縁組には，期限（の始期）はつけられない。さらに，取消のように遡及効が認められるものも期限（の始期）はつけられない。

(b)　期限到来前後の効力　(ア)期限到来前の効力　期限の始期を付した法律行為では，債権者は期限到来まで，請求できない（民135条1項）。(イ)期限到来後の効力　債務の履行に期限の始期を付した場合には，期限到来により，債権者はその履行を請求できる。期限の終期が到来すればその効力は消滅する（民135条）。

(c)　期限の利益　期限が到来するまで，その法律行為の履行を要求されないで，保護される当事者の利益を，期限の利益という。この期限の利益を有する者は，一方的意思表示により，それを放棄できる（民136条2項）。この放棄があると，期限が到来したのと同じ効果を生ずる。したがって，債務者は即座に支払義務を負う。さらに，民法上，(ア)債務者が破産宣告を受けた時，(イ)債務者による担保の毀滅または減少があった時，(ウ)債務者が担保提供義務に反し，担保を提供しない時等は期限の利益の喪失がある（民137条）。

(3)　期　　間

(a)　期間の意義　期間とは継続した時点から時点までをいう。継続が要素である。したがって，一定の時点をいう期日とは異なる。期間には，(ア)将来に向かって継続する期間（嫡出否認の訴の提起期間は「夫が子の出生を知った時から1年以内である」民777条），(イ)過去に向かって継続する期間（無能力者の法律行為の時効停止の場合，民158条），(ウ)2個以上の時間帯の合算した1つの期間（有給休暇の継続または分割した10労働日の付与，労基法39条1項）等があるが，民法は

(ア)の一定時点から将来に向かっての期間についてだけ，期間計算方法について規定している。

(b) 期間の計算方法

① 始期　(ア)時以下を計算単位とした場合は，期間の始期は「即時より開始する」(民139条)。(イ)日，週，月，年を計算単位とした場合には，期間の始期が午前零時に始まる時は初日を算入する。しかし，それ以外の時は，初日を算入しないで翌日から期間は始まる（翌日が起算日となる）。ただし，国会法（14条），公職選挙法（256条），年齢計算に関する法律①，戸籍法（43条1項），民事訴訟法95条2項等のように，初日から算入するものもある。

② 終期　(ア)日，週，月，年を計算単位とした場合には，その末日の終了時が期間の終期である（民141条）。ただし，商行為による債権債務の場合には，法令や商慣習による（商520条）。(イ)期間の末日が大祭日，日曜日，その他の休日で取引をしない習慣がある場合には，期間はその翌日が満了日となる（民142条）。

③ 計算方法　日を単位とする場合，起算日から数えて末日を出す。月や年を単位とする場合，暦により必要な月や年の末日を計算する（日に換算しない）。起算日と同じ期間の末日の日を「応答日」という。そして，週，月，年を計算単位とするが初日を算入しない場合には，最後の週，月，年の応答日の前日が，期間の末日となる（民143条2項）。

【参考文献】

我妻栄・民法総則（民法講義I）（岩波書店），幾代通・民法総則〔第二版〕（青林書院），東大緑法会・法学演習体系・民法総則（酒井書店・育英堂），自由国民社・法律用語辞典

第2節　財産関係と法

はじめに

　民法について財産関係というとき，通常は，いわゆる財産法を考えてよい（死亡した者の財産関係については，後述第3節3，相続以下を参照）。そして，この財産法の二大法領域が**物権**と**債権**である。

　もちろん，ここで物権と債権について詳細に論じることはできない。そこでまず財産とは何かについて考え，つぎに債権の主たる領域である契約について理解し，最後に同じく債権とされながらその発生原因が契約と全く異なる不法行為について考えることにしたい。

1　財　　産

　財産とは何か。これを一言でいうのはなかなか難しい。およそ学問というものは，基本的な言葉を定義することが難しいのである。

　標準的な国語辞典とされている『広辞苑』によれば，財産とは「①財貨と資産。個人または集団の所有する財の集合。②一定の目的の下に結合している経済的価値あるものの総体。有体物および権利・義務ばかりでなく顧客関係のような事実関係，また，積極財産（資産）および消極財産（負債）をも含み得る。」とある。そして②の意味については法律用語としての意味であるとの指示がある。

　つづいて財産権の項目については「私権の一。経済的利益を目的とする権利。その主要なものは物権・債権・無体財産権。」と定義されている。

　つぎに法律の専門用語辞典によればどう定義されているのだろうか。各種法律用語辞典があるが，『新法律学辞典』（第三版，有斐閣）によれば，財産とは「財産権と同じ意味で用いられることもあるが，私有財産制度などの語として用いられるときは，人間の経済的・社会的欲望を満足させる有形無形の手段を意味する。私法上は，個々の財産でなく，一定の目的の下に結合している財産の総体の意味に用いられることが多い。ただし，この場合でも，積極財産（資産）だけを指すこともあり（民306条・688条等），消極財産（負債）を含むこともある（民25条・896条等）。（以下略）」とされている。ちなみに同辞典の財産権についてみ

るとつぎのようにいわれる。すなわち財産権とは「財産の上の私権。(中略) 財産権は目的による私権の分類の一種類としてみれば親族権（身分権）・人格権・社員権（ときにはこのほかに相続権を加える）などに対するものとなる。財産権の主要なものは物権・債権及び無体財産権であり，原則として譲渡・処分・相続ができる点で共通の性質をもつ。(以下略)」とされる。

このように財産というときかなり広い意味をもっていることがわかる。しかし，いま，ここで私たちが学ぶ対象としての財産関係というときには，物権と債権を考えればよいであろう。

(1) 物権とは

特定の物を直接に支配する権利である。物権は，本権としての物権と物の事実的支配たる占有を要件とする占有権とに分けられる。前者はさらに，所有権と他人の所有物の上の物権である他物権（制限物権）とに分けられる。他物権は，他人の土地を一定の目的のために使用収益する用益物権と，一定の物を債権の担保に供することを目的とする担保物権とに分けられる。担保物権は契約によって生ずるものを約定担保物権，法律の規定によって生ずるものを法定担保物権という。これを図示すればつぎのようになる。

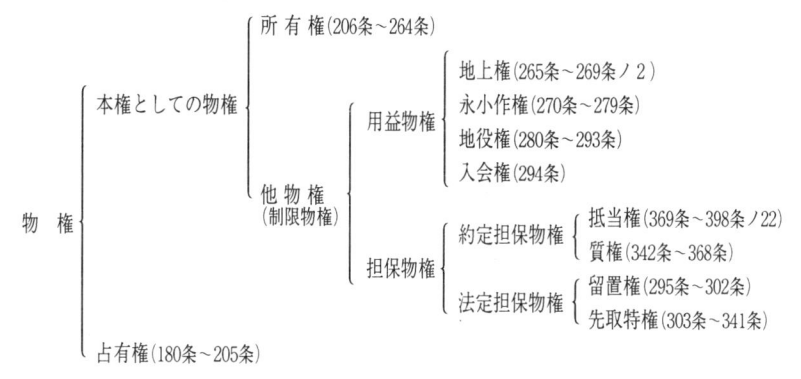

```
           ┌ 本権としての物権 ┌ 所有権(206条〜264条)
           │                 │
           │                 │                ┌ 地上権(265条〜269条ノ2)
           │                 │         ┌ 用益物権 ┤ 永小作権(270条〜279条)
           │                 │         │      │ 地役権(280条〜293条)
           │                 │         │      └ 入会権(294条)
物　権 ─────┤                 └ 他物権 ─┤
           │                   (制限物権) │              ┌ 抵当権(369条〜398条ノ22)
           │                           │      ┌ 約定担保物権 ┤
           │                           └ 担保物権 ┤      └ 質権(342条〜368条)
           │                                   │      ┌ 留置権(295条〜302条)
           │                                   └ 法定担保物権 ┤
           │                                           └ 先取特権(303条〜341条)
           └ 占有権(180条〜205条)
```

(2) 債権とは

債権とは，たとえば金銭の支払や自動車を一台引き渡すことなどのように，他人の一定の行為（これを「給付」という）を要求しうる権利のことである。給付を要求できる者が債権者，給付すべき義務を負う者が債務者といわれる。この債権について民法は，つぎのように規定する。すなわち債権の総則として，債権の内容，効力，態様，移転，消滅について規定する（民法第三編第一章）。つ

ぎにこうした債権の発生原因として，契約（第二章），事務管理（第三章），不当利得（第四章），不法行為（第五章）が規定される。そうして債権の主たる発生原因としての契約については，契約全般の通則たる総則の他に，13種類の典型契約が規定されている。講学上第一章を「債権総論」，第二章以下を「債権各論」とよんでいる。これを図示すれば，つぎのようになる。

債権 ┬ 総則 ┬ 債権の目的(399条～411条)
　　 │　　 ├ 債権の効力(412条～426条)
　　 │　　 ├ 多数当事者の債権(427条～465条)
　　 │　　 ├ 債権の譲渡(466条～473条)
　　 │　　 └ 債権の消滅(474条～520条)
　　 ├ 契約(総則・贈与・売買・交換・消費貸借など)(521条～696条)
　　 ├ 事務管理(697条～702条)
　　 ├ 不当利得(703条～708条)
　　 └ 不法行為(709条～724条)

2　契約の履行

(1)　契約と法

ここで学ぶべき事柄の項目を示すならば，つぎのようになる。

　　　　　　　　　　　　　　　　　　　　　　　（規定のあるところ）
契約の成立…………申込と承諾…………契約総則
履行期 ┬ 期限の定めのある場合 ┐……債権総則
　　　 └ 期限の定めのない場合 ┘　　（債権の効力）
履行場所 ┬ 持参債務
　　　　 ├ 取立債務…………債権総則
　　　　 └ 送付債務　　　　（債権の消滅の弁済）
履行する場合のルール……同時履行の抗弁権……契約総則
　　　　　　　　　　　　　　　　　　　　　　（契約の効力）
履行されない場合 ┬ 強制履行 ┐……債権総則
（債務不履行）　　└ 損害賠償 ┘　　（債権の効力）

　民法典は一つの法律関係ないし法律事象を総則（抽象）──各則（具象）という抽象化（具体的なものから共通項としての抽象的なものを抽出して体系化する）をくり返して構築されたものである。これを**パンデクテン体系**という。

　売買契約という一つの法律関係を上のような具体的な観点からみるとき，それに関連する各法規は，債権の総則，債権の各則である契約の総則，契約の各

則である売買のところというように各所に存在している。したがって売買契約という一個の法律関係から発生する問題を考えるとき，各所に散在するこれらの規定を参照することが必要となる（さらに言うならば，たとえば売主が未成年者であるときは，物権や債権の総則たる民法総則を参照しなければならない）。したがって民法を理解するためには，このことを理解したうえで体系性を常に意識し，必要な条文がどこに規定されているのかを知ることが重要となるのである。

(2) 契約の成立

(a) 契約とは何か　今日の私たちの社会生活関係を考えてみると契約のはたす役割は極めて大きい。私たちが衣食住など日常生活を営むうえで必要なものはほとんど契約関係を通して手に入れるといってよい。それのみならず，たとえば，大学に入学して教育サービスを受けることなども一種の契約である。

それでは「契約」とはいったい何であろうか。

法律的な定義をするならば，契約とは相互に対立する二個以上の意思表示が合致する（これを「合意」といってもよい）ことによって成立する法律行為である。

すなわち売買契約を例にとれば，売主のある品物を価格いくらで売るという意思（これを「申込」という）とその品物をその価格で買うという買主の意思（これを「承諾」という）が合致して契約は成立することになる。

このことを法律は，つぎのようにいう。「売買ハ当事者ノ一方カ或財産権ヲ相手方ニ移転スルコトヲ約シ相手方カ之ニ其代金ヲ払フコトヲ約スルニ因リテ其効力ヲ生ス」（民555条）と。

売買契約は当事者の一方（売主）が相手方（買主）に財産権（たとえば，所有権を考えてみるとよい）を移転する約束をし，相手方がそれに対して代金を支払うという約束をすることによって効力を生ずるというのである。これを図示すれば，つぎのようになる。

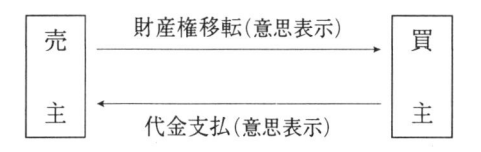

```
┌───┐  財産権移転（意思表示）  ┌───┐
│売 │ ──────────────→ │買 │
│主 │ ←────────────── │主 │
└───┘   代金支払（意思表示）   └───┘
```

売買契約における財産権移転の意思表示とは，たとえば売主のもっている所有権を買主に移転するという意思であり，契約が成立すればそれは買主に所有

権を移転する義務となる。同じく買主の代金を支払うという意思は売主に対する代金支払義務となる。このように互いに関連しあう二つの義務が成立する（これを対価的牽値関係という）契約を**双務契約**という。これに対して贈与契約のように一方の義務しか成立しない契約を**片務契約**という。

また売主の買主に対する財産権移転義務は，買主の側からみれば売主に対する財産権移転請求権となり，買主の代金支払義務は売主の側からみれば，買主に対する代金支払請求権となる。このように一つの権利と義務は表と裏の関係にあることに注意しておく必要がある。

(b) 申込と承諾　契約は申込と承諾によって成立する。申込とは，前述のようにある一定の内容をもつ，契約を成立させようとする意思表示である。承諾とはこのような申込と結合して契約を成立させようとする意思表示である（申込と承諾に関しては民法521条—532条まで詳細な規定があるが，ここでは，その概略について述べる）。

① 申込は誰に対してなすものか。特定の相手方に対してなされる場合が多いであろうが，不特定多数の者を相手に申込をすることもできる。ある特定の行為をした者に一定の報酬を与えることを広告するような場合，すなわち懸賞広告がその例である（民529条）。

② 申込はこれを自由に撤回することはできない。すなわち，承諾期間の定めのある申込はその期間内，申込を取り消すことはできない(民521条1項)。承諾期間の定めのない申込の場合は，申込者が承諾の通知を受けるのに相当な期間これを取り消すことができない（民524条）。これらは承諾をしようとする相手方の利益を考えた規定である。

(c) ところで，Aが自己所有物を相当の価格で売却しようとBに申し込んだところ，BもまたA所有物を同一価格で買い受けようという申込をした場合はどうか。

このように当事者者双方が互いに合致する内容の**申込**をすることを**交叉申込**といい，民法に規定はないが，契約は成立するものとされ後の申込が相手方に到達した時が契約成立時とされる（到達主義の原則）。

(3) 履行期

それでは契約はいつ履行すべきか。履行期の問題である。

当事者が履行期を，たとえば平成何年何月何日というように定めてあれば，

当然その時になる（民412条1項）。

当事者がこのような確定した期限を定めないとき，たとえば「自分が死んだ時」というように到来することは確実であるがその時期が不確定であるような期限を不確定期限というが，このような場合には，債務者がその期限の到来したことを知った時に履行することになる（民412条2項）。

当事者が期限（確定期限であれ不確定期限であれ）を定めなかったときは，債務者が履行の請求を受けた時に履行しなければならない（民412条3項）。

(4) 履　行　地

民法が原則とするのは，債権者の住所または営業所で履行しなければならないとする持参債務である（民484条）。しかしこれはもとより一応の標準を示したものであって，当事者の合意が優先することは契約自由の原則上いうまでもない（法文には「別段ノ意思表示ナキトキ」と表現されている）。このような別段の意思表示がないときは，債務者は履行期に債権者の住所に行って履行することになるが，その費用は，これもまた別段の意思表示がないときには債務者が負担することになる（民485条）。

これに対して債務者の住所または営業所で履行しなければならないとする取立債務がある。別段の意思表示（特約）あるとき，あるいは法律の規定（例。商516条2項）があるときに取立債務となる。なお民法484条は，特定物の引渡を目的とする債務の履行については，債権発生の当時その物が存在していた場所であるとしていることに注意しなければならない。

これら二つの履行地の他に第三地，つまり債権者や債務者の住所または営業所以外の場所に目的物を送って履行するものがある。送付債務といわれるものであり，特約によって生ずるものである。

(5) 履行する場合のルール

売買契約のように，当事者の双方が互いに対価的牽連関係を有する義務を負担する双務契約の履行に際しては，当事者の一方が先に履行するという先履行特約のない限り，同時に履行すべきことになる。同時履行の抗弁権といわれるものである（民533条）。すなわち売買契約を例にとれば，売主は代金支払があるまで目的物を買主に引き渡さなくてもよいことになり，買主は目的物の引渡があるまで代金の支払を拒絶しうることになる。両義務は同時に，つまり引き換えに給付されることになる。

法律効果の面からこれをみるならば，品物を引き渡さないということ，あるいは代金を支払わないということが，後に述べる債務不履行にならないということである。「相手方カ其債務ノ履行ヲ提供スルマテハ自己ノ債務ノ履行ヲ拒ムコトヲ得」（民533条）ということの意味はここにあるといえる。

(6) 契約が履行されない場合

両当事者の合意によって成立をした契約は守られなければならない。古くラテン語でつぎのようにいわれるものである。pcta sunt servanda（パクタ・スント・セルヴァンダ）すなわち**「合意は守られなければならない」**という意味である。契約上の義務は誠実に履行されなければならない。

契約上の義務すなわち債務は，個人の自由意思を基本とする近代民法では，債務者が任意に履行することを原則としている（**任意履行の原則**）。

しかしながら債務者が任意に履行しない場合はどうしたらよいのか。いわゆる債務不履行の問題であるが，ここでは債務の現実的履行の強制，すなわち債務が任意に自発的に履行されない場合に，債務者の意思にかかわりなく債務内容を強制的に実現することについて説明する（債務不履行の効果として損害賠償もあるが，これについては，つぎの債務不履行責任のところで詳述する。なお強制履行は損害賠償の対概念と考えてよい）。つぎの三つの方法がある。

(a) 直接強制　　国家権力（具体的にこれを行使するものは執行裁判所と執行官である。民執2条）により直接に債権の内容を実現する方法である。たとえば，自動車を一台引き渡す債務を履行しない場合には，執行機関が債務者(売主)から自動車をとり上げて債権者(買主)に交付するとか，金銭の給付の場合には債務者の財産を処分した代価の中から一定の金額を債権者に与えるということである（これらについては民事執行法という法律に規定がある。金銭債権については同法43条～167条，不動産・動産などの引渡については同法168条・169条参照。直接強制の具体的な方法については極めて専門的であり，条文を読んで直ちに理解できるというものでもないので，ここでは余り深く立ち入る必要はない。ただどういう法律に規定があるのかを理解しておけばよいであろう）。

さきの例のように直接強制は，物を給付することを目的とするいわゆる与える債務においてとられる方法である。

(b) 間接強制　　債務が履行されない場合に債務者に一定の不利益，たとえば，履行されるまで一日何円の損害賠償を支払わせるというような不利益を課

すことによって債務者に心理的強制を加え，履行を強制するものである（民執172条）。

債務者の人格に干渉を加えないとするのが近代法の原則ではあるが，これを徹底させるとき，債権の効力は弱まることになる。したがってある程度の心理的強制が認められるようになったものである。

① 〔間接強制が認められる場合〕　直接強制や第三者が債務者にかわって債務内容を実現することができない債務（不代替的債務）について認められる。すなわち証券への署名義務，財産管理の清算義務などがこれにあたるであろう。

② 〔間接強制が認められない場合〕　債務者の自由意思に心理的圧迫を加えることが社会通念上不適切であるような場合とか，債務の本来的内容の実現に問題があると思われるような場合である。判例にあらわれたものを含めていくつかの事例がある。

有名な画家に自分の肖像画を描かせる債権や，夫婦の同居請求権などである。

これに対して，離婚した夫婦の一方から他方に対する幼児の引渡請求権については，見解が分かれる（学説には反対するものが多い）。

(c)　代替執行　債務者が任意に履行しない場合に，債権者が第三者に債務内容の行為をさせ，その費用を債務者から取り立てるという方法で給付内容を実現するものである（民414条2項・3項，民執171条）。前述の与える債務の場合には直接強制によって債務内容の実現がはかれるので，ここで問題となるのは，なす債務のうち第三者が代わって給付内容を実現できるもの，すなわち代替的給付である。たとえば家屋除去を債務内容とする場合に，債務者がいつまでも除去しないので債権者が第三者をやとってこれを除去し，その費用を債務者から取り立てるというような場合が考えられよう。判例にあらわれたものは，新聞に謝罪広告を出すというものもある。

なお代替執行によって債務内容が実現される場合には，間接強制は許さないとされる。

3　債務不履行責任・危険負担・瑕疵担保責任

〔ここで学ぶこと〕

契約は守られなければならない，そしてまた契約の履行は債務者の任意履行（自発的に）を原則とする，そして任意履行がなされない場合に国家権力（つま

り裁判所など）によって強制的に債務内容が実現される方途ないし手段のあることを学んだ。

ここでは債務内容が実現されない，すなわち債務不履行にはどのようなものがあるのか，そしてそのような場合に債務内容の強制的実現をはかるかわりに，金銭による損害賠償を求める場合の問題点を主として学ぶことにする（もとより債務不履行の場合に損害賠償だけが問題となるわけではない。債務不履行の効果として解除やその他の効果も存在する）。

つぎに同じく債務内容の不実現であっても，契約成立後の当事者の責に帰すことのできない場合に契約ないし債権債務関係はどう処理すべきかという，いわゆる危険負担の問題をとり扱うことにする。事例としては，家屋の売買契約締結後に落雷で，その家が焼けてしまって，買主に引き渡せなくなった場合を考えてみればよい。

最後に売買の目的物に隠れたる瑕疵があった場合に，買主は売主にどのような請求ができるかという瑕疵担保責任の問題について考えてみよう。これは本来は売買契約のところに規定されている各則的問題である。

(1) 債務不履行責任

債務不履行とは要するに債務内容が約定通りに実現されないことである。基本的には次の三つの類型があるとされている。

(a) 履行遅滞　履行遅滞とは一言でいうなら，履行期に履行可能であるにもかかわらず履行されないことである。これについて以下要件と効果（なお効果については一括して説明する）について詳しく説明する。

〔履行遅滞の要件〕

(i) 債務が履行期に履行可能であるにもかかわらず履行されないこと

履行することができなければ，つぎに説明する履行不能になる。

(ii) 債務が履行期にあること　履行期については前述"契約の履行"のところで述べたように，確定期限ある場合，不確定期限ある場合，期限の定めがない場合と三つある。それぞれの期限を徒過した時から遅滞となる。

(iii) 債務者が，不履行が自己の責に帰すべき事由に基づかないことを証明できないこと　責に帰すべき事由のことを帰責事由という。そして帰責事由とは故意または過失および信義則上（民1条2項）これと同視しうるような事由である。

故意とは自分の行為から一定の結果の発生することを認識しながら，あえてその行為を行うことと一般に理解される。

また過失とは自分の行為から一定の結果の発生を予見または認識すべきであるにもかかわらず相当な注意力を欠くため予見または認識しないことである。

過失は不注意の程度によって，つぎのように区別される。著しく注意力を欠くことを**重過失**，それよりも軽度の注意力の欠如を**軽過失**という。また注意義務の標準を誰に求めるかにより，**抽象的過失**と**具体的過失**に分けられる。

すなわち抽象的過失の基準とされるのは抽象的一般人のそれ（その職業や社会的階級に属する者として通常要求される注意力）であり，具体的過失においては行為者本人の日常生活における注意力が基準とされる（その意味で具体的といわれるのである）。

抽象的一般人のことを「**善良な管理者**」と法文では表現される（民400条・644条など）。具体的過失には個人差があることが考えられ，法文では「自己の財産におけると同一の注意」（民659条・940条など）などという表現がなされている。

そしてこれらの組み合わせから，抽象的軽過失，抽象的重過失，具体的軽過失，具体的重過失という分類が一応はできるが，具体的重過失を要件とする民法規定は存在しないので，民法上問題となる過失は前三者ということになる。

信義則上，故意過失と同視しうる事由で問題となるのは，いわゆる履行補助者の故意過失である。履行補助者とは債務者が債務の履行のために使用する者である。民法に規定はないが，判例学説ともに債務者本人の責任を認めている（ただし，狭義の履行補助者と履行代行者について，債務者本人の負う責任につき若干の差がある）。

一例をあげよう。AがBから賃借している家屋をAの同居している家族，たとえばAの妻の過失で賃借家屋を焼いた場合に，Aは責任を負うべきか。Aの妻は**利用補助者**といわれるが，判例はAの責任を認めている。

　　(iv) 債務不履行が違法であること　　債務者が履行期を徒過してもそれを正当とする事由が存在するときは債務不履行とならない。正当とする事由として，先に述べた同時履行の抗弁権（民533条）がある。さらに留置権（民295条）も正当事由の一つである。

以上の要件を充足するとき，履行遅滞となる。

　(b) 履行不能　　履行不能とは履行期に履行することが不可能であることを

いう。契約締結時を基準としてそれ以前から不能であった場合には契約ははじめから成立していないものとして扱う（これを**原始的不能**といい，契約は無効となり契約締結上の過失責任が問題となるだけである）。債務不履行としての履行不能は契約締結時以後の債務者の責に帰すべき不能（これを**後発的不能**という）である。債務者の責に帰すべからざる後発的不能は，つぎの危険負担の問題である。たとえばＡＢ間で家屋の売買契約を締結したとする。契約成立事前に，その家が火事で焼失していたときは，原始的不能であって契約は無効となる。ところが契約成立後に売主Ａの過失で家を焼いてしまって引き渡すことができなくなったときには履行不能として扱われ，家の焼失が落雷によるものであったときには危険負担の問題になると理解すればよい。

〔履行不能の要件〕

　(i)　契約成立後（債権成立後）に履行不能となったこと　不能か否かの基準は社会通念による。土地の売主ＡがＢに譲渡した後，第二の買主Ｃに当該土地を二重に譲渡し登記を移転してしまったような場合には，売主ＡのＢへの所有権移転債務ないし土地引渡債務は履行不能となったと判断されるのである。

　履行期以前でも不能が確実であればその時から履行不能の効果を認めてもよい。

　(ii)　不能につき債務者に帰責事由（故意過失）があること（民415条）。

(c)　不完全履行　債務は一応履行されたがその内容が不完全すなわち債務の本旨に従った（民415条）履行をしていないものをいう。給付内容の不完全の事例としては種々のものがありうる。百科事典の売主が，落丁乱丁のある事典を給付したとか，鉱山の調査を依頼された者が杜撰な調査報告書を交付した場合は給付目的物ないし給付行為の内容に瑕疵がある。家具を注文主の部屋に搬入する際に高価なカーペットを毀損した場合には，給付するときに必要な注意を怠っているのである。

　そしてこれら不完全な履行の結果として損害が拡大する場合がある。不十分な報告書により鉱山を買った者が損害を受けたり，カーペットが毀損されたりした場合であって，これらの場合を積極的債権侵害ということもある。

〔不完全履行の要件〕

　(i)　一応債務が履行されたこと　債務の履行がなければ履行遅滞である。

その後に不完全な給付がなされれば履行遅滞と不完全履行が競合する。

　(ii)　不完全ということが質的不完全であること。ビール1ダースを引き渡すときに11本しか引き渡していないときは一部の履行遅滞である。

伝統的な考えによれば，特定物（当事者が物の個性に着目して取引した物）に質的不完全があった場合，たとえば家屋に欠陥工事がなされ雨もりがするような場合，後に述べる瑕疵担保責任の問題とされ，不特定物（当事者が種類・数量を指示し，物の個性に着目せず取引した物）に質的不完全があった場合，たとえば，引き渡した鶏の一部が病気にかかっていたような場合が不完全履行の問題として扱われる。

　(iii)　債務者に帰責事由があること　　この点は履行遅滞，履行不能と同様である。

〔債務不履行の効果〕

　(a)　損害賠償請求権　　債務不履行から生ずる種々の損害（「損害」とは何かという難しい議論があるがここでは立入らない）を金銭で評価して賠償させることになる。損害は，つぎのように分類される。

　(i)　財産的損害（物質的損害），(ii)　非財産的損害（精神的損害）

　(i)　財産的損害とは財産について生じた損害であって，損害を生じた現在の財産の価額と損害を生じさせた事件がなかったならばあったであろうような財産の価額との差として現われるとされる（差額説）。

　(ii)　非財産的損害とは生命・身体・自由などの侵害の際の精神的苦痛である。このような精神的苦痛に対する損害賠償を慰謝料といっている。

事例をあげよう。タクシーに乗車中の客が運転手の過失によって交通事故にあい，腕と指を骨折し，腕にはめていた時価50万円の腕時計が壊れた場合（運送契約の不履行），骨折の治療代と時計代50万円は財産について生じた損害である。この乗客がピアニストであって一生腕が以前の状態に戻らないとすれば精神的苦痛は甚大である。また時計についても思い出の品であって格別愛着があったとすれば，これに対しても精神的苦痛は考えられよう。これらの精神的苦痛が非財産的損害である。

　(iii)　積極的損害, (iv)　消極的損害

　(iii)　積極的損害とは，既存の財産の減少をいう。

　(iv)　消極的損害とは，財産の増加が妨げられた場合をいう。

後者の場合には「得べかりし利益の喪失」という表現もなされる。先ほどのピアニストの事例でいうならば、治療代・腕時計代は積極的損害であり、事故（すなわち運送契約の義務の不履行）のために演奏会に出演できなくなって出演料が得られなくなったり、腕や指の後遺症のため労働能力が低下し収入減を招いた場合には、これらは消極的損害となる。

(b) いかなる範囲の損害を賠償させるか　基本的には当該債務不履行と相当因果関係にある損害である。因果関係というのは「あれなければこれなし」というように、原因と結果の関係であるが、この連鎖は無限である（自然的因果関係）。そこでいかなる損害を賠償すべきかについて相当因果関係という制限を加えたのである。

民法416条1項は「債務ノ不履行ニ因リテ通常生スヘキ損害」を賠償させるといい、同2項は「特別ノ事情ニ因リテ生シタル損害ト雖モ当事者カ其ノ事情ヲ予見シ又ハ予見スルコトヲ得ヘカリシトキハ」債権者はその損害の賠償も求めることができるという。前者を①通常損害、後者を②特別損害という（なお2項の当事者とは債務者と理解されている）。

①通常損害とは、当該債務不履行から普通一般に生ずる損害であり、②特別損害は条文の字句通り特別の事情により生ずる損害であるとされるが、具体的事例に即して考えるときそれ程明確でないことに注意しなければならない。

たとえば、家屋の売買において、売主の家屋の引渡が履行期になされなければ（履行遅滞）、現実に引き渡されるまでの期間利用できなかった分が損害であり、当該家屋をそれよりも高価にて第三者に転売しようと思っていたがその機会を逃した場合には、転売利益が前述の逸失利益となろうが、それは転売という特別の事情による損害ともいえよう。ところが売主買主双方とも不動産業者であった場合には転売は日常業務のひとつにすぎず、その意味では転売利益は通常生ずる損害ということもできよう。

特別な事情の予見可能性については債権者がこれを立証しなければならないとされている。予見時期は債務不履行時である。

以上は相当因果関係説に立つ伝統的な理解であるが、近時この相当因果関係説に対する批判（保護範囲説）があるがここでは立入らない。

(2) 危険負担

売主A、買主Bの間で新築家屋の売買契約を締結したところ、落雷によって

売買目的物であるその家が焼失してしまった。AB間の法律関係はどうなるのか、いいかえればAはBに家を引き渡すことはできないが、BはAに家の代金を支払わなければならないのかということである。これを抽象的一般的に表現すると、つぎのようになる。

売買契約のように双方が対価的牽連関係を有する義務を負担する双務契約において、契約成立後両当事者の責に帰すべからざる事由により一方の債務が履行不能となった時、他方の債務をどのように扱うかということが危険負担の問題である。

〔債権者主義と債務者主義〕

双務契約、たとえば売買契約においては売主は代金債権については債権者であるが、目的物の引渡については債務者である。同様に買主は目的物引渡請求権については債権者であるが、代金支払については債務者である。つまり双務契約においては当事者は債権者であると同時に債務者でもある。それでは、ここでいうところの債権者主義・債務者主義とは何を意味するのか。不能となった債務の債権者と債務者を指しているのである。前述の家屋の売買の例でいうならば、不能となった債務は家の引渡債務であるから、債権者は買主であり、債務者は売主である。

責に帰すべからざる事由によって家の引渡債務が履行不能になって消滅したので、それと対価的牽連関係にある代金債務も消滅するとすれば家の滅失という損失（「危険」という）は売主、すなわち債務者が負担することになる。これに対して代金債務は消滅しないとすれば家の滅失という損失は結局債権者、すなわち買主が負担することになる。このように一方の債務消滅の危険を債権者が負担する場合を債権者主義、債務者が負担する場合を債務者主義というのである。

民法は前にも述べた売買目的物の特性に応じて、すなわち特定物と不特定物に応じてここでも法律効果を異にする。特定物（たとえば家屋など）の売買の場合には「其物カ債務者ノ責ニ帰スヘカラサル事由ニ因リテ滅失又ハ毀損シタルトキハ其滅失又ハ毀損ハ債権者ノ負担ニ帰ス」（民534条1項）とされ、債権者主義が採用されている。それ以外については「当事者双方ノ責ニ帰スヘカラサル事由ニ因リテ債務ヲ履行スルコト能ハサルニ至リタルトキハ債務者ハ反対給付ヲ受クル権利ヲ有セス」（民536条1項）として債務者主義を原則としている（存

続上の牽連関係)。

　このことから前述の事例は，つぎのように考えられる。特定物である家屋の引渡は両当事者の責に帰すべからざる事由（例：落雷）で履行不能となり消滅するが，反対給付である代金支払債務は民法534条により消滅せず残る。つまり買主は代金を支払わなければならないことになる（そこで買主はこのような事態を回避するために特約をつけることもできようし，あるいは当該家屋に火災保険をつけておくこともできよう）。

　危険負担における債権者主義はローマ法の「危険は買主にある」という法原則以来のものである（そしてこの原則について種々の理由づけがなされてきた。その中には商事売買においては不合理であるともいえないとするものもある）が，学説においてはこの原則を制限するよう努力されている。

　不特定物売買についても民法401条2項により目的物が特定したときから債権者主義がとられるが，このことの不合理性はより一層明らかであり，ここにおいても危険債権者主義の是非が検討されるべきであるとされる。

(3) 瑕疵担保責任

　売買の目的物に**瑕疵**(かし)（欠陥）があった場合に，売主は買主に対していかなる責任を負うであろうか。いいかえるならば，買主は売主に対してどのような請求ができるであろうか。

　売買の目的物に瑕疵ある場合は，権利の瑕疵（民561条・563条～569条）と物の瑕疵（民570条）とに分けられる。そして物の瑕疵についての責任をとくに瑕疵担保責任といっている。

　瑕疵担保責任は売買以外の有償契約，すなわち消費貸借（民590条），請負（民634条～640条）でも問題とされる（無償契約である贈与の瑕疵担保責任については民551条）が，ここでは売買契約における物の瑕疵についての責任を扱うことにする。

　(a)　瑕疵担保責任の考え方　　たとえば，中古住宅を購入したら土台の一部が腐蝕していたとか，新築の住宅でも雨漏りがすることがある。このように売買の目的物に欠陥（質的瑕疵）があった場合をどう解決すべきか。民法570条はつぎのようにいう。「売買ノ目的物ニ隠レタル瑕疵アリタルトキハ第五百六十六条ノ規定ヲ準用ス」と。566条のいう法律効果は，その瑕疵のために契約をなした目的が達成できないときは契約解除（さらに損害賠償の請求もできる），それ

以外は損害賠償の請求のみができるというものである。そしてこれらの権利行使は，買主が事実を知った時から1年以内に行使しなければならないというものである。なお**隠れたる瑕疵**とは，買主が取引上一般に要求される程度の注意を払っても発見できないか，または瑕疵の存在を知らないことについて過失のないような場合である。

　伝統的な理解によれば，このような法律効果を主張しうるのは特定物売買（これについては先に説明した）の場合であって，不特定物売買の場合には瑕疵担保責任は適用されないという。不特定物売買において瑕疵ある物を給付した場合には（たとえば落丁，乱丁のある百科事典），債務の本旨にかなった履行があったとはいえない，すなわち債務不履行（不完全履行）となり，買主は売主の帰責事由を必要とするもののつぎのような請求ができるとされる。①代替物の請求，②瑕疵修補請求，③①と②が不可能のときは損害賠償請求，④契約の解除，⑤拡大損害があれば民法416条の要件を充足する限りにおいて損害賠償請求，以上である。

　特定物売買と不特定物売買をなぜ区別するのか。特定物の瑕疵は原始的一部不能であって，その部分については契約不成立となり契約責任はない。また特定物については，民法483条で「引渡ヲ為スヘキ時ノ現状ニテ其物ヲ引渡スコトヲ要ス」（特定物の現状引渡義務）とされており，瑕疵ある物の引渡をもって履行完了とせざるを得ない（これを特定物ドグマといっている），したがって隠れたる瑕疵があっても債務不履行にならず，これを問うことは法理論上不可能である。そこで公平の見地から法政策的に売主の無過失責任を設ける必要があった。つまり特定物売買における売主の瑕疵担保責任は法定の無過失責任と理解するのである。

　これに対して不特定物売買においては完全な物の給付あるまでは給付があったとはいえないから，完全なものの給付を請求できる（代替物請求），さらに不特定物については同種同等のものが市場にある限り，瑕疵給付は理論的にありえないと考えるのである。

　以上が特定物と不特定物を区別する伝統的な考え方の理由である。

　しかしこの考え方でいくと若干不都合な点が出てくる。たとえば百科事典を10年近く使用した後乱丁があるから代わりの新しい事典を給付しろということが認められるかという問題である。債権の消滅時効は10年間（民167条1項）であ

るので,この期間内であれば請求できるということになるからである。

そこで学説は信義則(民1条2項)や民法566条3項または548条の類推適用などにより期間制限を図っている。

近時,このような特定物と不特定物を区別して取り扱う伝統的理論に対して,瑕疵担保責任は債務不履行の特則とみて特定物・不特定物を問わず瑕疵担保責任が適用されるとする有力な見解がみられる。しかしながらこの説に立っても今度は代物請求,修補請求をどう認めるかが問題となっている。

判例はこの問題について,不特定物売買においても瑕疵担保責任の規定の適用を認め,買主が瑕疵の存在を認識して目的物を履行として認容・受領したときは瑕疵担保責任のみ追及しうるとしている,と理解されている。

二つの説のどちらに立っても結果的には大差がないといわれているが,売買の目的物の性質の違いからそれぞれの債務をどうみるのかという根本的な問題を含んでいるところであり,法を考えるうえで格好の素材のひとつであろう。

4 各種の典型契約

契約というときその意義は大きく分けて二つある。ひとつは広い意味において,債権契約だけではなく物権契約(直接に物権を変動させる契約)や身分法上の契約(婚姻・養親子など)も含まれる。もうひとつは狭い意味においてであって,債権契約(債権関係の発生を目的とする)のみをさす。ここで学ぶ契約とは債権契約である。

(1) 典型契約・非典型契約

典型契約とは,法律がとくに定めている契約であって,民法典は13種類の契約について規定する。贈与,売買,交換,消費貸借,使用貸借,賃貸借,雇傭,請負,委任,寄託,組合,終身定期金,和解がそれである。なお,私法の特別法である商法にも運送,寄託,保険などにつき規定がおかれている。

しかしながら現実の生活における契約は,これらにつきるものではない。**契約自由の原則**(締結,内容,相手方選択,方式についての自由)からこれらの契約類型にあてはまらないものも認められる(ただし,公序良俗などに反する契約が認められないことはいうまでもない)。このような契約を**非典型契約**という。なお典型契約を有名契約,非典型契約を無名契約ともいう。

またひとつの契約の中に,いくつかの典型契約の要素をもっているものを**混**

合契約という。たとえば客の注文に応じて家具を製作して販売する場合などは，請負契約と売買契約の要素をもつと考えられる（製作物供給契約）。この場合，目的物に瑕疵がある場合には，民法634条，所有権の移転に関しては売買契約の規定の適用が考えられようが，いずれにしても混合契約の取扱いについては契約の解釈作業が重要であり，具体的契約に即した妥当な規範を適用することが必要な作業となる。

(2) 所有権移転（ないし交換）型

物の移転ないし交換型の契約類型に入るものは，贈与，売買，交換の各契約であるが，その中でも売買契約は私たちの日常生活に最も身近であり，売買契約に関する規定が売買以外の他の有償契約にも準用される（民559条）という意味で最も重要である。

(a) 売買契約　売買は当事者の一方が財産権を相手方に移転する約束をし，相手方がこれに対してその代金を払うことを約束することである（民555条）。このように約束（当事者の合意）だけで効力を生ずる契約を諾成契約という（これに対する語は要物契約というが後に述べる）。売買契約における財産権移転の約束と代金支払の約束は対価的牽連関係にあるので売買契約は有償双務契約である。

〔売主の義務〕

(イ) 財産権移転義務　売主は買主に対して所有権など財産権を移転する義務を負う。これが売主の義務の中心的なものである。しかし売買時点で権利が売主に属していなくても，売買は財産権移転の約束であるから将来売主が権利を取得して買主に移転することは十分可能である。ここに他人の物（権利）の売買（民560条）を認める理由がある。他人の権利を売主が取得して買主に移転できないときは，売主に担保責任を負わせればよい（民561条）。しかし他人の権利であることを知らない，つまり自分の権利であると信じた（これを善意の売主という。なお民法における善意・悪意は道徳的価値判断を含むものではなく，ある事実を知っているか否かによることに注意）売主は，権利を取得して，買主に移転することができないときは契約を解除することができる。ただし，買主が善意のとき（買受けた権利が売主に属さないことを知らないこと）は，損害を賠償して解除すべきものとされる（民562条）。

なお売主が自分で権利を取得することなく，第三者から直接買主に権利を移転する場合，たとえば他人の土地の売主が直接その土地の所有権を買主に移転

するような場合には，他人の物の売買ではなく代理の問題となる場合がある（もちろん代理の要件を充足することは必要である）。

つぎに売主は目的物を買主に引き渡すことが必要である（目的物の占有移転）。

最後に買主が完全に権利を取得する（すなわち，誰に対しても，権利取得を主張できる）ためには，対抗要件を備えることが必要である。売主は，不動産の場合ならば登記を移転し（民177条），動産であれば引渡（民178条），債権譲渡であれば債務者に通知すること（民467条）が必要である。

(ロ) 果実引渡義務について　民法575条は，つぎのように定める。売買目的物がまだ買主に引き渡されないうちに，売買の目的物が果実を生じたときはその果実は売主に属し，買主は引渡の日まで代金の利息を払う必要はない。これは両者の複雑な権利関係を簡単にしようとするためであると一般に説明される。なお，果実とは元物から生ずる収益物であって，天然果実（例，みかんの木から生ずるみかんなど）と法定果実（例，土地の賃料など）がある（民88条）。575条でいう果実には，その他に自分で使用する利益も含まれることに注意する必要がある。なお特約によって575条と異なる取決めをすることは許される。

(ハ) 担保責任　とくに瑕疵担保責任については前述した。

〔買主の義務〕

(イ) 代金支払義務　代金支払義務は買主の義務の主たるものである。代金の支払時期については民法573条に規定がある。目的物の引渡と代金の支払は同一時期と推定される。ところが売主の債務は「所有権移転」，「登記」，「引渡」のように分けることができる。民法533条は同時履行の抗弁権を定めている。買主の代金債務と同時履行の関係に立つのはどれか。判例・通説は「登記」であるという。

代金の支払場所については，民法574条が規定する。目的物の引渡と同時に代金を払うべきときには引渡の場所である。引渡の場所については，たとえば家屋のような特定物の場合には，債権発生当時その物が存在した場所で支払うことになり，不特定物の場合は債権者の現時の住所，すなわち売主の現在の住所ということになる（民484条）。

もちろん代金の支払時期・支払場所に関して当事者の特別の合意，すなわち特約があればこれに従うことになる。

(ロ)　代金の利息　　これについては，引渡があるまで支払う必要はないことは前述の通りである。

　(ハ)　代金支払の拒絶　　民法533条・576条・577条など一定の事由あるときは，代金の支払を拒絶できる。

　(ニ)　目的物受領義務　　買主に目的物を受領する義務があるかどうか。いわゆる**受領遅滞**の問題である。債務者には受領する権利はあっても義務はないという考えと信義則上受領義務ありとする考えの二つがある。受領しないことについての買主の帰責事由の要否，売主の解除権，売主の損害賠償請求権などが問題となる。

　(b)　交換契約　　交換契約とは，当事者が互いに金銭の所有権以外の財産権を移転することを約束するものである（民586条）。この点で売買と異なる。

　(c)　贈与契約　　贈与契約は，当事者の一方が自己の財産を無償で相手方に与えることを約束し，相手方がこれに承諾の意思表示をすることによって成立する（民549条）。贈与を受ける者，すなわち受贈者の受諾の意思表示を必要とするのは贈与が契約であり，相手方の意思表示を必要とするということであり，個人の意思を尊重するという近代民法の基本思想がここにもあらわれているのである。

　贈与契約において注意すべき点を二つあげる。ひとつは書面によらない贈与であり，もうひとつは贈与者の担保責任である。

　書面によらない贈与は各当事はいつでもこれを取り消すことができる（民550条）。ただし履行の終った部分については取り消すことができない（民550条但書）。民法550条の反対解釈として書面による贈与，または履行の終った部分は取り消せないことになる。しかし取消を認めるか否かは具体的に妥当な結果をもたらすよう判断すべきであるとされる。

　贈与者の担保責任について。贈与の目的物に瑕疵あるとき，または権利に瑕疵あるときでも贈与者は責任を負わない。友人からもらった時計の調子が悪くてもその友人に責任を問えないということである。贈与契約が無償契約であることをその理由とする。ただし贈与者がその瑕疵を知っていて受贈者にそれを告げなかった時は責任を負うことになる（民551条）。

　(3)　貸　借　型

　この契約類型に入るものは，いわゆるものの貸し借りの契約である。借りた

ものを返還するのが賃貸借，使用貸借であり，借りたものを消費し，返還するものは同種同等のものというのが消費貸借と一応はいうことができよう。本を借りるのは使用貸借，その際有料で借りる場合は賃貸借，10万円を借りて1カ月後に10万円返す場合には，借りた10万円は消費してしまうので消費貸借ということになるのである。以下分説する。

(a) 消費貸借　**消費貸借**とは当事者の一方(借主)が種類，品等，数量の同じ物を返還することを約束して相手方(貸主)から金銭その他の物(消費物)を受けとる契約である(民587条)。

消費物の代表的なものは金銭であり，現在金銭の消費貸借が圧倒的に多いであろうが，その他に米，味噌，醤油など消費物であればよい。

借主は受け取った消費物の所有権を取得するという点で賃貸借，使用貸借と異なる。

消費貸借は借主が貸主より目的物を受け取ることによって成立する。このような契約を要物契約という(それに対立するものは，先にのべた諾成契約である)。目的物を交付した貸主には，つぎにのべる責任を負う他，義務を負担することはないという意味で片務契約である(借主の返還債務だけ残る)。利息の有無により有償契約，無償契約に分けられる。

　(イ) 貸主の義務　民法590条は利息附消費貸借の場合，交付された物に隠れたる瑕疵あるとき，瑕疵のない物に取り換え，損害あるときはその賠償責任を負う旨定める。また無利息の消費貸借の場合，貸主が瑕疵あることを知って告げなかった場合にのみ590条1項の責任を負う。

　(ロ) 借主の義務　借主は目的物と同種，同等，同量の物の返還義務を負う。この返還義務が不能となったときにはその時における価額を償還すべきことになる(民592条)。ただしこの不能は債務者(借主)の責に帰すべからざるものであり(しかしながら危険負担ではない)，債務者の責に帰すべき事由で不能となった場合は，返還義務の債務不履行となる。

なお最後に，要物性に関し諾成的消費貸借が認められるかという問題があるが，これを無名契約(非典型契約)として一般に認められている(契約自由の原則)。

(b) 使用貸借　**使用貸借**は当事者の一方(借主)が無償で使用収益した後で目的物を返還することを約束して相手方(貸主)から目的物を受け取る契約であ

る（民593条）。無償というところが使用収益の対価を要する賃貸借と異なる。使用貸借は無償，片務，要物契約である。

〔いくつかの問題点〕

借主は借用物の通常の必要費を負担する（民595条1項）ことになるので賃貸借になるのでは，との疑問があるが，諸般の事情を考慮して決めるべきであるとされる。

また使用貸借は借主が死亡することによって終了する。すなわち相続性が否定されているが（民599条），場合によっては遺族に酷な結果となるかもしれない（目的物が土地などの場合を考えてみればよい）。

これらは使用貸借が無償であり，好意的性格の強いものとの判断のもとに規定されたものである。

(c) 賃貸借　賃貸借は当事者の一方（貸主）が相手方にある物の使用・収益をさせることを約束し，相手方（借主）がそれに対して賃金（賃料）を払うことを約束する契約である（民601条）。有償，双務，諾成契約である。

目的物は動産・不動産を問わないので，金銭の消費貸借と並んで今日最も数の多い契約のひとつであろう。土地や部屋を借りる場合から，貸ビデオ・貸レコードに至るまで，日常生活至るところにみられる契約である。

(イ) 賃貸借の存続期間　民法はつぎのように規定する。賃貸借の期間は20年を超えることができず，かりにこの期間を超えるときは20年に短縮する。そしてこの期間は更新できるが，更新の時から20年を超えることはできない（民604条）。

期間の定めのない賃貸借は各当事者はいつでも解約の申入ができる。その後土地については1年，建物については3カ月，貸席および動産については1日経過することによって終了する（民617条）。

以上が民法の一般原則であるが，特別法である「借地借家法」（平成3年10月4日法律90号，平成4年8月1日施行）により修正を受けている。他人の土地の利用について民法上は債権契約としての賃貸借と物権としての地上権（民265条）の二種があるが同法においては両者を含んでいる。同法は借地権の存続期間を30年とし，契約でこれより長い期間を定めたときはその期間とする（借地借家3条）。また契約の更新および建物の築造による存続期間の延長もなく，建物買取請求もしないことを定めて存続期間を50年以上とする定期借地権を認めた（同

法22条)。

建物について(借家の場合)は「借地借家法」26条〜29条参照。

これらの規定はいずれも同法施行後の契約について適用され,それ以前の契約については「借地法」(大正10年4月8日法律49号)と「借家法」(大正10年4月8日法律50号)の規定が適用される。

(ロ) 賃貸人の義務

(i) 賃貸人は賃貸物の使用および収益に必要な修繕をする義務を負っている(民606条1項)。

(ii) 賃借人が賃借物について本来は賃貸人が負担すべきである必要費(目的物の原状を維持し,回復・保存するために必要な費用と理解してよい)を出捐したときは,賃貸人はその費用を賃借人に償還しなければならない(民608条1項)。

(ハ) 賃借人の義務

(i) 賃料支払義務　賃借人が賃料を支払う義務を負うことはもとより当然であるが,たとえば賃借物の一部が賃借人の過失によらず一部滅失したときは滅失部分の割合に応じて賃料の減額請求をすることができる(民611条1項)。支払時期については民法614条参照。

(ii) 賃借人は賃借目的物を善良な管理者の注意をもって保管する義務がある(民400条)。

(iii) 賃借物が修繕を必要とする場合とか,賃借物について権利を主張する者があるときには賃借人は遅滞なく賃貸人に通知しなければならない(民615条)。

(iv) 賃借人は賃貸借期間が終了したときは原状に戻してこれを返還しなければならない。

(ニ) 転賃借　賃借人は賃貸人の承諾を得て賃貸目的物を第三者に賃貸することができる(民612条)。これを転貸借といい,第三者を転借人という。賃借人が賃貸人に無断で転貸借を行った場合は,賃貸借契約の解除原因となる。

(4) 労務提供型

この契約類型は厳密な分類ではないが,債務者が一定の労務を提供するものとみることができる。**雇傭契約**は労務の提供そのものである。請負は債務者が一定の労務の結果を注文者に移転するものである。委任も受任者が一定の労務

を提供して事務を処理するものである。

(a) 雇傭契約　雇傭とは当事者の一方が相手方に対して労務に服することを約束し，相手方がそれに対して報酬を与えることを約束する契約である（民623条）。

雇傭契約は現在労働法（たとえば，労働基準法，労働組合法など）でほとんど規律され，民法の雇傭契約に関する規定が適用される領域は極めて限定されている。その意味では重要性を失ったといえるので省略する（ただし一般法としての意味はあろう）。

(b) 請負　請負とは当事者の一方がある仕事を完成することを約束し，相手方がその仕事の結果に対して報酬を与えることを約束する契約である（民632条）。注文者の注文に応じて建物を建築する場合とか，洋服を製作するなどがその例であろう。請負契約も有償，双務，諾成契約である。

(イ) 請負人の義務

(i) 仕事完成義務　請負人は仕事を完成し，完成物を注文者に引き渡す義務がある。注文住宅の建築の場合，家を完成して注文者に引き渡さない限り債務を履行したことにならない。

(ii) 請負人の担保責任　仕事の目的物に瑕疵あるときは，注文者は相当の期限を定めて，その瑕疵の修補を請求することができる（民634条1項本文）。

注文者は瑕疵を修補するかわりに，または瑕疵修補と共に損害賠償の請求ができる（民634条2項）。

そして仕事の目的物の瑕疵のため契約をなした目的が達成できないときは，契約を解除することができる（民635条）。ただし建物その他土地の工作物については解除できない（民635条但書）。そのかわり土地の工作物の請負人は，工作物または地盤の瑕疵については引渡の後5年間，石造，土造，煉瓦造，金属造の工作物については10年間担保責任を負う（民638条1項）。そしてこの瑕疵のため，工作物が滅失または毀損したときは，注文者はその時から1年内に民法634条（瑕疵修補）の権利を行使することが必要となる（民638条2項）。

以上の土地工作物を除く請負人の担保責任，すなわち瑕疵修補，損害賠償，解除については，注文者は仕事の目的物の引渡を受けた時から1年内に行使しなければならない（民637条1項）。また仕事の目的物の引渡が不要の場合は仕事

終了時より1年内である（民637条2項）。

　(ロ)　注文者の義務

　(i)　報酬支払義務　　注文者は仕事の完成に対して報酬を支払わなければならない。報酬の支払時期は仕事の目的物の引渡と同時である。仕事の完成物の引渡を要しないときは民法624条1項，すなわち雇傭における報酬の後払の規定を準用する（民633条）。後払が原則であるが，前払特約も有効である。

　(ii)　受領義務　　注文者には仕事完成物を信義則上受領する義務があると解される。

　(ハ)　請負契約における建物の所有権の帰属　　判例は材料提供者によって区別している。請負人が自己の材料をもって他人の土地に建物を建てた場合には，請負人が目的物の所有権を取得し，注文者への引渡によって所有権が注文者に移転する。これに対して，注文者が建築材料を供給した場合は，建物の所有権は原始的に注文者に帰属するとされる。

　(c)　委任　　委任とは当事者の一方が法律行為をなすことを相手方に委託し，相手方がこれを承諾する契約である（民643条）。法律行為ではない事務の委託を「準委任」というが，委任の規定が準用される（民656条）。事務を委託する者を委任者，うける者を受任者という。債権の取立を委託するとか，弁護士に訴訟行為を委託するなどがその例である。

　委任契約は無償であることが原則である（民648条1項）。

　(イ)　委任者の義務　　前述のように委任は無償が原則であるが，特約によって報酬を支払うこともあるが，その場合には後払となる（民648条2項）。また委任が受任者の責に帰すべからざる事由によって，その履行の半途において終了したときは，すでに履行された分の割合に応じて，報酬を支払わなければならない（民648条3項）。判例にあらわれた例として，つぎのようなものがある。土地の売買において宅地建物取引業者が仲介していたのであるが，売買契約が成立すれば一定額の報酬を支払う旨約束していた。売買契約がまもなく成立するような状態になったとき，その業者を排して売主と直接交渉し契約を成立させた事案において，買受人は業者に約定した報酬を払わなければならないと判示した（最判昭和45年10月22日民集24巻11号1599頁）。

　その他の義務として民法649条・650条など。

　(ロ)　受任者の義務　　受任者の義務は委任された事務を処理することであ

第2節　財産関係と法　181

るが，その際委任の本旨に従って善良な管理者の注意をもって処理しなければならない（民644条）。また受任者は委任者の請求があるときは何時でも委任事務処理の状況を報告し，委任終了のときは遅滞なくその顚末を報告しなければならない（民646条）。なおその他の義務として民法646条・647条参照。

　(ハ)　委任契約の無理由解約について　委任契約は何時でもこれを解除（解約）することができる。その際，理由は不要である（民651条1項）。ただし，解約時期が相手方に不利のときであれば損害を賠償することが必要である（民651条2項）。委任契約が当事者の信頼関係を基礎とするものであることをその理由とする。

(5)　そ　の　他

　前述の三つの類型に入らないものとして**寄託，組合，終身定期金，和解**があるが，ここでは寄託契約について説明し，他は省略する。

　(a)　寄託契約　寄託とは当事者の一方が相手方のために保管することを約束してその物を受けとることによって成立する契約である（民657条）。物を受けとることによって成立するので要物契約である（諾成的寄託も可能である）。なお他人のために物品保管を業として行なう倉庫営業については，商法597条以下に規定がある。

　物を預ける者を寄託者，預かる者を受寄者，預けられる物を寄託物または受寄物という。

　(b)　寄託者の義務　寄託は原則として無償である（民665条）が，報酬特約ある場合にはこれを支払わなければならない。寄託物の性質または瑕疵により受寄者に損害を与えたときは賠償しなければならない（民661条）。その他の義務については民法665条参照。

　(c)　受寄者の義務　目的物を保管することが中心的義務であるが，有償寄託の場合は「善良なる管理者の注意」（民400条）をもって保管することが必要であるが，無償寄託の場合は「自己の財産におけると同一の注意」をもって保管する（民659条）。その他の義務として民法658条・660条・662条・663条などの各条文参照。

5　不法行為責任

　たとえば，自動車を運転中，わき見運転によって通行人に怪我を負わせた場

合，あるいは虚偽の情報を流して他人に損害を与えた場合など，事例を具体的にあげるときりがないが，これらの場合に損害を与えた者に賠償責任などを課すことを定めたものが不法行為法である。

民法は709条以下不法行為について規定する。その規定の仕方は，まず709条において一般的不法行為について定め，712条以下いくつかの特殊不法行為について規定する。

(1) 一般的不法行為

民法709条は次のように規定する。「故意又ハ過失ニ因リテ他人ノ権利ヲ侵害シタル者ハ之ニ因リテ生シタル損害ヲ賠償スル責ニ任ス」。

不法行為の要件は故意または過失によって他人の権利を侵害すること，その侵害行為の結果（これを因果関係という）損害が発生したことであり，不法行為の効果は生じた損害を賠償することである。以下分説する。

〔不法行為の要件〕

(a) 故意・過失　　**故意**とは自己の行為から一定の結果が発生することを認識しながら，あえてその行為をすることである。他人に損害を与える目的であえて虚偽の事実を述べることなどがその例となろう。**過失**とは自己の行為の結果を認識すべきであったのに相当な注意を欠いたため認識できなかったことである。

故意・過失については前述債務不履行における記述も参照。なお不法行為における過失については単なる心理的緊張の欠如（不注意）ではなくて「**損害発生回避義務違反**」とするものもある。たとえば，道路に面した二階の部屋の窓辺に植木鉢を置いておいたところ，それが落下し，たまたまその下を通行していた者の頭に当たり大怪我をさせたという場合，そのような場所に植木鉢を置くことは不注意（道路に落下すれば，通行人に怪我をおわせるということを認識しない）であるともいえるし，通行人に怪我をさせて損害を与えることを回避する義務に違反したともいえるからである。このように過失とは何かということをめぐって難しい議論があるが，ここでは立ち入らない。

不法行為の成立については，故意と過失を区別する必要はない。ただ不法行為の効果である慰謝料の算定，過失相殺の割合の決定で差が出てくることがあろう。

(イ) 過失責任主義　　以上の故意・過失を帰責事由とすることは前述債務

不履行の場合と同じであるが，このような故意・過失ある場合にのみ不法行為責任を負えばよいとする考えを過失責任主義という。近代民法は個人の自由な活動を保障するため，過失責任主義を原則とするといわれる。民法709条もまたこの過失責任主義をとっている。

　(ロ)　無過失責任主義　　しかしながら歴史の発展は損害を発生させる場合を多くし，過失あるときのみ責任を負わせるのでは不公平な結果を招くことが意識され，必ずしも過失がなくても責任を負わせることが必要との認識がなされた。ここに過失責任主義に対する無過失責任が認められ，現在においても，その範囲は拡大しつつあるといえる。

　民法709条において過失責任主義をとっているが，特殊不法行為類型においてはいわゆる中間責任ないし無過失責任を認めているものがある。

　(b)　権利侵害　　不法行為法の保護対象とすべき権利は，たとえば所有権とか債権というように明確に「……権」と法律で規定されていなくてもよい。

　この点に関し，判例はかつてつぎのように解した。有名な浪曲師桃中軒雲右衛門（1873～1916）が浪曲を吹き込んだレコードを複製販売した者に対し，権利を譲り受けた者が著作権侵害を理由とする損害賠償を求めた事案である。大審院（現在の最高裁判所にあたる）は，つぎのように述べて損害賠償の請求を認めなかった。「浪花節ノ如キ比較的音階曲節ニ乏シキ低級音楽ニ在リテハ演奏者ハ多クハ演奏ノ都度多少其音階曲節ニ変化ヲ与ヘ因テ以テ興味ノ減退ヲ防ギ聴聞者ノ嗜好ヲ繋グノ必要性アルヲ以テ，機ニ望ミ変ニ応ジテ瞬間創作ヲ為スヲ常トシ其旋律ハ常ニ必ズシモ一定スルモノニ非ズシテ，斯ル瞬間創作ニ対シ一一（いちいち）著作権ヲ認ムルガ如キハ断ジテ著作権法ノ精神ナリトスルヲ得ズ。」したがって「本件雲右衛門ノ創意ニ係ル浪花節ノ作曲ハ音楽的著作物トシテ著作権法ノ保護ヲ受クベキモノニアラザル」ものであるとしたのである（大判大正3年7月4日刑録20輯1360頁。いわゆる「雲右衛門浪曲レコード事件」である）。

　しかしこの判断は多くの批判を受け，大審院は程なく判例を変更した。それは，つぎのような事案である。建物を賃借して京都大学の近くで「大学湯」という湯屋営業をしていた者が，賃貸借契約を合意解除した後，賃貸人が第三者にその建物を賃貸し，よって「大学湯」という「老舗」を失ったという。賃借人の主張によれば賃貸借契約終了の際，老舗の買取もしくは老舗の任意売却は

許容する旨の特約があったから、その不履行による責任がある。仮に特約が認められないとしても老舗を失わせた不法行為責任があるとして損害賠償を求めたものである。大審院はつぎのようにいう。民法709条の「侵害ノ対象ハ或ハ其ノ所有権地上権債権無体財産権名誉権等所謂一ノ具体的権利ナルコトアルベク，或ハ此ト同一程度ノ厳密ナル意味ニ於テハ未ダ目スルニ権利ヲ以テスベカラザルモ而モ法律上保護セラルル一ノ利益ナルコトアルベク，否詳ク云ハバ吾人ノ法律観念上其ノ侵害ニ対シ不法行為ニ基ク救済ヲ与フルコトヲ必要トスト思惟スル一ノ利益ナルコトアルベシ。」という（大判大正14年11月28日民集4巻670頁。いわゆる「大学湯事件」である）。そのいわんとするところは，不法行為法によって保護されるべきは厳密な意味での個々の具体的な権利である必要はなく，法的保護が必要とされる「利益」でよいということである。そしてこの考え方は現在においても権利侵害についての先例としての価値をもっているといえる。

そしてこのような「利益」の侵害は「違法」と判断されることになろう（「違法性」についても多くの議論のあるところだが、ここでは立ち入らない）。

なお近時公害問題などを契機として保護すべき利益（例，騒音，日照など）の拡大化の傾向がみられることに注意しなければならない。興味深い事例をひとつあげよう。ある人が海の見える高台に土地を求め家を建ててその眺めを楽しんでいたところ，そのすぐ下の土地をA会社が購入し宅地造成した上大きなビルを建て社員の福利厚生施設にするという計画がもち上がった。この建物が完成すると家の窓からはほとんど海が見えなくなってしまう。その家に住む者に何らかの保護が与えられないだろうか，というような問題である。いわゆる眺望の利益であるが，「眺望権」というものが認められるであろうか。研究に値する問題といえよう。

(c) 損害　不法行為の要件として具体的現実に損害の発生することが必要である。損害については前述「債務不履」における損害の部分を参照。積極的損害，消極的損害，物質的損害，精神的損害など同様に考えてよい。

(d) 因果関係　先に「債務不履行」のところでも述べたように，因果関係は**「あれなければこれなし」**というものであるから，これは無限に連なる可能性をもっている。事実的ないし自然的因果関係といわれるものである。このように無限に連なる因果の連鎖の中から加害者にどの範囲までの損害を負担させるべきかを決定するものが相当因果関係論であり，これは法的判断であると伝

統的に説明されてきた。しかしながらこのような判断も決して単純になされうるものではない。たとえば交通事故の被害者を救急車で病院に搬送中，救急車が事故を起こし搬送が遅れた。さらに医師の手当ても適切さを欠いたというようなことも疑われ，またそもそも最初の交通事故のとき被害者は致命傷を負っていたかもしれない……というように，因果関係の判断ないし相当性の判断は難しい面をもっているのである。

そこで近時この「相当因果関係」という考え方ではなくて，法の予定する保護範囲という考えによって責任の範囲を画定しようとするものがみられる（「保護範囲説」）。

(e) 責任能力　不法行為責任を負わせるためには加害者に責任能力があることが必要である。過失責任主義の当然の帰結である。責任能力とは不法行為責任を負うのに必要な精神的能力のことであって，別言すれば自己の行為が不法行為責任を生ずることを弁識する知能である（民712条）。これを通常，事理弁識能力といい，未成年者の場合には大体12歳前後まで責任無能力者とされるが，これは個別的に判断される。

責任無能力者が損害を与えた場合には監督義務者が代って責任を負う（民714条）。

〔不法行為の効果〕

不法行為の効果の中心となるものは損害賠償義務である（民709条）。損害賠償の方法は金銭賠償が原則である（民722条）。したがって生じた損害を金銭評価することが必要となる（因果関係の判断と共に）。

たとえば，自動車を運転中不注意によって隣家のブロック塀に衝突し，これを壊してしまった。このような場合の損害の金銭的評価は比較的容易であろう。基本的にはブロック塀を原状に戻すのに要する費用ということになろう。修復した部分だけ色調が変わるのを嫌い全部工事をするよう要求することは無理であろう（したがってこの事例の場合完全に原状に戻すことは困難かもしれないが）。

同じく物質的損害ではあるが，たとえばある車を新車時から20年近く大切に乗っていたところ，交差点で信号待ちをしていたら相手方の一方的過失で追突され，もはや廃車するしか方法がないような場合には，金銭的評価はかなり困難になるであろう。その車が中古車市場において特別な価値をもち高価で取引されているような事情があれば格別，そのような事情もなく中古車市場におい

て同種同程度の車がもはや存在しないような場合には損害なしといえるのか研究を要するところであろう（いわゆる個人の愛着利益の評価の問題でもある）。

　生命侵害の場合はどうであろうか。複雑な計算式があるが，ここでは基本的な考え方を説明する。生きていれば得られたであろう利益，すなわち逸失利益の算定であるが，推定余命年数から見込まれる収入を割り出し，生きていればかかるであろう生活費や，一時に支払う場合は中間利息などを控除して計算するものである（なお支払方法としては一時払方式や年金方式などがある）。生命侵害の場合の損害賠償請求権者は基本的に相続人ということになるであろう（民711条参照。なお生命侵害の場合に死者に損害があるか否か，損害賠償請求権が発生するのか——とくに即死の場合——などという難しい問題があるが，ここでは立ち入らない）。生命侵害の場合におけるその他の損害をあげると，つぎのようなものが考えられる。被害者が死亡するまで入院した場合にはその費用，葬儀費用，追善供養料，慰謝料などである。

　身体侵害の場合には医療にかかわる費用，仕事を休まざるを得ない場合には休業に伴う減収分，将来にわたって労働能力が低下した場合にはその減収分，それに伴う精神的損害の賠償としての慰謝料などが考えられる。この場合の損害賠償請求権者は被害者本人ということになる。

　具体的に発生する損害はこれらにつきるものではないが，概略示せば上のようになる。

〔過失相殺〕

　損害賠償の額を定める場合，被害者に過失があるときには裁判所はこれを斟酌することができる（民722条2項）。損害の具体的公平な分担のためである。

(2)　特殊不法行為

(a)　責任無能力者の監督者の責任　　責任無能力者，すなわち未成年者（民712条）と心神喪失者（民713条）の加害行為については，これらを監督する義務ある者が責任を負う（民714条）。未成年者については前述のところ参照。

(b)　使用者責任　　ある事業のために他人（これを「被用者」という）を使用する者（これを「使用者」という）は被用者がその事業の執行につき第三者に加えた損害を賠償する責任がある（民715条1項本文）。しかし使用者が被用者の選任監督について相当の注意をしたか，注意をしても損害が生ずるということを立証すれば責任を免れることができる（民714条1項但書）。過失責任を修正した

いわゆる「中間責任」といわれるものである。

　使用者と被用者は被害者に対して共に責任を負うと考えられる（不真正連帯債務）。なお使用者責任を企業責任とし，これを徹底させるならば，被用者の責任を問わない場面もあるとする考えも近時みられることに注意する必要がある。

　(c)　工作物責任　　土地の工作物の設置または保存に瑕疵があるために他人に損害を与えたときは，工作物の占有者（たとえば賃借人など）は被害者に対して損害を賠償しなければならない。ただし損害の発生を防止するのに必要な注意をしたときには責任を免れる（民717条）。その場合には所有者が損害賠償責任を負うが，所有者には占有者に認められている抗弁が許されない無過失責任とされる（民717条1項但書）。

　設置保存の瑕疵については，これを主観的な過失ではなく客観的な安全性欠如と理解するのが通説とされる。

　責任の負担について占有者が第一次責任者，所有者が第二次責任者と理解するのが多数説である。

　(d)　動物占有者の責任　　動物の占有者はその動物が他人に損害を加えた場合には損害を賠償しなければならない（民718条）。ただし動物の種類および性質に従って相当の注意を払って保管していた場合には責任を免れる（民718条但書）が，その立証責任は占有者が負う。しかし獰猛な闘犬が檻を抜けて人に咬みついた場合などには，相当な注意の立証はなかなか困難であろうし，またそれが妥当な判断でもあろう。

　(e)　共同不法行為　　数人が共同の不法行為によって他人に損害を加えた場合には各自連帯して損害賠償責任を負う（民719条）。数人で一人の者に暴行を加えるような場合である。共同不法行為者間に「主観的関連共同性」は不要と解されている。共同不法行為者は「不真正連帯債務」を負うと解されている。

　(3)　現代における不法行為法

　現代における技術文明の発展は加害の機会を飛躍的に増大させた。現行民法典（明治31年7月16日施行）が制定されてからもすでに百年を少し経過している。**現代不法行為**について規律する法律が特別法という形で多数作られているのも理由のあることである。したがって，たとえば自動車事故については「自動車損害賠償保障法」，原子力などについては「原子力基本法」など，鉱業については「鉱業法」，また鉄道事業，航空機事業などについてはそれぞれの特別

法，製品の欠陥については新しく制定された「製造物責任法」(PL 法)（平成6年7月1日）などを参照することが必要となってくるのである。

第3節　家族関係と法

　家族生活の基本について，憲法では「配偶者の選択，財産権，相続，住居の選定，離婚並びに婚姻及び家族に関するその他の事項に関しては，法律は，個人の尊厳と両性の本質的平等に立脚して，制定されなければならない。」（憲24条2項）と規定している。明治憲法下の家族法は，「家」の制度の下で，家長たる戸主が家を統率支配して，「個人の尊厳と両性の本質的平等」など全く考えられなかった。第二次世界大戦後1946年に，民主主義の精神の下に憲法が改正され，憲法の精神を受けて，1947年に民法も改正された。それから50年余りたった現在，さらに実質的な両性の平等の要請が強くなってきている。1996年「民法の一部を改正する法律案要綱案」を法務大臣に答申したが，種々の議論があり，いまだに制定されていない。

1　夫　　婦
(1)　婚姻の成立

　家族の最小の社会単位は夫婦であり，夫婦とその子が家族を構成する。「家」の制度の下では，婚姻も家長の意思によって決められることが多かった。改正された憲法では「婚姻は，両性の合意のみに基いて成立し，夫婦が同等の権利を有することを基本として，相互の協力により，維持されなければならない。」（憲24条1項）と規定している。

　婚姻は，当事者に婚姻しようとする意思の合致があり，戸籍法の定めるところにより，これを届け出ることによって，その効力を生ずる（民739条）。効力が有効に発生するためには，婚姻障害となる事由がないことである。①男18歳，女16歳以上の婚姻適齢にあること（民731条），②重婚でないこと（民732条），③女性は，原則として前婚の解消のときから6カ月を経過していること（民733条），④近親者（直系血族間，三親等の傍系血族間），直系姻族間，養親子間でないこと（民734～736条），⑤未成年者は，父母の同意があること（民737条），①から⑤までの事由に違反する婚姻をした場合には，その婚姻を取り消すことができる（民743条・744条）。婚姻意思がないのに，婚姻届が提出されている場合，その婚姻は無効（民742条）であるが，戸籍を訂正するには婚姻無効の確定判決を

必要とする（民116条）。家庭裁判所に申し立て，当事者の合意が成立すれば，審判の謄本を添えて申請すればよい。

わが国では，法律上の届け出をすることによって，婚姻が法律上認められる**法律婚主義**を採っている。結婚式を挙げ，社会的にも夫婦と認められるような生活をしている男女もいる。現代では，個人としての人格を尊重することを基本として，パートナーとして共に生活するという考え方のもとに婚姻届を出さない人たちもいる。あるいは人格の尊重とは関係なく，男女が共に生活している場合などいろいろあるが，事実上の夫婦も多くなってきている。「家」の制度の下でも，届け出をださない事実上の夫婦（内縁）が少なからずいたといわれる。その理由は現在とは異なり，嫁が家風に合うかどうかを見極めるまで，あるいは子供が生まれるまで届け出を見合わせるというものであった。

内縁関係については民法に規定はないが，内縁関係を不当に破棄した場合，判例は初め婚姻予約不履行による損害賠償責任を認めた（大判大正4年1月26日民録21輯49頁）が，後に最高裁判所は，内縁は「婚姻に準ずる関係」として，不法行為による損害賠償責任を認めた（最判昭和33年4月11日民集12巻5号789頁）。内縁を準婚として取り扱う傾向は，各種社会立法の中にも現れている。恩給法・厚生年金保険法・労働災害補償保険法など，内縁の妻を受給権者として認めている。

(2) 夫婦間の権利義務

(a) 婚姻の一般的効果　①夫婦は，婚姻の際に定めるところに従い，夫または妻の氏を称する（民750条）。一般には，大部分夫婦は夫の氏を称している。女性が社会に進出して社会的地位を持つようになったこと，また個人の人格的利益の尊重などを理由として，選択的夫婦別姓を導入すべきという考え方が強くなってきて，選択的夫婦別姓の導入を柱とする「民法の一部を改正する法律案要項案」（以下「民法改正案」という）が，1996年2月に法制審議会民法部会から法務大臣に答申した。夫婦が同氏を称するようになったのは，明治31年の民法施行によって定められたのであるが，夫婦同氏は長い伝統があるから，別氏には反対であるという意見もある。②夫婦は同居し，互いに協力し扶助しなければならない（民752条）。同居・協力・扶助の義務を，正当な理由なく拒否するときは，悪意の遺棄として離婚原因になる（民750条1項2号）。③未成年者が婚姻したときは，これによって成年に達したものとみなす（民753条）。私法上

の権利行使は，親権者の同意なくして行うことができるが，公法上の権利まで認めるものではない。④夫婦間で契約したときは，その契約は，婚姻中いつでも夫婦の一方から取り消すことができる（民754条）。一般に契約は，一方的にいつでも取り消すことはできないが，夫婦間の約束破棄について，法廷で争うのは望ましくないということから規定されたものである。しかし，婚姻が実質的に破綻している場合には，いったん契約したことは取り消すことができない（最判昭和33年3月6日民集12巻3号416頁）。

(b) 財産関係　夫婦の財産関係について，婚姻届出前に，夫婦の財産の帰属やその管理などについて契約を結ぶことができる（民755条）が，夫婦財産契約は，殆どないといわれている。契約がなかった場合は，法定財産制に従う。①夫婦の一方が婚姻前から有する財産および婚姻中自己の名で得た財産は，その特有財産とする（民762条1項）。婚姻中自己の名で得た財産とは相続や贈与などで得た財産で，妻の協力があって稼働して得た給料は，夫婦の共有財産である。夫婦のいずれに属するか明らかでない財産は，共有に属するものと推定される（民762条2項）。結婚後，働いて得た土地家屋は，夫の名義になっていても夫婦の共有財産である。②婚姻生活から生ずる費用は，夫婦の資産・収入その他一切の事情を考慮して分担する（民760条）。③日常生活の中で，必要な物を第三者から買うなど取引をした場合は，夫婦は連帯して責任を負わなければならない（民761条）。日常生活に必要でないダイヤの指輪を妻が買ってきた場合には，夫は連帯責任を負わなくてもよい。衣食住に関するものや教育費・医療費などは，日常の家事に関する費用である。

2　離　　婚
(1)　離　　婚

夫婦の関係が破綻すると，**離婚**の問題が起きる。キリスト教の影響下にある諸国では，離婚は困難なこともあるが，わが国の離婚は，比較的に容易であるといわれている。離婚には，協議離婚・調停離婚・審判離婚・裁判離婚がある。

(a) 協議離婚　夫婦は，その協議で離婚することができる（民762条）。夫婦の間で合意があれば，いつでも離婚できるということであるから，意思の自由を認めた進歩的な規定のように見えるが，「家」の制度のもとでは，夫の追い出し離婚を合法化する役割を果たしてきた。わが国の離婚の約9割は協議離婚

である。夫婦の離婚する意思があって，離婚の届け出をすれば，離婚は成立する。離婚の意思がないのに，相手方配偶者から一方的に離婚届けが提出されるおそれのある場合には，離婚届けを受理しないよう戸籍吏に通知しておく離婚届不受理申出制度を利用することができる。

(b) 調停離婚・審判離婚　当時者間で協議が調わない場合，地方裁判所に訴訟を提起する前に，**調停前置主義**がとられているので，家庭裁判所に調停を申し出て，合意が成立すれば調停離婚となる（家審18条・21条）。特別な事情があって調停に代る審判（家審24条）が行われ，これが確定すれば審判離婚となる。

(c) 裁判離婚　家庭裁判所の調停が不成立に終ったとき，つぎの離婚原因がある場合は，地方裁判所へ離婚の訴訟を提起することができる。①配偶者に不貞な行為があったとき。②配偶者から悪意の遺棄があったとき。③配偶者の生死が3年間以上明らかでないとき。④配偶者が強度の精神病にかかり，回復の見込みがないとき。⑤その他婚姻を継続しがたい重大な事由があると認められるとき（民770条1項）。

　自らの不貞行為などで婚姻関係を破綻させたものからの離婚請求を，裁判所は認めてこなかったが，昭和62年，最高裁判所大法廷判決で，**有責配偶者からの離婚請求**を認めて以来，一定の要件の下で，離婚請求を認めるようになってきている。この事件は，夫がほかの女性と不貞な関係をもって妻と別居し，35年以上別居状態が続いていた。有責配偶者からの請求であっても，夫婦がその年齢および同居期間と対比して相当の長期間別居し，その間に未成熟子がいない場合には，相手方配偶者が離婚によって精神的・社会的・経済的に極めて過酷な状態におかれる等離婚請求を認容することが著しく社会正義に反するといえるような特段の事情のない限り，有責配偶者からの請求であっても離婚が認められると判示された（最〔大〕判昭和62年9月2日民集41巻6号1423頁）。厳しい条件付きであるが有責配偶者からの離婚請求も原則として認めた。

　民法改正案では，離婚原因として，夫婦が5年以上継続して婚姻の本旨に反する別居をしているとき，という条項がある。2項で苛酷条項を規定しているので，5年間別居していれば，必ず離婚できるということではない。婚姻関係が破綻してしまっている場合，訴訟等で証拠を挙げて相手の非を公にしないで済むようにするためにも，夫婦が一定期間共同生活をしていないときは，婚姻関係が破綻しているとして離婚を認めようということから考えられている。

(2) 離婚の効果

婚姻によって氏を改めた夫または妻は，婚姻前の氏に復する。ただし，離婚の日から3カ月以内に届け出れば，離婚の際に称していた氏を称することができる（民767条1項・2項・771条）。未成年の子がいる場合には，父母のうちどちらか一方を親権者と定めなければならない（民819条1項）。親権者とは別に子を監護するものを定めることもでき，監護者でない親の**面接交渉**について取決めをすることもできる（民768条・771条）。

婚姻中の財産の精算について，**財産分与**を請求することができる（民768条）。当事者間で協議が調わないときは，家庭裁判所に処分の請求ができる。裁判所は，当事者双方がその協力によって得た財産の額その他一切の事情を考慮して，分与の額および方法を定める（民786条2項・3項）。民法改正案では，現行法は具体的考慮事由が明らかでないので，考慮事由を明らかにし，各当事者の寄与の程度が明らかでないときは，相等しいものとするとしている。有責配偶者に対しては，慰謝料の請求もできる。

3 親　　子

(1) 実子関係

実子とは，自然血縁に基づく親子関係であり，父母の婚姻関係の有無によって，**嫡出子と非嫡出子**に区分される。

(a) 嫡出子　　嫡出とは，婚姻関係にある男女の間に生まれた子をいう。民法では，妻が婚姻中に懐胎した子は夫の子と推定し，推定を受ける子は，婚姻成立の日から200日後または婚姻解消もしくは取消しの日から300日以内に生まれた子としている（民722条）。この推定を覆すことができるのは，夫だけに認められている（民774条～778条）。ただし，夫は子の出生を知った時から1年以内に，裁判所に訴えを提起しなければならない（民771条）。婚姻成立の日とは，婚姻届を受理された日なので，結婚式を済ませ事実上の婚姻生活をしていても届出を提出していないと，子が200日以内に生まれることもある。この子は，「**推定されない嫡出子**」とされる。父子関係を覆そうとする場合，訴えの利益があれば，誰でも親子関係不存在確認の訴えを提起することができる。

(b) 非嫡出子　　非嫡出子とは，婚姻関係にない男女の間に生まれた子をいう。非嫡出子と父との法律上の親子関係は，認知がなければ生じない。母との

関係は分娩の事実によって発生し，母の認知は不要である。**認知**は，父が戸籍上の届出をし，または遺言によって任意に行うことができる（民779条・781条）。認知した場合は，取り消すことができない（民785条）。真実父でない者が認知届を出したときは，認知無効の訴えを提起することができる（民786条）。父が認知をしようとしないときは，子の側から父に対して訴えを提起することができるが，父が死亡して3年が経過した後は，訴えを提起できない（民787条）。認知されると，出生の時に遡って父子関係が発生する（民784条）。養育費の請求や相続が認められる。

非嫡出子は，母の氏を称し母の親権に服する（民790条・819条4項）が，子は家庭裁判所の許可を得て，父の氏を称することができる（民791条）。父母の協議により，父を親権者とすることができる（民819条4項）。

父が認知した非嫡出子は，後にその父母が婚姻した場合，またはその子の父母が婚姻し後に父が認知した場合に，嫡出子になる（民789条102項）。

(2)　養親子関係

養子とは，養子縁組によって法定の嫡出子としての身分を取得したものであり，普通養子と特別養子とがある。養子制度は，「家」の制度の下では子がない者が家を絶やさないために，養子を迎える「**家のための養子**」であったり，「**親のための養子**」であった。戦後の改正で，未成年者を養子とするときは，家庭裁判所の許可を得なければならないとして，親の勝手な都合で養子にやるといった過去の悪例から「子のための養子」を考えるようになった。昭和62年に，特別養子制度が新設され，恵まれない乳幼児に家庭を与える「**子のための養子制度**」へと発展してきた。

(a)　普通養子　　普通養子縁組が成立するためには，縁組意思の合致があり，戸籍上の届け出をすることが必要である（民799条）。さらにつぎの用件を満たしていなければならない。①養親となる者が成人であること（民792条）。②養子は養親の尊属または年長者でないこと（民793条）。③後見人が被後見人を養子にするときは，家庭裁判所の許可があること（民794条）。④夫婦が未成年者を養子とするときは，夫婦が共同して縁組をしなければならない（民795条）。⑤配偶者のある者が養子となるときは，配偶者の同意がなければならない（民796条）。⑥養子となる者が15歳未満であるときは，法定代理人が代って縁組みの承諾をすることが必要である（民797条）。⑦未成年者を養子とするには，自

己または配偶者の直系卑属を養子とする場合を除き，家庭裁判所の許可を得なければならない（民798条）。これらの要件を満たしていない場合または詐欺・強迫による縁組みの場合には取り消すことができる（民803条〜808条）。養子縁組の意思を欠く場合は無効である（民802条1号）。

(b) 特別養子　　特別養子縁組は，父母による監護が著しく困難・不適当であったり，他に特別の事情がある場合，子の利益のために必要があると認められるとき成立する（民817条の7）。縁組は，実方の血族との親族関係を終了する（民817条の9）縁組であることで，普通の養子縁組とは異なる「**特別養子縁組**」である。

　縁組を成立させるためには，つぎの要件を満すことが必要である。①養親となる者は，夫婦でなければならない（民817条の3）。②養親になる者は25歳に達していなければならないが，夫婦の一方が25歳に達していれば，他方は20歳以上であればよい（民817条の4）。③養子になる者は6歳未満の者でなければならないが，6歳になる前から養親になる者に監護されている場合は8歳未満まで許される（民817条の5）。④養子となる者の父母の同意があること。ただし，父母がその意思を表示できない場合または父母による虐待・悪意の遺棄その他養子となる者の利益を著しく害する事由のある場合は，同意を必要としない（民817条の6）。⑤養親となる者が，養子となる者を6カ月以上監護していること（民817条の8）。

(c) 養子縁組の効果　　養子は，養子縁組の日から養親の嫡出子としての身分を取得する（民809条）。養親の氏を称する（民810条）。養子が未成年の場合は，養親の親権に服する（民818条）。

4　扶　　養

(1)　私的扶養

　自らの資力で生活できない者があるときには，一定の親族関係のある者に**扶養の義務**を負わせている。直系親族および兄弟姉妹は，互いに扶養する義務がある。特別の事情があるときは，三親等内の親族間にも扶養の義務を負わせることができる（民877条1項・2項）。扶養の順序，扶養の程度や方法について協議ができないときは，家庭裁判所が定める（民878条・879条）ことになっている。しかし親を扶養する意識は希薄になってきており，扶養義務がないと考えてい

る者もいる。民法が規定している私的扶養義務は，二つの形態がある。一つは，夫婦相互の扶養と未成熟の子に対する扶養である。家族の基本単位であるこれらの者たちの扶養義務を**生活保持義務**という。夫婦と未成熟の子は，同じ程度の生活ができるよう義務づけられている。親・兄弟姉妹については共に生活していない場合もあり，観念的な生活共同体をなしているにすぎないから，その扶養についても補助的な性格をもっている。夫婦と未成熟子からなる家族の生活が維持できて余裕がある場合に，援助する扶養でよいと考えられている。これを**生活扶助義務**という。扶養を受ける権利は，たとえば何かの債務の代りに，他人に譲渡することはできない（民881条）。

(2) 公的扶助

失業・老齢・障害などによって生活の基盤を失い，一定の親族の間でも扶養できないこともある。このような場合には，家族に代って，国家が扶養する制度が設けられている。

すべての国民は，健康で文化的な最低限度の生活を営む権利を有する。国は，社会保障，社会福祉，公衆衛生の向上および増進に努めなければならない（憲25条）。この憲法の規定に基づいて，生活保護法により公的扶助が行われている。生活扶助は，困窮のため最低限度の生活を維持することのできない者に対して，衣食その他の日常生活の需要を満たすために必要なものである（生保護12条）。生活保護法では，生活扶助の他，教育・住宅・医療・出産・生業・葬祭の扶助についても規定している。

社会福祉制度では，「人間らしく生きるに値する生活」を保障することを目的として，いろいろな施策が講じられている。社会福祉は，世界に目をやれば，北欧諸国のようにかなり進んでいる国々もあるし，後進的地域では，殆ど福祉施策が国家によって行われていないところもあるが，現代の国家に課せられている大きな課題である。日本では高齢者が増加しつつあり，21世紀には国民の4人に1人が65歳以上の高齢者によって占められるといわれている。他方では，少子化の傾向にあり，社会保障の財源をどのように確保していくかも大きな問題になっている。高齢者問題に関連する法律として，介護休業法が1995年に制定され，さまざまな議論のあるなかで，介護保険法も1997年12月に制定されて，2000年4月から施行された。

5　親権と後見

(1)　親　　　権

親権とは，親が未成年の子に対して有する権利・義務である。父母が婚姻中は共同して行うが，離婚したときは，一方を親権者と定めなければならない（民818条3項・819条1項）。非嫡出子は，母が親権者となるが，父が認知した場合は，父に変更することもできる（民819条4項）。

親権を行う者は，子の監護および教育をする権利を有し，義務を負う（民820条）。民法では，居所指定権（民821条），懲戒権（民822条），職業許可権（民823条）を規定しているが，これらが絶対的権利として認められているということではなく，未成年の子について，どこに住み，どんな職業についているか，子の生活行動について，むしろ親としての注意義務をうながしている。

未成年の子も，親族から財産を贈与されたり，相続することがあり，財産を有している場合もある。未成年者は，財産の十分な管理能力がないので，親権を行う者に，財産管理と財産に関する法律行為についての権限を認めている（民824条）。しかし，親権を行う者と未成年者との間で取引をして，利害が相反する行為はできないし，2人以上の子を代理して，その子と他の子との利益が相反する行為もできない（民826条）。

(2)　後　　　見

後見は，未成年者に対して親権を行う者がいないとき，後見開始の審判があったときに開始する（民838条）。未成年の後見は，親権の延長と考えられており，その職務権限の内容はほぼ親権と同一である（民857条）。

高齢化社会に伴って，痴呆老人も多くなっているが，痴呆にならないまでも判断力が弱くなっている老人も多くなり，それにつけ込んで，老人を騙し，金銭を取り上げてしまう事件も社会問題となっている。高齢者や障害者の権利擁護のために，近年，**成年後見制度**の必要性が議論されてきた。高齢になり病気になると体力も知力も落ちてくる。他人の甘言に騙されて財産を取られたり，わが子でも財産をねらって親族間の対立が起こることもある。病気や痴呆になったとき，自分の財産を有効に使うことができるように，財産の管理や身上の看護などの制度化が要求されてきた。すでに諸外国では，さまざまな成年後見制度があり，わが国でも自治体で高齢者に対する財産保全サービス事業を行っているところもある。2000年4月から，わが国でも成年後見制度が施行さ

れた。

　新しい成年後見制度は,「法定後見制度」と契約による「任意後見制度」とに大別される。また公示の方法については,従前の戸籍への記載による制度に代えて,新たに「後見登記制度」を設けた。

　成年後見人の選任は,家庭裁判所の審判による（民843条）。成年後見人は,成年被後見人の生活,療養看護及び財産の管理に関する事務を行うに当っては,成年被後見人の意思を尊重し,その心身の状態や生活の状況に配慮しなければならない（民858条）。

　現在は健康であっても,将来,病気や痴呆になったりした場合に備えて,本人と任意後見人との間で任意後見契約を結ぶことができ,後見事務や代理権の範囲を定める（任意後見契約法2条）。任意後見契約は,公証人の作成する公正証書によることを必要としている（任意後見契約法3条）。

6　相　　続

　相続とは,生前所有していた財産を主とする財産上の地位を,死後,特定の者が承継することである。私的所有が認められる社会では,死後の財産をどのように処分するかの問題が起こる。相続制度は,社会的背景や政治体制によってもその形態は異なるが,わが国では第二次世界大戦後民主主義がもたらされて,相続制度も大変革があった。それ以前は,「家」の制度のもとで,戸主になる者が単独で相続した。戦後,平等を旨とする民主主義に転換し,相続に関しても平等の原理が採用され,子は等しく相続することになった。

　死後の財産について,遺留分という一定の制限を設けているが,遺言により本人の自由な意思で処分することができる遺言自由の原則を採っている。遺言がない場合や遺言があっても遺言で処分できない財産がある場合には,相続について法律の定めがある。わが国では,遺言による相続より法定相続による場合が圧倒的に多い。

(1)　相　続　人

　相続人には,血族相続人と配偶者たる相続人とがある。第1順位の相続人は子（民887条）,第2順位の相続人は直系尊属,第3順位の相続人は兄弟姉妹である（民888条）。配偶者は常に相続人となる（民890条）。被相続人の死亡以前に,相続人となるべき子・兄弟姉妹が死亡し,または廃除され,あるいは欠格事由

があるために相続権を失ったとき，その者の直系卑属が代襲して相続人となる（民887条）。これを**代襲相続**という。兄弟姉妹の場合は，その者の子だけが代襲相続できる。相続に関しては，胎児も生まれたものとみなされる（民886条）が，死体で生まれた時は適用されない。推定相続人あるいは相続人となることのできる者も欠格事由が発生し，または推定相続人の廃除により，相続権を失う。

相続の欠格事由（民891条）はつぎの場合である。①被相続人や相続について先順位または同順位の者を殺したり，殺そうとして刑に処せられたもの。②被相続人が殺害されたことを知ってこれを告発せず，または告訴しなかった者。③詐欺または強迫によって，被相続人に遺言をすること，あるいは撤回すること，または変更することを妨げた者。④詐欺または強迫によって，被相続人に遺言させ，これを撤回させ，または変更させた者。⑤相続に関する被相続人の遺言書を偽造し，変造し，破棄し，または隠匿した者。これらの事由が発生すると当然に相続権が失われる。

遺留分を有する推定相続人が，被相続人に対して虐待したり，重大な侮辱を加えたとき，または著しい非行があったときは，被相続人は，その推定相続人の**廃除**を家庭裁判所に請求することができる（民892条）。虐待や非行があったと客観的に裁判所が認定したときは，廃除により相続権を失う。

(2) 相　続　分

数人の相続人が共同で遺産を相続した場合，各相続人の相続分がどうなるかという問題が起こる。被相続人の遺言があれば，それに従うことになる。これを指定相続分という。遺言がないときは，法に定めた法定相続分に従うことになる。

法定相続分はつぎのように定められている（民900条）。①子と配偶者が相続人のときは，子が2分の1，配偶者が2分の1。②配偶者と直系尊属が相続人のときは，配偶者が3分の2，直系尊属が3分の1。③配偶者と兄弟姉妹が相続人のときは，配偶者が4分の3，兄弟姉妹が4分の1である。同順位の相続人が数人いるときは，各自の相続分は均分である。また非嫡出子は嫡出子の2分の1とし，父母の一方のみを同じくする兄弟姉妹の相続分は，父母の双方を同じくする兄弟姉妹の2分の1である。

非嫡出子の相続分について，平成5年6月東京高裁で違憲の判決がでて，非

嫡出子の相続分の改正が立法問題として現実味をおびてきた。しかし平成7年7月最高裁判所は，非嫡出子の相続分を嫡出子の2分の1とすることは合憲と判決した。民法改正案では，嫡出でない子の相続分は，嫡出である子の相続分と同等とすると規定している。民法は法律婚主義を採っているため，それを尊重しなければならないが，それよりも個人の人権を尊重すべきことも重要である。

(a) 特別受益者の相続分　被相続人から生前多額の贈与を受けている者といない者があるときは，それを考慮しないと不公平になる。そこで民法は，特別受益者の相続分の規定を設けている。被相続人から，婚姻・養子縁組または独立等の際生計の資本として贈与を受けたり，遺贈を受けることになっている場合，贈与分を遺産に加算しその総額を「みなし相続財産」として，各人の相続分に応じて算定した額から，その者が受けた贈与額または受ける遺贈額を控除したものが，その者が遺産から取得できる相続分額である。その相続分額がマイナスになった場合，返還する必要はない（民903条）

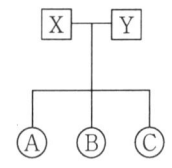

特別受益者がいる場合の相続分の算定

遺産 7000万円　A 営業資金として 1500万円 贈与を受ける
X 被相続人（夫）　B 結婚の費用として 500万円 贈与を受ける

	みなし相続財産による相続分算定	特別受益者の控除	相続分
妻Y…	（7000＋1500＋500）×1／2＝4500		4500万円
子A…	（7000＋1500＋500）×1／2×1／3＝1500	1500－1500	0円
子B…	（7000＋1500＋500）×1／3×1／3＝1500	1500－500	1000万円
子C…	（7000＋1500＋500）×1／3×1／3＝1500		1500万円

(b) 寄与分　共同相続人中に，被相続人の事業に労務を提供したり，被相続人の療養看護その他の方法で，被相続人の財産の維持または増加に特別の寄与をした者に寄与分を加えて，その者の相続分とする（民904条）。寄与した者があるときは，被相続人が相続開始時に有していた財産の中から寄与分の額を控除したものを「**みなし相続財産**」として，各人の相続分に応じて算定した額に寄与分の額を加えたものが，その相続分である。

(3) 相続財産

相続人は，被相続人の財産に属した一切の権利義務を承継する。被相続人の

一身に専属したものは承継しない（民896条）。一身専属権というのは，被相続人だけが享有できる権利や義務である。被相続人に属した財産の中には，土地や家屋のような不動産や預金・株券などの積極財産だけでなく，借金のような債務もある。財産の中には相続の対象として承継されるかが問題になるものもある。

① 借家権　一般には相続人に承継されるが，内縁の妻の場合相続権がないから，家主や相続人からの明渡請求に応じなければならないかという問題がある。理論的根拠づけは種々あるが，居住権論などにより居住を続けることを認めている。

② 生命保険金請求権　受取人と指定されたものの固有財産になる。取得した保険金は，特別受益として考慮される。

③ 死亡退職金・遺族年金　法律や規則によって受給者が決められている者の固有財産になる。特別受益として考慮すべきか，判例は肯定するものと否定するものがある。

④ 財産分与請求権　離婚の際の財産分与請求権は，学説の大勢は当然に承継すると解している。

⑤ 祭祀財産　系譜，祭具および墳墓の所有権は，慣習に従って先祖の祭祀を主宰する者が承継する（民897条）。祭祀財産は相続財産を構成しない。

⑥ 生命侵害による損害賠償請求権　問題になるのは即死した場合である。即死では賠償請求もしていないから相続もありえないはずである。重傷で損害賠償を請求していれば相続できる。不公平を生じないように，即死の場合も相続権を認めているが，その理論づけは一様ではない。

(4)　遺産分割

相続は，死亡によって開始する（民882条）が，相続人が数人いるときは，共同所有となり。遺産分割手続を通して各相続人に帰属する。**遺産の分割**は，いつでも共同相続人の協議で行うことができる（民907条）。被相続人が遺言で指定した方法があればそれに従うが，なければ相続人の協議による。協議が成立したときは，遺産分割協議書を作成するのが通常である。協議が調わないときは，家庭裁判所に請求することができる（民907条）。

遺産の中には，不動産や預金，または借金などもある。それらをどのように分けるかについては，遺産に属する物または権利の種類および性質，各相続人

の年齢，職業，心身の状態および生活の状況その他一切の事情を考慮して行う（民906条）。遺産が現実に分割される場合には，家屋などの現物分割，金銭に換価して行う換価分割，分割できない現物等多くもらいすぎた者が他の者に金銭を支払う代償分割などの方法がある。遺産の分割が行われると，相続開始の時に遡ってその効力を生ずる（民909条）。

(5) 相続の承認・放棄

相続財産は，不動産や預金・株券などのプラスの財産だけでなく，借金などマイナスの財産が含まれていることもある。このマイナスの財産も当然に相続人に承継されると，思わぬ不利益をこうむることになる。そこで民法では，相続人の意思によって，遺産を相続するか否かを自由な意思で選択できるようにしている。相続するか放棄するか，また限定承認するかは，相続開始があったことを知った時から3カ月以内に行われなければならない（民915条）。

(a) 単純承認・限定承認　　相続人が単純承認したときは，無限に被相続人の権利義務を承継する（民920条）。単純承認する意思がなくても，つぎの行為をした者は，単純承認したものとみなされる（民921条）。①相続財産の全部または一部を処分したとき。②相続の放棄・限定承認を考慮期間内にしなかったとき。③放棄したあとでも相続財産の全部もしくは一部を隠匿したり，消費してしまったり，悪意で財産目録中に記載しなかったとき。

相続財産にプラスの財産が多いか，マイナスの財産が多いか不明の場合は，相続によって得たプラスの財産の限度でのみ，被相続人の債務などマイナスの部分を負担するという留保つきで相続を承認することができる（民922条）。これを限定承認という。限定承認は，3カ月の考慮期間内に家庭裁判所に財産目録を調整して提出し，限定承認をする旨の申述をしなければならない（民924条）。相続人が数人いるときは，全員が共同してこれを行わなければならない（民923条）

(b) 放棄　　相続の放棄は，相続の開始を知った時から3カ月以内に，家庭裁判所に対して放棄の申述をしなければならない。相続を放棄した者は，相続開始の時に遡って相続しなかったことになる（民939条）。相続の放棄は，一人の相続人に相続させるために利用されることも多い。農業経営や商店の場合，相続財産を共同相続人全員に分割すると経営が成り立たなくなる場合もあるので，事業に係わっている者に相続させるために他の者が放棄をする。このよう

な事情がある場合に，放棄の手続をとらないで，分割協議のとき，共同相続人の一人だけが相続できるよう他の者の取得分をゼロとして合意する，事実上の放棄をとる場合もある。

(6) 相続人の不存在

人が死亡したとき，相続人がいるのかが明らかでないこともある。その場合は，相続財産を法人とする（民951条）。そして家庭裁判所は，相続財産の管理人を専任し（民952条），管理人は相続財産の保存管理をする。家庭裁判所は，相続人の捜索の公示をしなければならない（民958条の3）。公告の期間満了後3カ月以内は，被相続人と生計を同じくしていた者，被相続人の医療看護に努めた者，その他被相続人と特別の縁故のあった者の請求によって，相続財産の全部または一部を与えることができる（民958条の3）。申立てがなかった場合，あるいは分与がなされても，残余財産がある場合には，相続財産は国庫に帰属し，相続財産法人は消滅する（民959条）。

7 遺 言

死後における身分上および財産上のことについて，意思を表明したものが**遺言**である。人の最終の意思を尊重して，その意思の実現を民法で保障している。わが国では，法律上の意義を有する遺言は少なく，相続は法定相続でなされることが多い。法律上の要件も厳しい上に，遺言をするという習慣が普及していないこともその原因である。

(1) 遺 言 事 項

遺言は自由になすことができるが，遺言できる事項は法定されている。相続に関する事項については，相続人の廃除およびその取消（民894条2項），相続分の指定（民902条），遺産分割方法の指定または分割の禁止（民908条）などである。相続以外の遺言処分に関する事項については，遺贈（民964条）財団法人設立のための寄付行為（民41条2項），信託の設定（信託2条）などである。身分法上の行為については，被嫡出子の認知（民781条2項），後見人または後見監督人の指定（民839条・848条）などである。遺言執行に関する事項については，遺言執行者の指定および指定の委託（民1006条）がある。

(2) 遺言の方式

遺言は，民法の定める方式に従わなければ，これをすることができない（民

960条)。遺言が効力を生じるときは，表意者は生存していないから，方式も厳格に要求されている。

遺言の方式

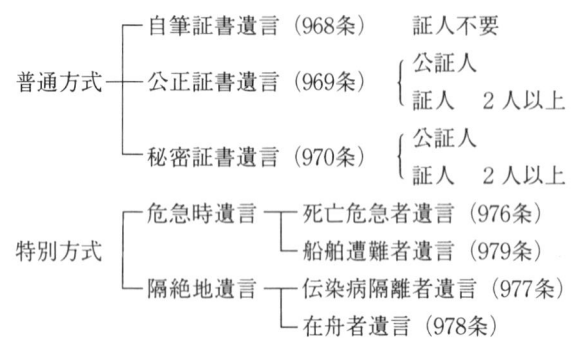

```
                ┌ 自筆証書遺言 (968条)    証人不要
        普通方式 ┼ 公正証書遺言 (969条) ┤ 公証人
                │                      └ 証人 2人以上
                └ 秘密証書遺言 (970条) ┤ 公証人
                                       └ 証人 2人以上

        特別方式 ┌ 危急時遺言 ┬ 死亡危急者遺言 (976条)
                │            └ 船舶遭難者遺言 (979条)
                └ 隔絶地遺言 ┬ 伝染病隔離者遺言 (977条)
                             └ 在舟者遺言 (978条)
```

自筆証書遺言の場合は証人，立会人は不要であるが，それ以外の方式では，証人または立会人の立会が必要である。証人は，遺言が真意に出たものであることを証明するものであり，立会人は遺言作成の事実を証明するものである。

① 自筆証書遺言　遺言者が，遺言書の全文，日付および氏名を自分で書きそれに押印して作成する。あとから加除訂正ができるが，その場合は遺言者が変更した場所を指示し，これを変更した旨を附記して特にこれに署名し，変更の場所に印をおさなければ，効力がない（民968条）

② 公正証書　2人以上の証人の立会の上，遺言者が公証人に遺言の趣旨を口授し，公証人がこれを筆記して遺言者および証人に読み聞かせ，遺言者および証人が筆記の正確なことを承認した後，各自署名押印して作成する（民969条）。

③ 秘密証書遺言　遺言者が，遺言者または第三者の書いた遺言書に，署名押印し，その証書を封筒に入れて封じ書面に押印した印章で封印した上で，公証人1人と証人2人以上の前に提出し，自己の遺言書であること，また他人によって書かれているときは筆記者の氏名・住所を申述し，公証人がその証書を提出した日付と遺言者の申述を封紙に記載した後，遺言者・証人・公証人が署名押印して作成する（民970条）。自筆証書では日付を書き忘れると無効になるおそれもあり，公正証書では遺言の内容が明らかになってしまうので，両者の要請を満たすために設けられているが，今日ほとんど利用されていない。

一度作成された遺言は，何時でも遺言書の方式に従って，全部または一部を

取り消すことができる（民1022条）。後の遺言で，前の遺言に抵触する部分があるときは，前の遺言の抵触部分は取り消されたことになる（民1023条）。遺言者が，故意に遺言書を破棄したり，遺贈の目的物を破棄したときも，その部分についての遺言は取り消されたことになる（民1025条）。

遺言者は，相続財産の何分の一というような割合で包括して，または家屋あるいは株券と特定して財産を処分することができる（民964条）。遺贈には，包括遺贈と特定遺増とがある。遺贈は，財産上の利益を無償で譲与する点で贈与と似ているが，贈与は契約であり生前処分であり，遺贈は遺贈者の単独行為であり，死後処分である。遺贈は遺言者の死亡後，何時でも，遺贈の放棄をすることができる（民986条）。特定遺贈の目的が相続財産中にない場合には効力を生じない（民996条）。

8 遺 留 分

私有財産制のもとでは，人はその所有財産を自由に処分することができる。遺言によって全財産を友人に遺贈することもできる。しかし，死後残された妻子が生活できなくなるというような全財産の遺贈には問題がある。家族には扶養の責任があるから，死後の家族の扶養と財産蓄積に関わってきた相続人への配分も考慮する必要がある。わが国の遺留分の制度は，被相続人による財産処分の自由と相続人の生活の安定，財産の公平な配分という要請に対する妥協の制度である。被相続人が自由に処分できない額が定まっているわけではなく，被相続人が，贈与したり遺贈したものに対して，一定限度で取り戻す権利を遺留分権利者がもつにすぎない。

遺留分権利者は，兄弟姉妹を除く法廷相続人，すなわち配偶者・子・直系尊属である。遺留分の率は，直系尊属のみが相続人であるときは，3分の1であり，その他の場合は2分の1である（民1028条）。配偶者と子が相続人の場合は，遺留分は，2分の1で，それを相続分に応じて分けることになる。

被相続人が相続人以外の者に生前贈与して，相続開始時にはほとんど財産がなくなってしまっている場合もある。遺留分算定の基礎となる財産は，被相続人が相続開始の時において有した財産の価額にその贈与した財産の価額を加え，その中から債務がある場合はその金額を控除したものである（民1029条）。算入される贈与の範囲は，相続開始前の1年間にしたものに限るが，遺留分権利者

に損害を加えることを知って贈与したときは，1年前に贈与したものも含まれる（民1030条）。

　遺留分権利者は，遺贈・贈与の順で，**減殺請求**することができる（民1031条）。この減殺請求の権利は，相続の開始，減殺すべき贈与や遺増があったことを知った時から，1年以内に行わないと消滅する。相続開始の時から10年経過したときも消滅する（民1042条）。減殺請求を受けた者は，贈与または遺贈の目的の価額によって弁償してもよい（民1041条）。遺留分は，相続開始前に家庭裁判所の許可があれば，放棄することができる。共同相続人の一人がした遺留分の放棄は，他の相続人の遺留分には影響しない（民1043条）。

第4章 商　　　法

第1節　概　　説

形式的意義の商法と**実質的意義の商法**の違いおよび双方の補完効力，商法の対象，特に商的色彩説や企業説の理解，商法と民法・経済法・労働法等の関係の理解，商法の特色（形式上；第三者保護，外観性，内容上；営利性・責任制度，進歩性等）の特色を理解すること。

1　商法の概念

(1) 序　　説

現在の日本では，資本主義経済体系の下で，原則として自由な経済活動が保証され，広範な企業活動が営まれている。この活動の主体である企業とは，資本主義経済組織の下における一個の統一した独立の経済単位で，集団的・継続的・計画的な意図をもって，資本的計算方法の下に営利活動を行うものである。この企業活動に関し，時代の発展と共に複雑かつ微妙に変化する社会生活と経済生活とにおいて利益調整が必要となり，一般的な私法ではなく企業に関する特別法としての商法が必要になるのである。

(2)　形式的意義の商法と実質的意義の商法

(a)　形式的意義の商法　　商法として制定された商法典を意味する。現行の商法は，明治32年に施行され，現在までに度重なる改正を経てきている。現行法は，第1編総則，第2編会社，第3編商行為，第4編海商の851条からなっている。他方，明治23年にドイツ人のヘレマン・ロエスレルの手による旧商法があったが，新商法の施行により，大正12年1月1日付けで廃止された。

(b)　実質的意義の商法　　商に関し理論的かつ統一的に把握されるべき私法法規の総体をいう。たとえば，商法典，商事特別法および商慣習法等企業活動に関する多くの法律や規定を意味する。実質的意義の商法が私法法規の総体で

あることより，これらに含まれる公法的諸規定が問題になるが，企業活動の本質に公私不可分性があることその他の理由により，近時の通説は商に関する訴訟法，行政法および刑法等の公法的諸規定も実質的意義の商法に含まれると解している。

(3) 商法の対象

(a) 序説　形式的意義の商法と実質的意義の商法とが異なることから，商の実態が解明されているとはいいがたいので，これを解明するために，商法がいかなる生活事実を対象にしているかを考察する必要がある。

しかし，企業活動は，国家や時代により制約を受けやすくかつ文化が相違すること，対象範囲が広範かつ複雑であること，特別法的かつ断片的な性質を持っていること等により，その生活事実の範囲を明確にすることは困難であるとし，多くの学者は商法の統一的把握を断念した。

これに対して，生活事実の内容や性格等から商法の理論的基礎を模索し，その自主性を主張した学者も多くいた。

(b) 商法の対象把握に関する学説

(イ) 内容的に把握しようとする学説

① 史的関連説（ラスティッヒ）　財貨の転換と流通を目的にした経済上の商から，それを補助する運送・銀行・保険等の補助商や製造業および旅客運送・生命保険・場屋営業等の類型商を内容にした法律上の商を導き，商の内容を歴史的に説明しようとした。

② 媒介説（ゴールドシュミット）　財貨の媒介が商の本質であるとし，経済上の商に法的媒介行為を加えたものが商法の対象であるとする。

③ 企業法説（ヴィーラント）　［現在わが国の通説］企業とその法的事象（生活関係）を商法の対象にする。

④ 実証説（松本烝治，竹田省）　わが国の商法研究の初期の学説で，商行為の本質から導き出される統一特質の把握を断念し，その必要性や便利性等により，立法者が内容を実証して形式上規定したものがその対象であるとする。

(ロ) 性格的に把握しようとする学説

① 集団取引説（ヘック）　営利を目的に同種同一の行為が集団的（多量）に反復して行われていることに着目し，この性格を有する行為を商法の対象

にした。

② 商的色彩説（田中耕太郎）　民法も商法も対象とする法的事象は，本質的には同一であるとする。そして，その法的事象の中から，専門化された営利活動である投機売買から演繹される集団性と個性喪失等の性格（商的色彩）を有する行為を商法の対象とする。

(c) 商法の対象としての企業　以上のように，商法の対象把握に関しては，断念説および実行説共にある。しかも，実行説といえども，完全に統一的に把握しきれていない。このことは，企業社会が複雑かつ着実に進化発展する本質を有することから，法により固定的な概念による完全かつ統一的な把握が不可能であることを意味している。

したがって，商法の対象を把握しようとする場合，初学者はその中心(核)とその活動を理解すればよい。現在この中心は，商的な内容や性質（営利性・規模・組織・継続性等の本質と形式等）を有している企業である。さらに，その活動とは利益分配を目的にした営利行為の総体である。つまり，企業活動を多方面から理解することが重要である。

この企業概念については，多数の見解がある。たとえば，企業とは，私経済的自己責任負担主義の下に，継続的意図をもって企画的に経済行為を実行し，これにより公共性・営利性を有する一個の統一した独立の経済的生活体であるとする（西原説）。あるいは，企業とは，資本主義経済組織の下における一個の統一ある独立の経済単位であって，継続的・計画的な意図をもって資本的計算方法の下に，営利行為を実現するものをいうとする（石井説）。これらに対し，企業概念の要素に不必要なものが入っているとか，経済学上の企業概念そのものであるとかの批判があるが，これらに答えた完全に統一された企業概念はまだない。

さらに，企業法とは，企業およびこれとの関係を有する事象を規定した法律であり，主として商法の対象領域を中核とするが，経済法の一部をも含むと解せられる。

(d) 商法と他の法との関係

(イ) 民法との関係　①双方共に広義において私有財産制を前提に成立する私法法規であるが，民法は一般的な私的生活関係を規律しているのに対し，商法は企業生活関係を規律し，しかも民法の補充や変更をしている（例．商法

524条以下，商行為，海商等)。したがって，企業活動に関しては，前者を一般法といい，後者を特別法という。②民法はローマ時代に体系化されたが，商法は中世に商人階級の法として発達した。

　(ロ)　**労働法との関係**　　労働法と商法とは，本来全く別個の法領域であるが，企業補助者については双方に規定されている。つまり，**労働法は従属的企業補助者**(雇用契約に基づく従業員)について規定しているのに対し，商法は主として**独立的企業補助者**(代理商，仲立営業，問屋営業等)を規定している。

　商法に従属的企業補助者の規定が極端に少ないのは，企業活動に関する雇用契約の観念が1945年の敗戦まで軽視されてきたというわが国の歴史的背景があるからである。以後従属的企業補助者については労働法に委ねられてきた。

　したがって，強いて分ければ，従属的企業補助者に関しては，商法が一般法であり，労働法が特別法である。

　(ハ)　**経済法との関係**　　経済法という概念は，第一次世界大戦当時，ドイツにおいて国家による経済統制が行われたことによる。つまり，かつて，経済が独占の段階に発展し戦争惹起の一因となったので，この反省から経済統制を目的にした法に独立の地位を認め，民法や商法の改正や補充に努めようとした。

　したがって，経済法が国家経済の観点から企業活動を規定しているのに対し，商法は私的経済の観点から企業活動を規定している。

2　商法の特色

(1)　序　　説

　商法は企業に関する私法的規定であるが，複雑かつ多様化する現代社会において，商法のみですべてを規定できるものではない。民法を基礎としてこれに企業活動上必要な事項の補充・変更をしているのである。とくに民法との比較においては，営利的・取引的な事項が商法すなわち企業および企業活動上の特色になっている。さらに，企業活動の迅速化は商法に動的な理念を要求し，民法との大きな差異となっている。

(2)　形式上の特色

(a)　商取引の形式性

　　〔集団的・反復継続的・簡易迅速的〕　　営利を実現するためには，取引を大量に継続して簡易迅速に行う必要がある。

〔契約の定型化〕　契約自由の原則によりその内容や方式が自由であるだけに，確実で安全な契約を実現するために各自普通契約条款や有価証券の制度を利用し，契約の定型化を図っている。

(b)　第三者保護

〔公示主義〕　取引に関し，一般大衆が不測の損害を被ることのないよう重要な事項を公示する制度が設けられている（商業登記・会社の公告制度）。

〔外観主義〕　外観と真実とが一致しない場合，善意者には外観を優先する制度（包括的代理権・有価証券の文言性，権利外観理論等）が認められている。

(3)　内容上の特色

(a)　営利性　　企業の中核をなす会社は**営利社団法人**（商52条・54条1項）と定義され，企業活動が原則として有償的なものと規定されている（商512条・522条・514条等）ことから，企業の本質は営利性にあるといえる。

(b)　企業維持　　企業は組織の維持強化を図るために，人的および物的施設の充実（企業補助者の制度・資本投資の簡易化や促進），危険分散（各種の有限責任や保険制度等），商号や営業所等による企業の独立（商17条以下）および設立無効・営業譲渡・合併・更生（商136条・245条・408条，会社更生法）等の制度を有している。

(c)　責任制度　　企業活動上の商取引は，一定のルールにもとづく，利害相反行為の調整であることから，当事者双方に一般の場合よりも責任を加重している（連帯責任・無過失責任等）。

(4)　その他の（動的な）特色

(a)　進歩的な特色　　企業活動は営利追求のために新たに発見された技術や方法によってたえず進歩発展するものである。したがって，企業に関する法律，とくに商法には改正が多い。同じ私法であっても民法は，その国の歴史，宗教および風俗等の文化に制約されやすく，商法に比較すると，静的な特色を有する。

(b)　世界統一的な特色　　企業活動は，営利追求といった世界共通の目的のために，合理主義に立脚し各国の歴史や風俗習慣に制約されることが少ないので，普遍的な規約は各国に移入されやすい。また，現在のように国際化・情報

化の時代には，この傾向が現れやすい。

第2節 総　　則

法律上の商人の種類（**固有の商人，擬制商人，小商人**）について意義・要件・効果等を知ること。商号とその類似商号の法的効力について理解すること。商業帳簿とはどのような帳簿をいうのか。商業使用人，とくに支配人の包括的代理権について理解すること。

1　商　　人
(1)　商人の種類

(a)　固有の商人（商4条1項）　わが国は，明治32年の新商法制定にあたり旧ドイツ法を手本としたために，商人概念の決定については，まず商行為の概念を決め，商行為を行うものを商人とする商行為主義を採用した。つまり，商人とは自己の名をもって商行為を業として行うものである。

(イ)　自己の名をもってとは，自らが権利義務（法律行為）の帰属主体になることである。つまり，事実上の行為者や経済上の行為の帰属者の意味ではない。

(ロ)　商行為とは，商法典や特別法上に商行為として規定されているものを意味する。具体的には，**絶対的商行為**（商501条）と**営業的商行為**（商502条）および若干の商事特別法上の行為（担保附社債信託法3条・29条2項，信託法6条，無尽業法2条）である。この商行為は，商人概念を決めるためのものであるから，基本的商行為といわれる。

(ハ)　業とするとは，営利目的で反復継続することである。自己または他人の計算で営利を獲得する意思があればよく，その達成・成功の有無は問わない。継続とは，営利を獲得するための期間をいい，長期間という意味ではない。

(b)　擬制商人（商4条2項）　固有の商人は，農業・林業・漁業・鉱業等の原始産業を商人概念に含んでいないばかりか，新しい業種の発生に対応できない。そこで，昭和13年の商法改正において，商行為概念に基づかず，経営形態や企業設備の観点からの商人を規定した。

(イ)　設備商　店舗その他これに類似する設備での，物品の販売業である。店舗の規模や常設・臨時等を問わない。目的物は，物品に限定され，不動産や

有価証券等の一般に物品と呼ばれない物は除かれる（参考，不動産売買の斡旋は民事仲立行為で502条11号の行為である）。さらに，物品の有償取得・無償取得を問わない。

　　(ロ)　鉱業を営む者　　鉱業者は通常大規模な設備を有していることから，当該営利行為が固有の商人の本質と同じであり，経済活動における影響の強さを考え，鉱業者を商人に追加した。しかし，本条項の前段と異なり，企業設備は鉱業者の商人性を決定する要件になっていない。

　　(ハ)　民事会社　　商行為を行う会社（商事会社）は固有の商人である（商52条1項・54条1項・4条1項）が，商行為以外の営利行為を行う会社（民事会社，商52条2項）は固有の商人ではない（商4条1項）。しかし，商事会社も民事会社も営利目的および会社組織という点では同じことであるから，民事会社を擬制商人として，商人概念に追加した。

　なお，民事会社の行為には商行為に関する規定が準用される。これを準商行為という（商523条）。

　(c)　小商人（商法中改正法律施行法3条）　　経営規模のかなり小さい者を小商人として，商法適用の煩雑・不利益を回避したのである。

　小商人とは，資本金額が50万円未満かつ会社でないものをいう。小商人には，商業登記，商号および商業帳簿に関する規定は適用されない（商8条）。

　(2)　商人資格の得喪

　(a)　商人資格の取得　　通説・判例は，営業の意思が客観的に取引相手に認識可能であることおよび準備行為の場合には，営業の意思を客観的に認識できる場合にだけ商人資格を取得できるとし，営業意思客観的認識可能説を採っている。具体的には，自然人の場合には，営業の意思が開業準備行為により表明された時，開業の時または営業活動体を客観的に認識し得る程度（相手方の認識の有無を問わない）の組織を有する時である。法人の場合，営利社団法人である会社や企業はその成立の時（商57条，有限会社法4条〔以下，有と表示〕）であり，その他の法人は営業の開始行為があった時である。

　(b)　商人資格の喪失　　自然人および会社以外の法人の場合には，営業の目的たる行為および残務整理すべての終了時である。会社の場合には，清算の終了時である（商116条・147条・430条，有75条）。

2 商　　号

(1) 選定と選定上の制限

(a) 選定　　商号とは，商人が営業上自己を表示するための名称である。これに対し，商標とは商品の同一性を表示するものであり，営業標とは商人の営業自体の同一性を表示するものである。

商号の選定に関し，商号真実主義(商号が企業主体や業務内容を表示しなければならない)や，商号自由主義(どのような名称も商号にできる)および商号選定折衷主義(新規に選定する場合には，真実主義により業種変更や譲渡の場合には自由主義でよい)等の考え方がある。

わが商法は，屋号（社会生活や営業上の必要性から「家」につけられた名称）の慣習を考慮して，商号選定に関しては自由主義を採用している（商16条）。

(b) 選定上の制限　　現在のわが国では商号選定自由主義を採用しているが，商号は商法上認められた商人の名称であるから，商人（除，小商人，商8条）が使用し営業が存在すること，呼称できること，日本文字で表現できること，会社は必ず商号中に会社という文字を使用すること（商17条，有3条），会社でないものは商号中に会社の文字を使用できないこと（商18条，有3条），何人も不正の目的をもって他人と混同誤認する商号を使用できないこと（商12条）等の制限を受ける。

(2) 登記商号・未登記商号・類似商号

商号権者は，共に**商号使用権**（適法に選定した商号を他人に妨害されることなく使用できる権利）と**商号専用権**（他人の不正の目的による同一または類似の商号使用を排斥する権利）を有する。

(a) 登記商号　　登記商号には，同市町村内における排他力（商19条）や不正競争の目的を有する者への排他力（商20条）および不正の目的をもって主体を誤認させる商号選定の禁止（商21条）等の保護が与えられている。

(b) 未登記商号　　未登記商号には，不正競争および不正の目的がない限り，商法20条2項を除いて，登記商号と同一の保護が与えられる。

(c) 類似商号　　同一または類似の商号とは，同一または判然と区別できない商号のことである。つまり，商号の主要部分が同一または類似することにより混同誤認の虞れがあるか否かによる。

(3) 商号の仮登記

商号保護の制度は，他人の商号の選定・登記を妨害する目的に濫用される場合がある。そこで，この濫用を防ぐ目的から商号の仮登記が認められた（商業登記法35条ないし41条［以下商登と表記する］）。

(4) 名板貸し（名義貸し・看板貸し）

名板貸しとは，自己の氏名や商号を使用して営業をすることを，他人に許諾することである。この場合，自分が現実に営業をしていなくても，自分が営業主であると誤認した者に対し，貸主として借主である他人と連帯してその債務を弁済しなければならない（商23条）。これは，外観を信頼した第三者の保護が目的である。

(5) 商号の譲渡

商号の譲渡は，営業と共に行うか，営業を廃止して行う場合でないと認められない（商24条）。したがって，商号だけを差押の対象にできない。営業と共に商号の譲渡を受けた場合，営業上の債権者・債務者と商号の譲受人との関係が問題になる。

(a) 営業の譲受人が譲渡人の商号を続用する場合　この場合，譲渡人の債務に関し，譲受人にも原則として弁済責任がある。ただし，譲受人の免責登記や第三者への通知がある場合には，譲受人には弁済責任がない（商26条）。また，譲渡人の債権を，譲渡人へではなく譲受人へ弁済した場合，弁済者が善意かつ重過失なき時に限り，その弁済は有効となる（商27条）。

(b) 譲受人が商号を続用しない場合　この場合，第三者は外観上営業の同一性や債務引受の存在を誤認する虞れがないので，譲受人は譲渡人の債務引受をしない限り弁済責任を負わない。

3　商業帳簿

(1) 意義・会計帳簿等

(a) 意義　**商業帳簿**とは，商人がその営業上の財産および損益の状況を明確にするために，商法上の義務として作成する帳簿をいう（商32条）。したがって，商人でない協同組合や相互保険会社等の者および例外としての小商人（商8条）が商法上作成してもこれに含まれない。また，営業上の財産や損益の状況を明示しない諸議事録・株主名簿・社債原簿等もこれに含まれない。

(b) 会計帳簿等　　現行法上の商業帳簿とは，会計帳簿と貸借対照表（商32条1項），株式会社や有限会社の損益計算書（商281条，有43条）および非常時に作成する財産目録等である。

　商業帳簿の作成については公正な会計慣行を斟酌しなければならない（商32条2項）。また，会計帳簿等には開業時および各営業年度の始期と終期の財産とその価額を整然かつ明瞭に記載しなければならない（商33条）。そして，貸借対照表は会計帳簿を基にして作らなければならない（商33条2項）。このように正規の簿記の原則によって，元帳の勘定残高を集計して，貸借対照表を作成する方法を誘導法という。

　さらに，平成13年の商法改正により，商人は会計帳簿または貸借対照表を電磁的記録（パソコンなどのコンピュータによる情報処理で法務省令によるもの）をもって作成することができるようになった（商33条ノ2）。

(2)　資産の評価

　資産の過大評価は現実に存在しない資産を計上したことになり，反対に資産の過小評価は利益隠蔽になる。これらはともに資本充実の阻害あるいは秘密積立金設置等の不正行為を誘発しやすい。したがって，資産を適正に評価することは正確な会計帳簿の作成に必要不可欠である。

　①　流動資産については，総則編は取得価額・製作価額なる原価〔原価主義〕または時価による評価〔時価主義〕の選択を認めている（商34条1号）。これに対し，株式会社と有限会社の場合には，原則として，取得価額・製作価額なる原価による評価をしなければならない（商法施行規則〔法務省令第7号・平成15年2月28日施行〕28条1項（以下商施規と略す），有46条1項）としつつ，例外として，原価と時価を比較して時価が著しく低く原価まで回復すると認められない場合，または時価が原価より低い時は時価評価によっても良い（同規則28条1項後段・2項）。

　②　固定資産については，原価により評価し，毎決算期（個人商人の場合には毎年1回一定の時期）に相当の償却をしなければならない。しかも，予測不可能な減損を生じた時は相当な減額をしなければならない（商34条2号，商施規29条）。

　③　金銭債権については，債権金額より取立不能見込額（貸倒れ額）を控除した額を超えてはならない（商34条3号）。なお会社編の規定285条は，前記した

法務省令（商法施行規則）に則る旨規定した。これによると，金銭債権についてはその債権金額を付さなければならないし，実際に取得した債権金額に応じて増額または減額をすることができる（商施規30条1項）。貸倒れ額の控除も認められる。また，市場価格のある金銭債権については第1項の規定にかかわらず時価を付することができる（同3項）。有限会社においても会社法と同様である（有46条1項）。

さらに，株式会社と有限会社については，社債その他の債権の評価（商施規31条），株式その他の出資の評価（商施規32），暖簾の評価（商施規33）等の規定がある。

(3) 通 則

商人は小商人を除き（商8条）商業帳簿を作成しなければならない。商法は作成形式に原則として不干渉主義を採っているものの，会計帳簿に関してはその性質上整然かつ明瞭に記載すること，貸借対照表に関しては編綴・署名することを要求している（商33条）。さらに，帳簿閉鎖の時から10年間，これを保存しなければならない（商36条）。

4 商業使用人

(1) 意 義

商業使用人とは，雇用契約（民法623条）によって，特定の商人に従属し，その対外的な営業活動を補助するものである。つまり，一定の商人と雇用契約を締結し，その指揮命令に服し，外部との取引関係において本来的には営業主が意思決定をすべき業務活動を補助する者をいう。

(2) 支 配 人

(a) 意義・権限　　**支配人**とは，特定の営業主の営業に関し，一切の裁判上または裁判外の行為をなす権限を有する商業使用人である。商人〔除く．小商人（商8条）〕から付与されるこの広範な代理権のことを包括的代理権という。この代理権に制限を加えても，営業主は善意の第三者に対抗できない（商38条3項）。なお，裁判上の行為とは訴訟行為のことであり，支配人は営業主の代理人としてその営業に関する訴訟をすることができる意味である。裁判外の行為とは法律上および法律外の営業活動上のことである。この代理権は営業主の任意な支配人の選任により発生するものであるから，支配人は法定代理人ではない。

(b) 資格　支配人は雇用契約に基づく労務服従者である（商38条1項）ことから、制限能力者や破産者以外の自然人でなければならないと解する（民19条・111条・653条）。さらに、取締役や業務執行社員は支配人を兼任できるが、監査役はその職務の性質上支配人を兼任できない。

(c) 義務　支配人は包括的な代理権を有し営業上の重要な機密を知る立場に立つので、営業主の利益を守るために営業および競業の禁止義務を課せられている（商41条1項）。この義務違反があった場合でも法律行為自体は有効であり、営業主の損害賠償請求権や支配人の解任事由になるだけである。さらに、営業主には「支配人が義務に違反して支配人のために取引をした」と考えられる場合には、その取引を営業主自らのものにすることができる（商41条2項）。これを介入権または奪取権という。

(d) 共同支配人・表見支配人　①営業主は支配権の濫用防止その他の意味で複数の支配人に共同して代理権を行使すべき旨を規定できる（商39条1項、商登51条1項5号）。この共同代理の意味は、能働代理においてのみ、必ず他の支配人が関与（共同して）しなければならないということである。②本店または支店の主任者を示す名称を付けた使用人（支店長・出張所長等）で法律上の支配人でない者は、表見支配人といわれ、相手方が善意の時に限り、裁判上の行為を除き支配人と同一の権限を有する（商42条）。

(3) その他の商業使用人

番頭・手代等の名称は現在ではほとんど使用されないが、現在その意味する者は部長・課長・係長等の者である。これらの者は、ある種類または特定の委任された事項に限り、一切の裁判外の行為をすることができる（商43条）。支配人・番頭・手代以外の商業使用人は、単に労務に服するだけの者であるが、取引の安全を保護する意味から、物品販売店の使用人に限り、店舗内の物品の販売権を有する（商44条）。

5　営業と営業譲渡

(1) 営　業

営業とは、主観的には商人の営利活動をいい、客観的には営業上の組織体をいう。営業所とは営業活動の場所をいい、営業上の指揮を発する主たる場所を本店、従たる場所を支店という。実体に関係なく、会社の場合には、定款に記

載された本店所在地（主たる営業所の所在地）が本店である。

(2) 営業譲渡

営業譲渡とは営業財産の譲渡であり，営業財産とは物・権利・営業活動により付加された経済的価値を有する事実関係を含む組織的一体としての営業財産を意味する。したがって，営業譲渡とは有機的一体をなしている営業財産の譲渡である。営業譲渡は組織上の重要事項なので，会社の場合にその意思決定方法が問題になる。合名会社・合資会社では総社員の同意を要し（商72条・117条・147条），株式会社では株主総会の特別決議を要する（商245条）。有限会社では総社員の過半数以上が出席しその4分の3以上の同意を必要とする（有40条・48条）。営業譲渡契約が締結されると，譲渡人は営業の移転義務（民177条・178条・467条，商24条2項・206条・519条，特許法45条，商標法24条等）と競業避止義務を負う（商25条）。

6 商業登記

(1) 概　　説

商業登記とは，商法と有限会社法により，その営業所所在地を管轄する登記所に備えた商業登記簿にする登記である（商登法，商登規則）。この登記は，企業取引上重要な事項を一般に公示して取引の相手方および第三者の保護を目的にするばかりでなく，商人自身の信用の維持増加を目的にしている。

(2) 登記手続と公示方法

(a) 当事者申請主義　　商業登記は原則として当事者の申請によって登記官が行うものである（商9条）。例外として裁判所の職員による登記の嘱託がある（商58条，破119条，会更17条等）。

(b) 登記所と形式的審査主義　　**登記場所**は申請人の営業所所在地の法務局または地方法務局の支局・出張所である（商9条，商登1条～3条）。登記所の登記官は，記録官であって裁判官や検察官ではないこと，および登記内容について推定力が認められているわけではないこと等から，登記官には形式的審査権しかない。

(c) 公示方法　　商業登記には，登記した事項を一般大衆に周知する手段として以下の方法を有する。①登記簿の閲覧（商登10条），②謄本または抄本の交付（商登11条），③登記事項の登記所による証明（商登11条），④登記事項の公告

(商登11条・10条)。とくに，登記した事項は登記所において遅滞なくこれを公告しなければならない（商登11条）が，現在は登記の時に登記・公告があったものと看做し，登記事項の公告を不要としている（法務局及び地方法務局設置に伴う関係法律の整理等に関する法律附則9・10）。

(3) 登記の効力

(a) 一般的効力　登記事項は，登記公告前には，悪意の第三者に対抗できるのみで，善意の第三者には対抗できない（消極的公示力）。これに対して，登記公告後は，第三者の善意悪意を問うことなく対抗できる（積極的公示力）。

(b) 特殊的効力　(イ) 商業登記の創設的効力　商号の専用権の発生（商19条・20条），会社の法人格の取得（商57条，有4条）や合併の効力の発生（商102条，有63条）等のように，その登記をするだけで効力を発生させる（登記自体が効力発生の要件である）ものを商業登記の創設的効力という。

(ロ) 商業登記の免責的効力　合名会社や合資会社を退社した社員は，退社登記後2年以内の請求または請求予告者に対し責任を負わなければならないが，それ以外の者には責任を負わなくてよい（商93条2項）。これを免責的効力という。

(ハ) 商業登記の補完的効力　会社の設立登記により株式会社は成立するが，以後錯誤・詐欺・強迫等を理由として，株式引受の無効や取消を主張できない（商191条）。このように登記によってその登記事項に内在する瑕疵を治癒し補完する効力を補完的効力という。

7　代理商

(1) 序説と意義

代理商とは，商業使用人ではなく，一定の商人のために，平常その営業の部類に属する，取引の代理または媒介をするものをいう（商46条）。前者を締約代理商，後者を媒介代理商という。この制度は，外国との取引，運送品の集荷，保険の拡販（保険代理店），その他製品の販売サービス等に多く利用されている。代理商が仲立人・問屋・運送人等と同一の範疇にあるにもかかわらず，商行為編でなく総則編に規定されているのは，独立した商人とはいえ，特定な企業との営業上の信頼関係や継続性が商業使用人に類似していること，大企業の代理商は，その企業の商業使用人と同等の仕事内容を有していること等の理由によ

る。
 (2) 代理商の義務と権利
 (a) 義務 〔通知義務〕 代理商は仕事をした時に遅滞なく本人に通知を発しなければならない（商47条）。
 〔競業避止義務〕 代理商は，本人の許可または承諾がなければ，自己もしくは第三者のために，本人の営業の部類に属する取引をしたり，同種の営業を目的とする会社の無限責任社員や取締役になれない（商48条）。
 (b) 権利 代理商契約が委任または準委任であることから，代理商は委任の諸規定に従い一般的な権利を取得する（民648条ないし651条・656条）。さらに，別段の意思表示がない限り，債権の弁済を受けるまで，本人のために占有する物または有価証券を留置することができる（商51条）。

第3節 企業（会社）

 法律上の会社の相違点について理解すること。株式会社の特徴について，設立，株式，株主総会と取締役会と代表取締役，監査役等の機能について，利益配当について，会社の整理・解散・清算について，その他有限会社の機能について株式会社の各項目と比較しながら理解すること。

1 概説
 (1) 企業制度
 企業には，個人企業と法人企業とがある。後者の例としては，民法上の組合（民667条以下），商法上の匿名組合（商533条以下）および会社企業等がある。なかでも，資本蒐集，危険分散，管理運営，営利追求等に最も適しているのは，会社企業である。
 (2) 会社
 (a) 概念 会社は複数人の資本と労力との組織体である。法律的には，会社は営利社団法人である（商52条・54条）。この設立行為の法的性質は合同行為である（通説・判例）。また，設立には，あらかじめ法律で会社設立の要件を定めておきこの要件を満たした場合当然に法人格が与えられるという準則主義が採られている。

(b) 種類と社員の責任　現行法上認められているのは4種類だけである。商法では，合名会社，合資会社および株式会社が認められ（商62条・146条・165条等），有限会社法で有限会社が認められている。会社形態の区別の主たる基準は，社員（会社構成員）が会社の債権者にどのような責任を負担するかによる。社員が，会社の債務について，直接弁済責任を負担する場合を**直接責任**といい，会社の債権者にいかなる責任も負担せず，会社に対して出資義務のみを負担する場合を**間接責任**という。また，その責任に限度がある場合を**有限責任**といい，そうでない場合を**無限責任**という。

2　各種の会社
(1)　合　名　会　社

　会社の債務を会社財産だけで完済できない場合，または会社財産に対する強制執行が効を奏しない場合，全社員が連帯して直接会社の債務を弁済しなければならないという直接無限責任社員だけからなる会社である。

　(a) 対内（会社対社員，社員相互）関係　営利社団法人ではあるが，定款または商法に別段の規定がない限り，民法の組合に関する規定が準用される（商68条）。設立は，2名以上の社員（自然人に限る）が定款を作成し，これに法定事項を記載し，署名・設立登記により完了する（商62条ないし64条・57条）。出資対象物は，金銭やその他の財産（現物）だけでなく，技術や資格等の労務や信用も認められる（商89条）。社員権は「**持分**」と称され，有価証券化はできない。各社員は原則として業務執行権と会社代表権とを持っている（商70条・76条）。社員が直接無限責任を負担している関係から，社員または社員権の変動は他の者に重大な利害関係を有するので，新規加入には定款の変更（商63条）と総社員の同意が必要（商72条）であり，持分の譲渡には他の社員の承諾が必要である（商73条）。また，退社は原則として6カ前に予告をし営業年度の終了時に認められる（商84条）。退社員にはその持分の払戻しが認められている（商68条・87条・89条，民681条）。利益配当については，株式会社や有限会社（商290条，有46条）と異なり，配当可能利益がない場合でも可能で，違法にはならない。

　(b) 対外関係　新規加入社員は，加入以前の会社の債務についても責任を負う（商82条）。また，社員資格を喪失した後といえども，原則として，社員が会社債権者に負担する連帯無限責任は退社登記後2年間存続する（商93条）。

(2) 合資会社

直接無限責任社員と直接有限責任社員とからなる二元組織の会社である。無限責任社員に関する事項は，合名会社の規定を準用している（商147条）。出資の容易化のために有限責任社員を設けているが，会社の業務執行や代表は禁止され（商156条），無限責任社員がこれを行う（商151条・147条）。有限責任社員は業務監視権を有し（商153条），会社の重要事項（定款変更・解散・合併等）についても意思決定に参加できる（商147条・72条・95条・98条）。また，有限責任社員の出資対象物は，金銭または現物に限定されている（商150条）。この有限責任社員の責任は，出資額を限度とした，会社債権者に対する直接責任である（出資を通じての会社財産が会社債権者の唯一の担保になる間接責任と異なる）。したがって，会社債権者に対し責任を履行した範囲で会社に対する出資義務は消滅する。この事項は重要なので登記しなければならない（商149条）。さらに，有限責任社員の持分の譲渡には，無限責任社員全員の承諾があればよく（商154条），持分の相続も可能である（商161条）。

(3) 株式会社

(a) **株式会社の特色**　社員の地位が細分化された割合的単位である株式に表彰され，社員は株式の引受価額を限度とする出資義務を負うのみ（すなわち，会社債権者に対し直接の責任を負わない）で，この出資の合計額が会社の資本を構成するといった特色を有する。つまり，株式・社員の間接有限責任・資本等が株式会社の特色である。あるいは，経済的な観点からは資本の集中・危険の分散・会社の永続性（ゴーイングコンサーン）等が株式会社の特色である。

(b) **設立**　　**発起人**は，定款を作成し，同時に設立中の会社の機関として，設立業務を執行し，かつ必ず一株以上を引き受けなければならない（商165条・166条・169条等）。なお，株式会社の設立時の払込最低資本金は1,000万円である（商168条ノ4）。設立方法には，設立に際して発行する株式の全部を発起人全員で引き受ける**発起設立**（商170条）と，発起人が株式の一部を引き受け残部については株式引受人を募集する**募集設立**（商174条）とがある。また，発起人が一人で設立する所謂，**一人会社**（いちにんかいしゃ）の設立が認められている。さらに，複数の発起人の権利義務関係（発起人組合）は民法上の組合に関する規定に従う。

発起人は，社団法人の根本規則である定款を作成し，これに署名または記名

捺印し，定款への公証人の認証を受けなければならない（商167条）。定款には**絶対的記載事項**【会社の有効な設立に必要な最小限度の事項で，この事項を一個でも欠くか違法な場合には定款全体が無効になる（商166条）】，**相対的記載事項**〔別名，変態設立〕【定款への記載を欠いても定款自体は無効にならないが，当該事項の法律上の効力は生じない（商168条）】，および**任意的記載事項**【会社の本質や強行法に反しない事項で，明確性のためや安易な変更回避のために記載する任意の事項】等3種類の記載事項がある。

　発起人は会社不成立の場合に当然全責任を負担しなければならない。他方，会社が成立しても，発起人は会社に対し，無過失責任である資本充実責任（引受担保責任や払込担保責任，商192条，大判昭8年9月12日民集12巻2313頁）と過失責任である損害賠償責任（商193条1項）を負担している。なお，発起人に悪意または重大な過失がある場合には，第三者に対しても損害賠償責任を負担しなければならない（商193条2項）。

　(c)　株式と株主の権利　　株式とは株式会社の社員（従業員ではなく会社構成員）の地位（社員権）およびその細分化された割合的単位を意味する。この抽象的な社員権を具体的な有価証券に化体したものが**株券**である。また，株式あるいは株券の所有者を株主という。

　平成13年の商法改正により，額面株式制度は廃止され，**単元株制度**が導入された（商221条），自己株取得が原則自由になった（**金庫株制度**の導入），種類株制度の見直し，端株制度の改正，新株予約権つき株式（社債）の発行，種類株主の取締役等の選任解任請求権等，その他多くの事項が改正追加された。

　かつて，株式には，（証券上に券面額のある）**額面株式**と（券面額のない）**無額面株式**との2種類があった（旧商199条）。そして，額面株式の金額は均一なることを要し，額面以下の発行はできなかった（旧商202条）。さらに，額面は5万円以上であった（旧商166条2項）。しかも，額面金額については，昭和13年改正までは原則として50円，昭和13年改正から昭和23年改正までは20円，昭和23年改正から昭和57年改正まで500円，昭和57年改正以後5万円という変遷があった。他方，平成13年の商法改正まで，会社設立時の無額面株式の発行価額も5万円以上であった（旧商168条ノ3）。

　単位株制度は，以上のような額面金額の変遷を考慮し，過去最も発行の多かった50円額面と500円額面の経済的価値を5万円額面に合わせるために考案

されたものであった。つまり，一株の額面50円ないし500円に1,000株ないし100株を乗ずると5万円額面相当になる。この1,000株ないし100株を一単位として扱うのである（昭和56年商法改正附則16条）。一単位を何株にするかは各会社の自由であるが，昭和57年改正以前に設立された上場会社はすべて単位株制度を採らなければならないし，上場会社以外で定款により株式の一単位を規定している会社は単位株制度を廃止できないことになっていた（昭和56年改正附則15条）。単位未満株式については，主として自益権のみで共益権はなく，株券の発行も認められなった（同改正附則18条）。現行法では単位株制度は廃止された。

　経済のグローバルスタンダードの導入，バブル崩壊後の長期にわたる株式市況の低迷，会社の不正行為等多くの原因により，会社の制度改革とその運営方法の改善等を目的にしたコーポレートガバナンス理論の構築等が叫ばれ，前記したごとく，平成13年と同14年をピークに会社法の大改正がなされた。

　株主には原則として自益権と共益権とがある。自益権とは株主が会社から経済的利益を受けることを目的とした権利であり，共益権とは株主が会社の管理や運営に参加することを目的にした権利である。自益権には利益配当請求権（商290条・293条）・残余財産分配請求権（商425条）・新株引受権（商280条ノ2第1項5号）等があり，共益権には議決権（商241条1項）・株主提案権（商232条ノ2）・株主総会招集権（商237条）等がある。

　さらに，株主の権利には，一株（一単元）の株主でも行使できる単独株主権（商241条1項）と，会社の総株主の議決権総数の一定割合以上を保有しないと行使できない少数株主権とがある。前者の例としては，すべての自益権と議決権（商241条）や総会決議取消訴権（商247条）等があり，後者の例としては，株主提案権（商232条ノ2），少数株主の株主総会招集権（商237条），解散請求権（商406条ノ2）等がある。

　会社は，自己資本調達を容易にするために，利益もしくは利息の配当，残余財産の分配，株式の買受利益で行う株式消却，株主総会での議決権行使事項，数種類の株式を発行した場合について内容の異なる数種類の株式（具体的には優先株式または償還株式等）を発行できる（商222条）。これを数種の株式という。なお，無議決権株式や転換株式等は，数種の株式の存在が前提に発行が認められ，それ自体の発行は認められていないので，数種の株式ではなく数種の株式の属性と解されている。

株式は原則として自由に譲渡できる（商204条1項）。しかし，例外的に以下の制限がある。①権利株（会社成立前または新株発行前の株式引受人の地位の）譲渡は会社に対して無効（商190条・280条ノ14第1項），②株券発行前の株式譲渡は会社に対して無効（商204条2項），③自己株式の買受けには原則として定時総会の普通決議が必要（商210条），④原則として，子会社による親会社株式の取得は禁止される（商211条ノ2），⑤定款により株式譲渡には取締役会の承認を必要とできる（商204条1項但書），その他⑥独占禁止法や電源開発法等の特別法による株式の譲渡制限などがある。

　(d) 機関　株式会社の法的必要機関には，株主総会・取締役会・代表取締役・監査役・検査役等がある。

　　(イ) 株主総会　**株主総会**は，原則として全株主が出席しその意思を決定する機関であり，決議事項は法定化されている（商230条ノ10）。なお，例外として会社が所有する自己株式には議決権がない（商241条2項）ばかりか，無議決権株式と同様に，株主総会への招集通知は不要である（商232条4項）。株主総会には定時総会（商234条）と臨時総会（商235条）がある。定時総会は毎年一回一定の時期に招集しなければならない（商234条）。総会の招集は，商法上別段の規定がなければ取締役会で決定し，代表取締役が執行する（商231条）。招集日と会日との間には2週間が必要である（商232条1項，民140条）。ただし，定款に株式の譲渡制限がある会社は1週間を限度として短縮できる（商232条1項但書）。さらに，コンピュータを利用したメールやホームページ等の電磁的方法により総会を招集できる（商232条2項）。招集地は定款に別段の規定がない限り本店所在地又はその隣接地である（商233条）。

　総会に代理人が出席することは認められ（商239条2項），通説・判例はその代理人の資格を定款により「株主に限定する」こともできるとする（鈴木「新版全訂会社法」122頁，最判昭43・11・1民集22巻11号2402頁）。さらに，会社は，取締役会の決議を以て，総会に出席しない株主のために，書面決議をする旨定款に規定できる（商239条ノ2）。もちろん，株式会社の監査等に関する商法の特例に関する法律（以下「監査特例」と称す）上，（資本額が五億円以上または負債額が二百億円以上の大会社またはみなし大会社については）株主数が千人以上いる場合に書面投票が認められる（監査特例21条ノ3）。一人の株主が複数の議決権を有する場合，その議決権の不統一行使もできる（商239条ノ4）。

総会の決議方法には，普通決議と特別決議とがある。普通決議は，総株主の議決権の過半数に当たる株式を有する株主が出席し，その議決権の過半数で可決する（商239条1項）。なお，普通決議の定足数は当然に変更できるが，取締役の選任決議がある場合には，定足数を総株主の議決権の三分の一未満にできない（商256条ノ2）。特別決議は，総株主の議決権の過半数または定款に定める議決権の数に当たる株式を有する株主が出席し，その議決権の三分の二以上で可決する（商343条1項）。定款により定足数を変更する場合には，普通決議の取締役の選任決議の場合と同様，定足数を総株主の議決権の三分の一未満にできない（商343条2項）。その他，商法266条5項（取締役の責任免除に総株主の同意を必要）・266条6項（取締役と会社間の利益相反取引違反の責任免除に総株主の議決権の3分の2以上必要）・348条（株式譲渡制限の為の定款変更には総株主の過半数且つその議決権の3分の2以上が必要）等特殊な決議方法もある。

　(ロ)　取締役会　これは株主総会で選任された3名以上の取締役（商254条1項・255条）により構成され，会社の業務執行に関する意思決定をすると同時に，業務の執行を特別に委任された業務担当取締役の業務執行の監督等の機能（商260条1項）を有する必要機関である。

　取締役には，欠格事由のある者（商254条ノ2）や法人はなれないが，株主でなくてもなれる（商254条2項）。そして，少数株主の権利を少しでも認めるために，取締役の選任に関して累積投票が認められている（商256条ノ3）。たとえば，100個の総議決権数で，選任取締役が3人だとすると，この中の3人全員の取締役を確保したい場合，3（確保したい取締役数）×100（総議決権数）を3（選任数）＋1で除し，それに1を加えると，76個の議決権の取得が必要になる。さらに，上記事例で1人の取締役を確保したかったら，1×100を3＋1で除し，それに1を加えると，26となり，取締役を1人確保するために必要最小限の議決権数は26個となる。取締役と会社との関係は委任関係（商254条3項）で，従業員のような雇用関係ではない。取締役会の招集は，会日から一週間前に各取締役と監査役に通知を発しなければならないが，これを定款で短縮することもできる（商259条ノ2）。

　取締役会には専決事項（商260条ノ2）があり，これらは例示的事項であり，会社にとり重要な事項はここで決定しなければならない。取締役会の決議は，原則として取締役の過半数が出席しその過半数で可決成立するが，定款によりこ

の要件を加重できる。また，決議事項に特別利害関係を有する取締役は決議に参加できない（商260条ノ２）。さらに，代理人による出席や書面決議（持ち回り決議）は認められない（最判昭44年11月27日民集23巻11号2301頁）。

(ハ)　代表取締役　　取締役会の意思決定に基づいて業務を執行し会社を代表する必要常置の機関である。人数については複数でもよくかつ共同代表制にしてもよい。代表権の範囲は，会社の営業に関する一切の裁判上の行為と裁判外の行為であり，会社がこれに制限を加えても善意の第三者に対抗できない（商261条）。したがって，会社が代表取締役の代表権に制限をしていても，制限のあることを知らなかった第三者に，会社は責任を負わなければならない。また，取締役が代表取締役のごとき社長・副社長・専務取締役・常務取締役等の名称を使用している場合，たとえ法律的に代表権が付与されていなくても，表見代表取締役として会社は善意の第三者に責任を負わなければならない（商262条）。

(ニ)　監査役・検査役　　監査役は取締役の職務の執行を監査する（商274条１項）。監査役は何時でも取締役および支配人その他の使用人に対して，営業の報告を求め，または会社の業務および財産の状況を調査することができる（商274条２項）。これは原則として必要常置の機関である。ただし，次の(ホ)で述べる委員会等設置会社の場合には監査役を置くことができない（監査特例21ノ５第２項）。監査役の選任・解任や欠格事由，責任の免除等については取締役に関する規定の準用が多い（商280条）。監査役は会社もしくは子会社の取締役もしくは支配人その他の使用人または子会社の執行役を兼ねてはいけない（商276条）。資本の額が５億円以上，負債総額が200億円以上の株式会社は監査特例法の適用を受ける。さらに，資本の額が１億円以下の株式会社（小会社）の監査役は，取締役が株主総会に提出しようとする会計に関する議案その他のものを調査し，株主総会にその意見を報告しなければならない（監査特例22条）。

検査役は会社の設立手続や業務および財産状況を調査するための臨時の監督機関であり，裁判所で選任される場合（商173条・181条・237条ノ２・270条ノ８等）と創立総会または株主総会で選任される場合（商184条３項・237条３項・238条等）とがある。検査役の人数や資格に法的な制限はないが，取締役・監査役・支配人その他の使用人は当該会社の検査役になれないと解する。

(ホ)　委員会等設置会社と機関　　平成14年の商法改正（平成15年４月１日施

行）は，会社の業務執行の機動性を高めることを目的に「執行役」を導入した委員会等設置会社制度を採用した。

委員会等設置会社とは，監査特例法上の大会社（資本金5億円以上または負債200億円以上の株式会社），または資本金が1億円以上の株式会社で，監査特例法上の監査（会計監査人の監査）を受けることを定款に規定した会社で，監査特例法上の大会社でないもの（みなし大会社）をいう（監査特例1条ノ2第3項・2条2項）。委員会等設置会社には，取締役の選任・解任に関する議案作成等を任務とする「指名委員会」，取締役および執行役の職務執行の監査等を目的にした「監査委員会」，取締役や執行役が受ける報酬の内容の決定に関する方針を決める「報酬委員会」の3つの委員会（機関）を設けなければならない（監査特例21条ノ5・21条ノ8）。委員会等設置会社には監査役を置くことができない（監査特例21ノ5第2項）し，取締役・執行役の任期は1年である（同21条ノ6・21条13第3項）。委員会等設置会社は，その業務執行をする（監査特例21条ノ12）ために，取締役会で「執行役」を選任しなければならない（同21条ノ13）し，代表執行役を定めなければならない（同21条ノ15）。取締役は執行役を兼任できる（監査特例21条ノ13第5項）。

(e) 計算　株式会社は社員が間接有限責任を負う営利社団法人であることから，会社の債権者や一般株主にとり，会社財産が唯一の担保になっている。このため損益計算上真実性・明瞭性等の追求は必要不可欠の要請である。したがって，一般の商人や合名会社・合資会社等の人的会社に関する総則編の規定よりも詳細に規定している。とくに，平成14年の商法改正においては，株式会社や有限会社に関する計算書類規定等に関して，商法典におかずに省令に制定した。これは，経済活性化のために，経済実態に対し臨機応変に対応できるようにとの意図によるものである。その内容は，総則，電磁的記録等，参考書類等，財産の評価，貸借対照表の記載方法等，純資産額から控除すべき金額，計算書類等の監査等，連結計算書類の記載方法等，連結計算書類の監査等，監査委員会の職務の遂行のために必要な事項，雑則等の合計197条からなる。

取締役は毎決算期に，貸借対照表・損益計算書・営業報告書・利益の処分または損失の処理に関する議案（計算書類）およびその付属明細書（計算書類の内容を補充し，企業実体の把握に必要で詳細な説明書）を作成し，取締役会の承認を受けなければならない（商281条1項）。そして，この計算書類を定時総会の会日

より7週間前に監査役に提出しなければならないし，計算書類提出の日から3週間以内にその付属明細書を監査役に提出しなければならない（商281条ノ第1項・2項）。監査役は計算書類の受領日より4週間以内に監査報告書を取締役に提出しなければならない（商282条ノ3）。取締役は定時総会日の2週間前より計算書類とその監査報告書を5年間本店に，その謄本を3年間支店に備え置かなければならない（商282条1項）。また，取締役は計算書類を定時総会に提出して報告し，あるいは承認を得なければならない（商283条）。

利益の配当は，貸借対照表上の純資産額（資産の部の合計額から負債の部の合計額を控除した差額）から①資本の額，②資本準備金（法定準備金で主として営業活動による利益以外の益金）と利益準備金（法定準備金で毎決算期の利益金の一部）の合計額，③その決算期に積み立てることを要する利益準備金の額，その他④法務省令に定める額等を控除した後でなければ行えない（商290条）。

株式会社は，自己資本の充実のために新株を発行できる。新株発行は定款に別段の規定がなければ取締役会で決定する（商280条ノ2以下）。また，他人資本の調達の一形態として，取締役会の決議により社債の発行が認められている（商296条以下）。

(f) 完全親会社と会社分割（平成11年と平成12年改正追加）　急激に変化する政治経済社会に対応するため，日本企業の組織再編成（リストラクチャリング）が求められ，商法においては完全持株会社の解禁や会社分割，合併の簡易・迅速化等の制度が新たに設けられた（商352条乃至374条ノ3）。

(g) 整理・解散・清算等　(イ) 支払不能または債務超過になる虞れがある場合（疑いある場合を含む），裁判所は，取締役・監査役・6カ月前より引続き総株主の議決権の100分の3以上に当たる株式を有する株主または資本の10分の1以上に当たる債権者等の申立てにより，会社に対して整理の開始を命ずることができる（商381条）。整理開始の命令がある場合，会社の本店および支店の所在地で登記をしなければならない（商382条）。整理開始の申立または通告がある場合，必要があれば，裁判所は破産手続および企業担保権の実行手続の中止を命ずることができる（商383条）。同様に整理開始命令がある場合，競売手続の中止を命ずることができる（商384条）。整理開始の命令がある場合，整理の見込がないときは，裁判所は職権をもって破産の宣告をしなければならない（商402条）。

(ロ) 株式会社は，あらかじめ予定した存立時期の満了または定款に規定した解散事由の発生，会社の合併，会社の破産，解散を命ずる判決，株主総会の解散決議の可決等に該当する場合，解散する（商404条）。解散決議は特別決議によるが，この決議により会社を継続させることもできる（商405条・406条）。総株主の議決権の10分の1以上に当たる株式を有する株主は，やむを得ない事由があれば，会社の解散を裁判所に請求することができる（商406条ノ2）。

(ハ) 会社が解散した時は，合併と破産の場合以外，原則として取締役が清算人となる（商417条）。清算人は，遅滞なく会社財産の現況を調査し，財産目録と貸借対照表を作成し，株主総会に提出し承認を求めなければならない（商419条）。

(4) 有限会社

(a) 序説　**有限会社**とは商行為その他の営利行為を業として行うことを目的に有限会社法上設立した社団法人である（有1条）。この会社制度はドイツで考案された有限責任会社（Gesellschaft mit beschränkter Haftung, 略して G.m.b.H.）を昭和13年に導入したものである。内容的には，株式会社の簡略化されたものといえる。

(b) 設立　この会社には発起人の制度がない。設立は，2人以上原則として50人以内の者（有8条）が，定款を作成し，これに公証人の認証を受け（有5条），払込または給付があった日から2週間以内に設立登記をして完了する（有13条1項）。定款の絶対的記載事項・相対的記載事項・任意的記載事項等は株式会社に準じている（有6条・7条）。ただ，資本総額が300万円以上でなければならないこと，出資一口の金額は均一で5万円以上でなければならないこと等（有9条・10条）に特色がある。設立に関する資本充実責任は，株式会社の場合と同様である（有限14条・15条）。

(c) 社員　有限会社の社員権を持分（もちぶん）と称し，各社員は出資の口数に応じて持分を有する。これを持分複数主義という。この持分につき，指図式または無記名式の証券を発行できない（有12条）。したがって，記名式持分証券を発行しても，それは単なる証拠証券であって，株式のような有価証券ではない。社員は，株式会社と同様，出資金額を限度とした間接有限責任を負う（有17条）。持分の譲渡は，社員相互間では自由であるが，非社員に対しては社員総会の承認が必要である（有19条）。

(d) 機関　(イ) 社員総会は，会社に関するすべての事項を決議できる最高の意思決定機関である。議決権は原則として出資一口に1個であるが，定款により別段の定め（一社員一議決権または複数議決権等）もできる（有39条）。決議方法には普通決議（有38条ノ2）と特別決議（有48条1項）とがある。また，会社は総会の決議をもって，総会に出席できない社員のために書面および電磁的方法により議決権を行使することを定められる（商38条ノ3・38条ノ4）。さらに，総社員の同意がある場合には，書面または電磁的方法による決議が認められる（有42条）。

　(ロ) 取締役は，1人以上必要である（有25条）。選任は普通決議で，解任は特別決議による（有32条）。各取締役は原則として会社の業務執行権と代表権を有するが，定款または社員総会の決議により，代表取締役を設けることもできる（有27条）。

　(ハ) 監査役は，社員総会や取締役と異なり，任意機関であるから，置いても置かなくてもよいが，定款により置く場合，任期を除き，株式会社の監査役の規定が準用される（有33条・34条）。職務権限は会計監査である（有33条ノ2）。

(e) 計算　取締役は，毎決算期に貸借対照表・損益計算書・営業報告書・利益の処分または損失の処理に関する議案等の書類を作成し（有43条），定時総会に提出してその承認を求めなければならない（有46条）。その他，株式会社の規定が多く準用されている。他方，貸借対照表の公告が不要なこと（参考；有46条），利益配当は原則として出資口数に比例してなされるが，定款により別段の定めができること（有44条）等は有限会社の特徴である。

第4節　商　行　為

　商法が規定する商行為とは何か，基本的商行為・不属的商行為，準商行為等について理解すること。商行為の特則について，民法との相違点について理解すること。仲立，問屋，運送営業，倉庫その他各種の取引形態を理解すること。

1　総　則
(1)　商行為の意義・分類
われわれは一般に商法中商行為編にまとめられた企業または営業上の活動形

態および取引に関する各種の規定を商行為法と呼んでいる。**商行為**とは，実質的には企業活動に関する行為または営利行為であり，形式的には商法典や特別法上に商行為として規定された行為である。

　この商行為は，①行為の性質を基準にして，行為の本質に常に営利性を認める絶対的商行為と，営業として行った時に営利性を認める相対的商行為（営業的商行為）に分類できる。また，②商人概念を基準にして，商人概念決定の要素になる基本的商行為（商501条・502条，担信3条・29条，信託6条，無尽2条等限定的に列挙されたもの）と，そうでない補助的商行為（付属的商行為）とに分類できる。さらに，当事者を基準にして，一方的商行為（商3条）と双方的商行為（たとえば商521条等）に分類できる。その他，商行為以外の営利行為を行う民事会社（商52条2項）の行為について，準商行為という概念がある（商523条）。

(2)　商行為の特則

　商行為は法律行為または法律上の行為であるから，原則的には法律行為や契約に関する民法の一般規定の適用を受ける。しかし，商行為の営業上の特殊性により，その商行為の成立・効果・消滅につき民法の規定とは異なった内容が規定されている。

　(a)　一般的特則　　代理（商504条・506条）・委任（商505条），契約の申込みの拘束力（商507条・508条），多数当事者の債務（商511条），年6分の商事法定利率（商514条），流質契約の許容（商515条），債務履行の場所と時（商516条・520条），時効（商522条）等については，商行為の継続性・迅速性・営利性の観点より民法より異なった規定になっている。

　(b)　当事者の一方が商人である場合の特則　　諾否の通知義務（商509条），受領物品保管義務（商510条），商行為の有償性（商512条・513条2項），受寄者の注意義務（商593条）等は，商人と取引をする非商人にも適用される。

　(c)　商人間の特則　　商人間では，金銭の消費貸借において特約がなくても法定利息を請求できる（商513条）し，民法よりも留置物の範囲が広い商事留置権（商521条）等が認められている。

2　各種の取引形態

　典型的な企業取引として，①売買（商524条～528条），②商人間または商人と非商人間で平常かつ継続的取引をする場合，一定の期間（交互計算期間）内に発

生する債権債務の総額につき相殺し，残額の清算をする**交互計算**(商529条〜534条)，③当事者の一方である匿名組合員が商人である相手方の営業に対し出資しその利益を分配する匿名組合（商535条〜542条），④宅地建物取引業者や旅行斡旋業者等一般に周旋業者といわれる仲立営業（商543条〜550条），⑤自己の名をもって他人のために物品の販売または買入れを営業としてする問屋営業（商551条〜557条）および物品の販売や買入れ以外の行為をする出版・広告・旅客運送等の準問屋（商558条），⑥自己の名をもって物品運送の取次を引き受ける運送取扱営業（商559条〜568条），⑦運送営業（商569条〜592条），⑧ホテル・パチンコ・ゲーム場等の客の来集を目的とする場屋営業や倉庫業等の寄託（商593条〜628条），⑨保険（商629条〜683条）および⑩海商（商684条〜851条）等が規定されている。

第5節　有価証券と手形・小切手

　有価証券制度の目的と有価証券の意味およびそれに類似した証券を理解すること。手形小切手について，手形行為とは何か，とくに振出，裏書，支払，遡求等について理解すること。さらには，手形理論や抗弁等についても理解すること。

1　有価証券制度
(1)　序　　説
　有価証券とは，私的財産権を表彰する証券であって，その権利の発生・行使・消滅において一部または全部に証券の占有を必要とするものをいう（通説）。そして，有価証券制度の目的は，経済発展に伴い取引の対象になった「無形の権利」を「有形の物（有価証券）」に化体し，その流通の円滑かつ確実を図ることにある。
(2)　有価証券の分類
　①　証券の占有と権利の結合の程度を基準にして，完全有価証券（手形・小切手のみ）と不完全有価証券とがある。つまり前者には権利の発生・行使・消滅等のすべての過程に証券の占有が必要である。

　②　権利者指定の方法により，記名証券，無記名証券（商品券・社債券），指図

証券（証券面に名前を記載された被指図人が権利行使のできる証券で，手形・貨物引換証・船荷証券・倉庫証券等），選択無記名証券（証券上に権利者を指定するが，同時にその証券の所持人をも権利者にする旨記載した証券で，記名式持参人払証券ともいう。例；小5条2項）等がある。

③　権利の内容による分類として，債権的有価証券（手形その他ほとんどのもの），物権的有価証券（純粋なものはない。例；質入れ証券），社員権的有価証券（株券）等がある。

④　証券上の権利関係が証券記載の文言によって定まるか否かによる分類として，文言証券（手形・小切手・貨物引換証等）と非文言証券（株券）とがある。

⑤　証券上の権利と証券授受の原因である法律関係との関連による分類として，要因証券（証券上の権利がその原因である法律関係の有効な存在を必要とするもの）と不要因証券（手形・小切手のみ）とがある。

⑥　証券の作成と権利の発生との関係による分類として，設権証券（権利の発生が証券の作成にかかっているもので，手形・小切手がある）と非設権証券（株券）等がある。

（3）　有価証券に類似した証券

①　証拠証券（単に法律関係の存在や内容を証明するだけのもので，レシート・納品書・借用証書等），②免責証券（資格証券ともいい，債務の弁済に際し証券の所持人が真の権利者であるか否かを問うことなく履行できる証券で，携帯品預り証・コインロッカーの鍵・下足札等がある。これは，有価証券のように権利者としての推定はないし，除権判決の対象にならないし，権利の譲渡に使用できない），③金券（金額券ともいい，一定の権利を表彰するのではなく証券自体が価値を有するものである。紙幣・郵便切手・収入印紙等がある）。

（4）　有価証券の善意取得

(a)　序説　　民法は動産の即時取得を善意・無過失者に限り認めている（民192条）。しかし，商法上の有価証券は，民法の動産よりも一層流通が激しいものであるから，取引におけるなお一層の安全対策が必要である。そこで有価証券の流通について，「事由の何たるを問わず有価証券の占有を失った者がある場合，その証券を取得した所持人は，無記名式証券である時，又は指図式証券で所持人が裏書の連続によりその権利を証明する時は，その取得に悪意又は重過失がない限り，これを返還しなくてもよい（商229条・519条，手形16条2項，小

切手21条）」として，民法の善意取得の要件を緩和している。

(b) **善意取得の要件・効果** **善意取得**の要件は，①無記名式・指図式・選択無記名式の有価証券の引渡または裏書（有価証券法的譲渡）による取得であること，②無権利者からの取得であること，③譲渡人の無権利について，取得者に悪意又は重過失がないこと，等である。また，善意取得の効果は，有価証券が表彰する権利を原始的に取得することと，譲渡人の無権利を治癒することである（譲渡人の無能力や代理権の欠缺は治癒されない）。

2 手形・小切手

(1) 序　説

手形小切手に関する規定は，昭和7年に手形法，昭和8年に小切手法が成立し，ともに昭和9年元旦から施行されるまで，商法第4編として商法典の一部をなしていた。また，手形小切手は，国際間でも多く使用されるので，1930年よりわが国は手形小切手の統一条約に加盟している。

手形には，**支払委託証券**の為替手形と**支払約束証券**の約束手形とがある。また，小切手は支払委託証券である。共に厳格な要件が規定されている（手1条・75条，小1条）ので，厳格な要式証券性を有する（ただし，手10条により，後で要件の補充をすることを予定して要件部分を書かずに発行する**白地〔しらじ〕手形**が認められている）ほか，文言証券性や無因証券性を有する。その他，権利の発生に関し設権証券性を有するほか，権利行使に関しては呈示証券性・受戻証券性を有する。

(2) 手形行為等

(a) **序説**　手形行為とは，手形上の法律関係を発生・変動する行為をいい，基本手形行為である振出と，付属手形行為である裏書・保証・引受・参加引受等がある。小切手行為とは，振出・裏書・保証・支払保証等をいう。この行為は，書面行為で署名を絶対的要件としている。また，一個の手形や小切手に数個の行為（振出・裏書・引受等）がなされるが，これらはそれぞれ独立して効力を生じる。これを**手形（小切手）行為独立の原則**という（手7条・77条2項，小10条）。さらに，手形小切手行為は，絶対的商行為である（商501条4号）。

① **振出**　為替手形は，振出人Aが（Aの債務を有する）引受人Bに，Aの支払先である「受取人Cに代金を払ってほしい」旨の支払いを委託することで

ある。したがって，Aが直接Cに代金の支払いを約束する「約束手形」とは異なる。すなわち，為替手形では，AC間の取引に直接関係ないBに，Aが支払いを委託し，Bが支払いを約束することを「引き受け」る（引き受けた時点で引受人となり，引受人＝支払人となる）制度である。小切手も支払委託証券であるが，支払委託先は銀行であり，振出人が銀行の自己の口座から支払う仕組みである。

　(ア)　基本証券の作成　　手形や小切手の用紙は法律で決められていないが，その記載事項は法律で決められており（手1条・75条，小1条），その要件を欠く物は無効である。しかも，手形小切手は流通性を重視しているために誰が見ても内容がわかるように形式を重視するから，特別な場合を除き，これらに不必要なことを書いてはいけないことになっている。例外的に，署名以外の手形要件を書いた物でも，相手が後で補充することを前提にして振り出す手形がある。これは白地手形といい，有効な手形である（手10条）。

　また，手形は転々と流通するので，その用紙に利息に関する事項を記入できないから，必要な利息は，あらかじめ手形金額に含めて記載しなければならない。

　(イ)　振出人の署名　　自署（自分で手書きする）または記名捺印で行う。**振出**とは，要件を充足した基本証券の作成と，署名かつ相手への交付を意味する。また，代理人の署名の場合，原則として代理人の肩書きを明示して行う。明示無き場合でも本人に効力が及ぶ場合がある（商504条・42条・262条）。

　署名者は，約束手形の場合第一次の支払い義務者で，為替手形や小切手の場合，支払いがなされない時は，最終的な遡求義務者になり，支払責任がある。

　②　裏書　　**裏書**とは，受取人Bが証券の裏面に，一定事項を記載して他人Cに交付する行為をいう。つまり，裏書がなされると，Bが裏書人で，Cが被裏書人となり証券上の権利者になる。通説は，裏書の法的性質を債権譲渡と解する。裏書の効力には以下のものがある。

　(ア)　権利移転的効力　　一切の権利が裏書人から被裏書人に移転され（手14条1項・77条1項1号），被裏書人Cが権利者になる。つぎに，Cが裏書をすればCが裏書人となり，相手のDが被裏書人となる。このように裏書は連続することができる。

　(イ)　資格授与的効力　　裏書の連続する手形の所持人は権利者であるとの

推定を受けることをいう。つまり，手形の権利行使者は真の権利者でなければならないが，真の権利者の調査と証明には時間と費用がかかるので，手形の流通性の阻害となる。そこで，「裏書の連続」に「その調査と証明」を省略させ「裏書連続手形の所持人に権利者との推定（真の権利者との推定および裏書人としての資格授与）」の効果を与えたのである。したがって，形式上裏書が連続していれば，前者が実質上無権利者の手形を裏書取得した場合でも，手形上の権利を取得する（手16条2項）。この場合，手形債務者が悪意でないかまたは無重過失で支払をなせば，手形上の義務を免れる（手40条3項）。

　　(ウ)　担保的効力　　裏書人は，引受と支払を担保する。したがって，裏書をしたが，引受や支払がない場合には，自らが償還金額の支払義務を負う（手形15条1項）。この担保的効力の法的性質は，裏書人の意思表示によるのではなく，民法の売主の担保責任と同性質のものとしている（通説）。期限後裏書（手20条），取立委任裏書（手18条），無担保裏書（手15条1項）等では，その後者全員に対して，裏書人は担保責任を負わない。また，裏書禁止裏書が記載されているにもかかわらず裏書をした場合，その直接の被裏書人には責任があるものの，それ以外の後者に対しては担保責任を負わない（手15条2項）。

　③　支払　　一覧払式の手形は振出日から1年間，小切手は振出日から10日間が，それぞれ支払を求めるために相手（支払人）に差し出さ（呈示し）なければならない期間であり，呈示があった時に支払をしなければならない（手34条1項，小29条1項・28条2項）。その他の場合には満期日を基準に支払呈示期間を計算する。一般には，手形所持人は支払日またはこれに次ぐ二取引日（合計3日間）内に，支払いのために手形を呈示しなければならない（手38条1項・77条1項3号）。呈示の時には完全な手形小切手でなければならないから，白地は補充されていなければならない。

　④　支払拒絶（不渡り対策）　　支払呈示期間内に支払呈示をしても，支払ってもらえないことがある。このような場合には，公証人に「支払拒絶証書」の作成を依頼したり，前裏書人や振出人に「遡求による償還請求」をする準備が必要である。取立のために銀行に持ち込まれた手形等は，翌日手形交換所で交換呈示される。もし，この時に支払ができない手形等なら，さらに翌日手形交換所で取立銀行へ返還される。これを一般に**不渡り**という。

　⑤　遡求手続　　満期または適法な時期に呈示したが支払ってもらえない手

形小切手には，公正証書による引受拒絶証書または支払拒絶証書の作成が必要である（手44条1項，小39条）。しかし，この作成には時間と費用がかかるので，手形小切手には，あらかじめ当事者の合意により「拒絶証書不要」の文言を記載する事ができる（手46条1項，小42条1項）。この記載があると，拒絶証書なしで遡求ができる。

さらに，手形の遡求とは無関係に，約束手形の振出人，為替手形の引受人，またはこれらの手形保証人に対しては，何時でも支払を請求できる（手47条，77条1項4号）。支払いのための呈示ミスにより支払呈示期間を超過した手形でも請求できる。これに対して，小切手の場合には，支払人である銀行等が支払保証をしていて，振出日後10日以内に支払呈示をした時に限り，銀行等に何時でも請求できる。つまり，小切手の場合の支払保証人は，支払呈示期間の経過前の呈示に対して支払い義務を生ずるのである（小55条1項）。

(b) 手形理論（手形学説）　手形上の権利義務がいかにして発生するかということについては，現在，発行説（所持説）が通説である。つまり，署名（単独行為）と署名者の意思の対外的発信（発行）とその意思の到達（証券の交付）とにより，有効な振出があったと解する。その他，署名があればそれだけで有効と解する創造説や，交付契約説等がある。

(c) 手形行為の代理　①代理形式の場合，「本人の為にする」旨を記載して，代理人が署名または記名捺印をする。この場合，商法504条の非顕名主義は適用されない。②代行形式（代理人が本人の名義を手記する）の場合，判例は認める（最判昭和37年7月6日民集16巻7号149頁）が，学説は偽造・無権代理・表見代理とする。さらに，代理の効果として，代理人が代理権を有する場合には，本人の手形行為となり，本人が全責任を負う（民99条）。無権代理の場合には無権代理人が責任を負う（手8条）。表見代理の場合には，本人に代理権授与額の責任を負わせ，代理人に手形文言上の全責任を負わせる（**全額責任説**）。

(d) 手形の抗弁　手形義務者として支払いの請求を受けた者が，支払拒否その他のために，その請求者に対して弁論で対抗することを手形の抗弁という。この抗弁には，物的抗弁と人的抗弁とがある。①物的抗弁（絶対的抗弁）とは，総ての手形所持人に対して対抗できるもので，被請求者の手形上の義務自体の存否や内容に関するものである。たとえば，無能力・偽造変造・無権代理・除権判決の存在等の手形要件を欠く場合と，満期未到来・時効の完成・本人の表

示不明等の手形記載上の事由により認められるものとがある。②人的抗弁（相対的抗弁）とは，手形債務者と特定の手形所持人との間の原因により認められるものである。たとえば，裏書不連続・盗取手形等の特定の手形所持人の権利を否定する場合，売買の無効や取消・融通手形等の原因関係にもとづく場合，手形行為に心裡留保・錯誤・詐欺・強迫等の瑕疵がある場合等がある。

　(e)　手形・小切手上の権利の時効　　時効については一様でない。①為替手形の引受人または約束手形の振出人への請求権は満期の日より3年，②手形所持人の裏書人および振出人に対する遡求権は適法な時期になした拒絶証書作成日または無費用償還文句のある場合には満期の日より1年，③償還をした裏書人・保証人・参加引受人の前者に対する再遡求権は，手形の受戻しまたは訴えを受けた日から6カ月，④手形上の権利につき確定判決があれば，その権利は判決後10年，等で時効にかかる（手70条・77条，民174条ノ2）。小切手の場合は，呈示期間経過後または受戻し日または訴えを受けた日より6カ月を以て時効にかかる（小51条）。

　(3)　利得償還請求権（手85条，小72条）

　手形や小切手上の権利が時効にかかったり，権利保全の手続きをとらなかった為にこれらの権利が消滅した場合，手形による支払い義務者は，権利者の失権により利益を得ることになる。この不公平を公平の観点から最小限の範囲（権利の上に眠る者は保護されない等を考慮して）で解決するのがこの規定である。

　(a)　利得償還請求権の法的性質　　通説は，これは手形小切手法上の特別の請求権であるとする。判例は，不当利得の返還請求ではなく，非手形上の償還請求権である（大判明治45年4月17日民録18輯397頁）とするものや，手形債権の時効消滅の結果取得する権利であるから手形債権の代償物（大判昭和6年12月1日民集10巻1149頁）であると解している。

　(b)　請求権者　　手形小切手上の権利が，消滅した時において，その手形小切手上の権利を有していた者である。つまり，時効完成当時に法律上の正当な手形所持人（債権者）であればよく，その者が最後の被裏書人又は償還義務を履行した裏書人であるとを問わない（大判大正2年2月21日民録19輯90頁）。ただし，裏書不連続手形の所持人は当該権利を取得できない。

　(c)　権利の発生　　①　手形小切手上の権利が，手続の欠缺または時効により消滅したときである。この場合，手形上のすべての義務者に対して権利を

失った場合か否か問題となっている。判例（大阪高判昭和36年9月27日金融法務290号9頁）は「所持人が手形上の権利を失った場合でも，手形の原因関係による請求権を行使しうる場合や，他の手形債務者に対して手形上の権利を行使しうる場合（他の手形債務者が無資力の場合を除く）には，所持人に利得償還請求権は認められない」とし，ほとんどの場合，手形上または民法上の救済方法がある場合には利得償還請求権を取得できないとしている。

② 現実に財産上の利益を受けていること　「その受けた利益」とは，現実に受けた利益を指し，手形債務者が支払いに代えてさらに手形を振出した事実ではない。また，約束手形の振出人が振出の対価として現実に利益を受けた場合を指し，振出の対価として金員の交付を受けた場合だけでなく，既存債務の支払を免れた場合も含む（大判大正5年10月4日民録22輯1848頁他）。

③ 利得の存否　既存債務の支払のために振出された約手上の債権が時効によって消滅しても利得償還請求権は発生しない。これは原因債権の時効に因る消滅即ち時効の効果に因るからである。その他，手形が消費貸借上の債務の履行確保の為に振出された時は手形上の権利が時効完成によって消滅しても利得償還請求権は発生しない（大判昭和10年6月22日法律学説判例評論全集24巻商法366頁）。

〔参考文献〕

戸田修三＝中村眞澄編著『商法総則・商行為』青林書院，1984年

崎田直次『手形と小切手の話』日本商工会議所小規模事業指導パンフレット

鈴木竹雄『新版会社法』弘文堂，1974年

大隅健一郎＝大森忠夫編著『商法概説(1)・(2)』有斐閣双書（新版）1982，（三訂板），1988年

鈴木竹雄＝竹内昭夫『会社法』（新版）有斐閣，1987年

東大緑法会編『法律学小体系商法総則商行為法』酒井書店，1988年

東大録法会編『法律学小体系会社法Ⅰ・Ⅱ』酒井書店，1988年

東大緑法会編『法律学小体系手形小切手法』酒井書店，1988年

事項索引

あ行

旭川学テ事件 ……………… 69, 80
朝日訴訟 ……………………… 77
アメリカ独立宣言 …………… 26

違憲審査基準 ………………… 64
違憲立法審査権 ……………… 58
違憲立法審査制 ………… 84, 109
意思能力 …………………… 130
慰謝料 ……………………… 167
一院制 ……………………… 101
一人会社 …………………… 223
遺留分 ……………………… 205

疑わしきは罰せず …………… 12
宇奈月温泉木管除去請求権事件 … 128
裏書 ………………………… 237
運送営業 …………………… 234
運送取扱営業 ……………… 234

営業 ………………………… 218
営業譲渡 …………………… 218
営業標 ……………………… 214
営利性 ……………………… 211
営利的商行為 ……………… 212
エストッペルの法則 ……… 127
恵庭事件判決 ……………… 119
愛媛玉串料違憲判決 ………… 70

応答日 ……………………… 155

か行

外観主義 …………………… 211
階級対立 …………………… 48
外国人の人権保障 …………… 61

会社 ………………………… 221
概念法学 ……………………… 13
各人に彼のものを ……………… 6
額面株式 …………………… 224
学問の自由 …………………… 68
隠れた瑕疵 ………………… 171
貸倒れ額 …………………… 216
果実 ………………………… 174
過失責任主義 ……………… 183
過失責任の原則 …………… 125
過失相殺 …………………… 186
価値絶対主義 …………………… 8
価値相対主義 …………………… 8
株券 ………………………… 224
株式 ………………………… 224
株主総会 …………………… 226
仮差押 ……………………… 150
仮処分 ……………………… 150
監査役 ……………………… 228
間接代理 …………………… 140
間接適用説 …………………… 64

議院 …………………… 83, 101
議員定数配分の不均衡 ……… 87
期間 ………………………… 154
　――の計算方法 …………… 154
機関訴訟 ……………………… 13
企業法説 …………………… 208
期限 …………………… 152, 153
　――の利益 ……………… 148
危険社会 …………………… 50
擬制商人 …………………… 212
帰責事由 …………………… 164
基本的商行為 ……………… 212
基本的人権 …………………… 58
教育を受ける権利 …………… 79

共益権	225	権利の濫用禁止	128
教科書検定	72	権力分立	37
競業避止義務	219, 221		
協議離婚	191	行為能力	130
強制執行	6	公共事	29
共同代理	141, 218	公共の福祉	59, 126
強迫	138	後見	197
業務監視権	223	抗告訴訟	13
挙証責任の転換	12	交互計算	233
寄与分	200	交叉申込	160
キリスト教	23	公示主義	211
金券	235	公職選挙法	88, 103
金庫株制度	224	公正証書	204
近代立憲主義	56	拘束名簿式	97
		公的扶助	196
経済的自由権	67	後発的不能	166
警察予備隊違憲訴訟	112	合理的期間	90
計算書類	229	合理的根拠の基準	65
形式的意義の商法	207	国際人権規約	57
形成権	130	国民	36
契約	135	国民主権	36
——の定型化	211	国務大臣	83
契約自由の原則	172	個人	22
結社の自由	41	個人主義	21, 36
検閲の禁止	71	国家	28
原価主義	216	——からの自由	32
減殺請求	206	——のために死ねる人々	30
原始産業	212	——への自由	30
原始的不能	166	古典的人権	44
限定承認	202	ゴード・シヴィル	123
憲法改正	82	固有の商人	212
憲法裁判所型	110	雇用契約	179
憲法十七条	19	混合契約	172
憲法判断回避の準則	119		
憲法保障機能	37	**さ行**	
顕名主義	140		
権利外観理論	127	債権者主義	169
権利株	225	催告	150
権利能力	130	財産権	129
		財産分与	193

事項索引　245

最大較差 …………………… 92
裁判官の法創造的機能 ……… 14
裁判上の請求 ……………… 149
裁判所の組織 ………………… 11
裁判離婚 …………………… 192
債務者主義 ………………… 169
錯　誤 ……………………… 136
差　押 ……………………… 150
指図証券 …………………… 234
詐　欺 ……………………… 137
参議院 ………………………… 83
三審制度 ……………………… 11
参政権 ………………………… 48

自益権 ……………………… 225
時価主義 …………………… 216
私　権 ……………………… 129
時　効 ……………………… 145
　　──の中断 …………… 149
　　──の停止 …………… 151
自己契約 …………………… 142
持参債務 …………………… 161
事実の認定 …………………… 12
事情判決 ……………………… 91
私　人 ………………………… 33
思想・良心の自由 …………… 68
実質的意義の商法 ………… 207
実証説 ……………………… 208
失踪宣告 …………………… 131
史的関連説 ………………… 208
私的財産絶対の原則 ……… 125
私的自治の原則 …………… 124
私的所有 ……………………… 52
私的扶養 …………………… 195
自働債権 …………………… 152
シネーカの法則 …………… 128
支配権 ……………………… 130
支配人 ……………………… 217
支　払 ……………………… 238

支払委託証券 ……………… 236
支払督促 …………………… 149
支払約束証券 ……………… 236
自筆証書遺言 ……………… 204
私　法 ………………………… 33
司法裁判所型 ……………… 110
司法審査制度 ………………… 58
資本主義 ……………………… 39
資本準備金 ………………… 230
市　民 ………………………… 28
市民革命 ……………………… 28
市民法 ……………………… 123
社員権 ……………………… 129
社員の責任 ………………… 221
社会規範 ……………………… 1
社会権 …………… 41, 43, 67, 76
社会国家 ……………………… 45
社会通念 …………………… 126
衆議院 ………………………… 83
　　──の解散 …………… 118
　　──の優越 …………… 102
宗教改革 ……………………… 23
自由権 …………………… 45, 67
自由選挙 ……………………… 84
従属的企業補助者 ………… 210
集団取引説 ………………… 208
自由平等 …………………… 124
自由法学 ……………………… 14
主　権 ………………………… 36
取材の自由 …………………… 71
出世払い …………………… 148
受働債権 …………………… 152
受働代理 …………………139, 140
取得時効 …………………… 145
受領遅滞 …………………… 175
準占有 ……………………… 147
準則主義 …………………… 221
準問屋 ……………………… 234
商業使用人 ………………… 217

商業帳簿	215
商業登記	219
条件	152
――の類型	153
商行為	232
商号	214
商号自由主義	214
商号使用権	214
商号専用権	214
証拠証券	231, 235
少数株主権	225
小選挙区制	96
小選挙区比例代表並立制	95
上訴	120
商的色彩説	209
承認	150
消費貸借	134
商標	214
情報公開	51
消滅時効	147
除斥期間	152
書面決議	227
書面投票	226
所有権	125
白地手形	236
人格権	129
新株発行	230
信義誠実の原則	126
信義則	127
信教の自由	68
親権	197
人権	25, 56
――の享有主体	60
新権原	147
信玄公旗縣松事件	129
人身の自由	67
審判離婚	192
心裡留保	136
数種の株式	225
ストライキ	42, 80
砂川事件	115
生活扶助基準	79
税関検査	72
精神的自由	35
精神的自由権	67
生存権	43, 77
制度的保障	59
成年後見制度	197
成年被後見人	131
世界人権宣言	57
責任制度	211
積極的債権侵害	166
絶対的記載事項	224
絶対的商行為	212
絶対的平等	64
設備商	212
善意取得	236
善意無過失	146
善意有過失	146
選挙運動の自由	84
選挙判決の効力	112
選挙無効訴訟	89
全国区制	103
先占	139
先例拘束性	18
総選挙	83, 102
相続分	199
相対的記載事項	224
相対的平等	64
送付債務	161
双方代理	142
双務契約	160
相続人	198
損害発生回避義務違反	182

た行

大　衆 …………………………… *49*
大衆民主主義 …………………… *49*
大選挙区制 ……………………… *104*
代替執行 ………………………… *6*
大日本帝国憲法 ………………… *34*
代　理 …………………………… *138*
代理商 …………………………… *220*
諾成契約 ………………………… *172*
他人の物の売買 ………………… *172*
単位株制度 ……………………… *224*
単元株制度 ……………………… *224*
単純承認 ………………………… *202*

地方公共団体 …………………… *133*
嫡出子 …………………………… *193*
チャタレイ事件判決 …………… *73*
抽象的審査 ……………………… *114*
中選挙区制 ……………………… *88*
調停前置主義 …………………… *13*
調停離婚 ………………………… *192*
直接適用説 ……………………… *63*

通常事理弁識能力 ……………… *185*
通謀虚偽表示 …………………… *136*
津地鎮祭合憲判決 ……………… *69*

低価主義 ………………………… *216*
定　款 …………………………… *223*
抵抗権 …………………………… *25*
呈　示 …………………………… *238*
手形行為 ………………………… *236*
　――の代理 …………………… *239*
手形行為独立の原則 …………… *236*
手形の抗弁 ……………………… *239*
典型契約 ………………………… *172*
転貸借 …………………………… *178*

当為の法則 ……………………… *2*
当事者訴訟 ……………………… *13*
同時履行の抗弁権 ……………… *161*
東大ポポロ事件 ………………… *69*
統治行為 ………………………… *115*
道徳の内面制 …………………… *4*
投票価値 ………………………… *90*
特殊不法行為 …………………… *186*
特定物 …………………………… *167*
特定物ドグマ …………………… *171*
特別決議 ………………………*227, 232*
特別受益者 ……………………… *200*
特別養子 ………………………… *195*
匿名組合員 ……………………… *233*
独立的企業補助者 ……………… *210*
苫米地事件 ……………………… *118*
取締役会 ………………………… *227*
取立債務 ………………………… *161*
ドント式 ………………………… *98*

な行

内　閣 …………………………… *83*
内閣総理大臣 …………………… *83*
名板貸し ………………………… *215*
仲立営業 ………………………… *232*

二院制 …………………………… *101*
21世紀的人権 …………………… *44*
二重の基準 ……………………… *71*
20世紀的人権 …………………… *44*
日米安全保障条約 ……………… *115*
日曜日の授業参観 ……………… *68*
任意代理 ………………………… *139*
任意的記載事項 ………………… *224*
人間の尊厳 ……………………… *58*

能働代理 ………………………… *139*

は行

媒介説 …………………… 208
配分的正義 ………………… 7
パーナリズム ……………… 46
番頭・手代 ………………… 218
判例法 ……………………… 17

非嫡出子 …………………… 193
必要費 ……………………… 178
非典型契約 ………………… 172
被保佐人 …………………… 131
秘密証書遺言 ……………… 204
秘密選挙 …………………… 83
表見支配人 ………………… 218
表見代表取締役 …………… 228
表見代理 …………………… 143
表現の自由 ………………… 71
平　等 …………………… 22, 54
平等選挙 …………………… 84
比例選挙区 ………………… 104
比例代表制 ………………… 97

ファシズム ………………… 48
不確定期限 ………………… 161
付　款 ……………………… 152
不完全履行 ………………… 166
福祉国家 …………………… 45
復代理 ……………………… 144
付随的審査 ………………… 114
付属明細書 ………………… 229
普通決議 …………………… 226
普通選挙 …………………… 84
普通養子 …………………… 194
物権的請求権 …………… 130, 148
不特定物 …………………… 167
不平等選挙制 ……………… 87
不要因証券 ………………… 235
フランス人権宣言 ………… 34

振　出 ……………………… 237
プログラム規定説 ………… 78
プロテスタント …………… 23
不渡り ……………………… 238

平均的正義 ………………… 7
片務契約 ………………… 135, 160

包括的代理権 ……………… 217
放　棄 ……………………… 202
法　源 ……………………… 16
法人実在説 ………………… 132
法人否認説 ………………… 132
法人本質論 ………………… 132
法定財産性 ………………… 191
法定代理 …………………… 139
法的安定性 ………………… 8
法的義務 …………………… 3
法的強制 …………………… 5
法の外面制 ………………… 4
法の適用 …………………… 10
法の下の平等 ……………… 64
法は道徳の最小限 ………… 3
法律行為 …………………… 134
法律行為自由の原則 ……… 124
法律婚主義 ………………… 190
法律の留保 ………………… 58
募集設立 …………………… 223
牧会活動 …………………… 68
発起設立 …………………… 223
発起人 ……………………… 223
堀木訴訟 …………………… 79

ま行

マクリーン事件 …………… 61
マルクス的社会主義 ……… 51

未成年者 …………………… 131
三菱樹脂事件 ……………… 62

身　分 …………………………… 22
身分権 …………………………… 129
身分制 …………………………… 36
身分制的自由 …………………… 27
民衆訴訟 ………………………… 13
民主主義 ………………………… 48
民法の指導原理 ………………… 123

無額面株式 ……………………… 224
無過失責任主義 ………………… 183

目的論的解釈 …………………… 15
持　分 …………………… 222, 231
持分複数主義 …………………… 231
文言証券 ………………………… 235

や行

夜警国家 ………………………… 45
屋　号 …………………………… 214

有価証券 ………………………… 235
有限会社 ………………………… 231
誘導法 …………………………… 216

要因証券 ………………………… 235

要物契約 ………………………… 176
四畳半襖の下張事件 …………… 75

ら行

利益準備金 ……………………… 230
履行遅滞 ………………………… 164
履行不能 ………………………… 166
履行補助者の故意・過失 ……… 165
立法目的 ………………………… 65
利得償還請求権 ………………… 240
両院制 …………………………… 101

類　推 …………………………… 15
ルネッサンス …………………… 23

レーン制 ………………………… 26
連邦制 …………………………… 110

労働基準法 ……………………… 80
労働権 …………………………… 41
労働者の権利 …………………… 80
労働組合 ………………………… 41

わ行

ワイマール憲法 ………………… 44

編者　新里　光代（にいざと　てるよ）

〔執筆者〕　　　　　　　　　　　　　　　〔執筆分担〕
新里　光代（北海道教育大学名誉教授）　　第1章
　　　　　　　　　　　　　　　　　　　　第2章第2節5
　　　　　　　　　　　　　　　　　　　　第3章第3節
篠田　　優（北海道教育大学旭川校助教授）　第2章第1節
浅利　祐一（北海道教育大学釧路校助教授）　第2章第2節1～4
寺島　壽一（北海道教育大学札幌校講師）　　第2章第3節
土井　勝久（札幌大学教授）　　　　　　　第3章第1節，第4章
永盛　恒男（函館大学教授）　　　　　　　第3章第2節
　　　　　　　　　　　　　　　　　　　　　　〔執筆順〕

法 学 講 義〔第2版〕

1999年6月10日　第1版第1刷発行
2001年4月25日　第1版第2刷発行
2003年4月30日　第2版第1刷発行

編者　新　里　光　代
発行　不　磨　書　房
〒113-0033　東京都文京区本郷6-2-9-302
TEL 03-3813-7199／FAX 03-3813-7104
発売　㈱　信　山　社
〒113-0033　東京都文京区本郷6-2-9-102
TEL 03-3818-1019／FAX 03-3818-0344

Ⓒ著者, 2003, Printed in Japan　　印刷・製本／松澤印刷

ISBN4-7972-9086-2 C3332

不磨書房

戒能民江 著（お茶の水女子大学教授）　　山川菊栄賞受賞
ドメスティック・バイオレンス
本体 3,200 円（税別）

導入対話による **ジェンダー法学**　浅倉むつ子監修（東京都立大学教授）
戒能民江・阿部浩己・武田万里子ほか　　9268-7　■ 2,400 円（税別）

キャサリン・マッキノン／ポルノ・買春問題研究会編
マッキノンと語る　◆ポルノグラフィと売買春
性差別と人権侵害、その闘いと実践の中から　　四六変　本体 1,500 円（税別）

◆女性執筆陣による法学へのいざない◆
Invitation 法学入門【新版】
9082-x　■ 2,800 円（税別）
岡上雅美（新潟大学）／門広乃里子（実践女子大学）／船尾章子（龍谷大学）
降矢順子（玉川大学）／松田聰子（桃山学院大学）／田村陽子（山形大学）

これからの　**家族の法**（2分冊）　　奥山恭子 著（帝京大学助教授）
1　親族法編　9233-4　　2　相続法編　9296-2　■各巻 1,600 円（税別）

◆　市民カレッジ　シリーズ　◆
1　知っておきたい **市民社会の法**　　金子 晃（慶應義塾大学）編　■ 2,400 円（税別）
2　市民社会における **紛争解決と法**　　宗田親彦（弁護士）編　■ 2,500 円（税別）
3　市民社会における **行　政　と　法**　　園部逸夫（弁護士）編　■ 2,400 円（税別）
4　**市民社会と公　益　学**　　小松隆二・公益学研究会 編　■ 2,500 円（税別）

◆　導入対話　シリーズ　◆
導入対話による **刑法講義（総論）【改訂新版】**　　9083-8　■ 2,800 円（税別）
導入対話による **刑法講義（各論）**　9262-8　　★近刊　予価 2,800 円（税別）
導入対話による **刑事政策講義**　9218-0　　★予価 2,800 円（税別）
導入対話による **民法講義（総則）【新訂版】**　9070-6　■ 2,900 円（税別）
導入対話による **民法講義（物権法）**　9212-1　　■ 2,900 円（税別）
導入対話による **民法講義（債権総論）**　9213-X　　■ 2,600 円（税別）
導入対話による **商法講義（総則・商行為法）**（改訂版）9084-6　■ 2,800 円（税別）
導入対話による **国　際　法　講　義**　9216-4　　■ 3,200 円（税別）
導入対話による **医事法講義**　9269-5　　■ 2,700 円（税別）